# HET FLUISTERBOEK

# het FLUISTER BOEK

## DEBORA ZACHARIASSE

moon

*Voor Cathelijne*

© 2009 Debora Zachariasse en Moon, Amsterdam
Omslagontwerp en binnenwerkillustratie Petra Baan
Zetwerk ZetSpiegel, Best

ISBN 978 90 488 0153 4
NUR 284

www.moonuitgevers.nl
www.debweb.nl

Moon is een imprint van Dutch Media Uitgevers bv.

**Mixed Sources**
Productgroep uit goed beheerde
bossen, gecontroleerde bronnen
en gerecycled materiaal
www.fsc.org  Cert no. SCS-COC-001256
© 1996 Forest Stewardship Council

Uitgeverij Moon drukt haar boeken op
papier met het FSC-keurmerk.
Zo helpen we oerbossen te behouden.

# Bevroren woorden

We eten sla. Sam heeft sla met slak.

'Bio,' zegt Ma en ze lacht haar zonnige Ma-lach.

'Goed zo,' zegt Pa en hij knikt tevreden.

'Gatver,' zegt Sam.

En ik denk weer aan de rijtjes sla naast de vrolijke wapperwas en het veldje maïs en bonen bij Tibby's huis. Witte bonen met zwarte luizen. Rechte rijtjes slakkige sla. Ik zie Tibby weer voor me, zoals ze stond te schoffelen met haar pa. Haar liedjespa. Haar hoempa-pa.

'Geef eens,' zeg ik in een opwelling. Sam trekt zijn wenkbrauwen op, maar ik pak de slak van zijn bord en verzuip hem in mijn glas.

Sam kijkt me verrast aan, geduldig, zo bemoedigend dat ik vanbinnen iets voel smelten.

Terwijl ik volschiet komen er dingen boven, heel vaag, dingen die ik kwijt was, over Tibby. Fluisterdingen die bevroren lagen in het ijs in mijn hart. Diep vanbinnen voel ik woorden opwellen tussen mijn tranen, voorzichtig tastende woorden. Bijna lukt het me om iets vertellen, heel zacht misschien, in fluistertaal.

Ik haal diep adem.

Maar Ma's lach verdwijnt en Pa roept: 'Annemarth!'

De slak kronkelt. Het duurt best lang voordat hij dood is. Pa staat op en gooit met een vies gezicht mijn glas water leeg en Ma kijkt me aan, zo ijzig en geschokt dat de zachte woorden weer bevriezen in mijn keel. Wat moet ik zeggen over Tibby als ze al overstuur zijn van een dooie slak?

Praat erover.

Dat hebben ze toch zo vaak gezegd? Praat er toch over. Krop

5

het niet op, stop het niet weg. Pa en Ma zeiden het en Sam en Easy en Elien en zelfs JP.

Maar het lukt niet. Ik probeer het wel, maar het lukt niet. Als ik over Tibby wil praten, wordt mijn hoofd een koude dichtgevroren zwarte vlakte waar iedere herinnering op uitglijdt.

Easy gaf me een schattig blauw boekje met roomwitte bladzijden. 'Misschien kun je erover schrijven,' zei hij. Iedere dag sla ik het boekje open. Ik staar naar de lege blaadjes die geduldig op me wachten. Maar ik schrijf niks. Blauw was Tibby's lievelingskleur en daar heeft mijn pen geen antwoord op, zelfs niet fluisterend op papier.

Ik ren naar boven. Ik wil alleen zijn, ik wil horen wat er uit al dat ijs tevoorschijn komt, ik wil het weten. Ik moet het weten. Misschien kan ik iets schrijven, heel voorzichtig, een paar woorden maar.

Ma roept me terug. De borden moeten in de afwasmachine, braaf en keurig in de rij. Het aanrecht moet schoon, van iedere kruimel ontdaan, en ze wil dat ik de gootsteen ongeveer ontsmet. Ze kijkt me afkeurend aan.

Nu moet ik vlug zijn, extra vlug, voordat de woorden weer bevriezen in mijn hoofd. Ik ren de trap op. Sam heeft naar me geknipoogd. Sam begrijpt me. Ik sla mijn blauwe boekje open, want ik weet opeens weer dingen.

Ik weet hoe het begon.

# Vuur en ijs

Het begon een jaar geleden, bij de ijskar op het plein. Tweede klas, eind mei, lekker weertje.

Dat nieuwe meisje kocht een ijsje.

'Jij wilt zeker chocolade?' riep iemand, ik weet niet wie, ik was het niet. Elien stond naast me en ze keek me geschrokken aan. 'Waarom zeg je dat?' fluisterde ze.

De zwarte ogen van het nieuwe meisje schoten vuur. Zij koos vanille.

Elien nam ook vanille en toen moest ik wel chocola nemen, vond ik.

Chocola was NTV. Niet te vreten. Het smaakte naar zeep.

'Waarom neem je het dan?' vroeg Elien.

Ik zei niets, ik wilde net doen alsof ik dat niet tegen háár had gezegd, over die chocola. Ik wilde net doen alsof chocola iets doodnormaals was. Maar de zwarte ogen van het meisje vonkten vol woede. 'Waarom zeg je dat? Wie denk jij dat je bent?'

'Ik ben Annemarth,' zei ik. Elien gaf me een por.

'Dat weet ik,' zei het meisje. 'Ik zit in je klas. Al drie dagen.'

Ik zei niets.

'Waarom zeg je zoiets?' vroeg ze.

Ja, waarom zei ik zoiets? Geen idee. 'Omdat ik aan chocola dacht,' mompelde ik.

Het meisje gaf geen antwoord, maar ze keek en ik voelde me steeds kleiner worden, zoiets als mijn ijsje.

Jij wilt zeker chocola, dat zeg je niet tegen een bruin meisje. En zeker niet tegen een bruin meisje met lelijke kleren.

Ik probeerde iets te zeggen, iets sorry-achtigs, maar het klonk als 'krrie'.

Elien en het meisje schoten tegelijk in de lach. Het meisje lachte met stralende ogen en witte tanden en ze stak haar hand naar me uit. 'Tibby dus, wist je zeker al? Vrede?' zei haar warme stem. Ik mag jou wel, gekkie, zei haar lach. Dat was fijn, want ondanks haar vormeloze T-shirt vond ik haar best geweldig. Dat ze zo voor zichzelf opkwam! Het was alsof ik haar al jaren kende. Ja, ik wist het zeker, ik kende haar ergens van.

'Waarom zei je dat nou?' vroeg Elien toen Tibby weg was. 'Dat is toch niet aardig?'

Ja, waarom? Waarom zei ik altijd precies het verkeerde? Ik kon beter helemaal niets zeggen. Dat probeerde ik ook. Maar zelfs als ik mijn mond stijf dichthield, floepte er nog van alles uit.

'Sorry,' zei ik maar, want Elien begreep dat toch niet. Ik begreep het zelf niet eens.

Elien dacht nooit foute floepsels vanbinnen. Elien was volkomen voorspelbaar. Daarom was ik ook zo dol op haar.

# 2

Het kwam door de vlechtjes! In het fietsenhok wist ik het ineens. Door die vlechtjes en door die rare kleren. Tibby zag er nu totaal anders uit dan op de basisschool. Toen had ze een kort afrokapsel en hippe, felgekleurde jurkjes. Nu liep ze in een slobberig vaalblauw T-shirt en een rare spijkerbroek. Maar die ogen waren nog hetzelfde als vroeger, lang geleden. Toen waren wij goeie maatjes, Tibby en ik.

Tibby was nogal, wat zal ik zeggen, temperamentvol. Toen ze bij ons in de groep kwam, mepte ze erop los met een brandweerautootje, meteen de eerste dag in groep 1. Ik was de enige van al die kinderen die terugmepte, met de ziekenwagen, geloof ik, en sindsdien waren wij goeie maatjes, totdat zij naar een andere school ging, in groep 4.

Ik weet niet eens waarom.

'Fiets je mee?' Tibby stond ineens naast me met haar fiets aan de hand.

Ze lachte, warm, vrolijk, uitnodigend. Ik aarzelde. Om halfzes had ik vioolles en ik moest echt nog wat studeren. Viola mekkerde als ik niet studeerde en die dubbelgrepen lukten voor geen meter. 'Kan niet, jammer.'

'Geeft niet, kom je morgen. Je moet echt ons huisje zien.' Het was geen vraag. Nu, morgen, ooit.

'Morgen heb ik hockeytraining.'

'Jij hebt het maar druk,' zei ze.

'Viool, orkest, hockey, huiswerk, gewoon,' zei ik. 'Hoef jij dan nooit iets?'

'Ik niet. Wij doen niet zo moeilijk.'

We liepen het fietsenhok uit.

'Nee hè!' Tibby's achterband was leeg. Ze liet haar schouders hangen en ze zag er opeens verslagen uit.

'Moet je ver?'

'Halfuurtje lopen.'

Een halfuur? 'Jij gaat gewoon bij mij achterop,' zei ik. Die dubbelgrepen moesten maar even wachten.

Tibby aarzelde. 'Hoeft niet, hoor,' zei ze. 'Jij hebt het druk.'

'Nee, echt, het kan best,' zei ik.

Haar gezicht klaarde wat op. 'Ik kan hem ook plakken, als iemand plakspul heeft.'

Iemand? Waarom vroeg ze dat niet gewoon? Ik was de enige die er was.

Onder mijn zadel zat een plakpakketje. Zes plakkers, drie bandenwippers, een minilijmtubetje en een minischaartje, een stukje schuurpapier, een reserveventiel, een powerpompje, twee reservelampjes en zelfs een paar pleisters. Helemaal compleet, met dank aan Pa.

Tibby zou zelf wel even plakken. Na drie verpeste plakkers nam ik het maar over. Pa had het me geleerd, ook al had ik speciale anti-lekbanden op mijn fiets.

'Moet er niet eens een nieuwe band op?' vroeg ik. 'Moet je zien, hij is bijna doorgesleten!'

'Valt wel mee, toch?' zei Tibby.

'Zo blijf je aan het plakken,' zei ik. 'Zo, het is klaar.'

'Bedankt, hè,' zei ze. Maar veel had ze niet aan mijn hulp. Voordat we de straat goed en wel uit waren, was haar band alweer leeg.

'Nou, spring toch maar achterop,' zei ik. 'Lukt dat met die fiets aan je hand?' Mij lukte dat nooit. Ik moest echt zelf fietsen.

'Geen probleem,' zei Tibby. Ze sprong achterop.

Ze giechelde terwijl we zwaaiend en zwierend het plein af reden. 'Bijsturen!'

'Doe ik!' riep ik.

'Andere kant op!' joelde ze.

Het lukte nog geen tien meter. Ik stuurde bij, naar links en naar rechts, en toen lag ze op de grond met haar fiets ernaast.

'Au!'

We probeerden het nog eens. 'Meer naar het midden!' riep ik.

Maar of ik nu veel of weinig bijstuurde, het maakte niks uit. Het leek wel alsof Tibby's fiets expres de verkeerde kant uit reed. Pas na een halfuur zwiepen en slingeren kwamen we giechelend aan bij Tibby's huis.

Rond het huis groeide een verwilderde haag, die was overwoekerd door klimrozen. We moesten door een slecht gesnoeid, stekelig poortje naar de tuin, waar drie dikke spikkelkippen scharrelden. Ze stoven weg toen Tibby haar fiets neersmeet.

Ik zette de mijne ernaast, op de standaard, en ik keek mijn ogen uit. Tibby's huis had oude witte muren en schattige scheve helderblauwe luiken voor de ramen en een overhellend dak. Het leek regelrecht uit de Efteling ontsnapt, weggevlogen als een fakir op een tapijt van wilde bloemen. Naast de voordeur zat een scheur in de muur, zeker van de harde landing.

Zo'n huis had ik nog nooit gezien! En toch voelde het alsof ik thuiskwam.

Ik ademde diep in en rook een zalige, zoete geur. Waar kwam die vandaan? Misschien van die waterval van gele bloemen die de ingang naar de voordeur versperde. Boven de deur bungelde een piepklein dakkapelletje.

'Wat ruik ik, zijn dat die gele bloemen?' vroeg ik. Het rook betoverend, bedwelmend, verrukkelijk.

'Bedoel je de kamperfoelie?' zei Tibby. 'Dat is onkruid.' Ze trok een lange sliert kamperfoelie weg die ons de weg versperde, en smeet hem onverschillig aan de kant. 'Kom binnen.'

Maar ik treuzelde om die bedwelmende betovering in te ademen, zo diep als ik kon. Het rook naar vrijheid, naar wild geluk! Waarom hadden wij dat niet in de tuin? Waarom zetten mensen buxus in hun tuin als er dit wilde zalige spul bestond?

'Kom je nou?' riep Tibby door het keukenraam.

De grote woonkeuken was een janboel van geuren. Appelmoes, kaneel, Franse stinkkaas, overrijpe bananen, allemaal door elkaar, exotische kruiden en een raar wietgeurtje, of wierook misschien, en onder alles lag een diepe basis van kattenpies. Objectief gezien een stuk minder, maar toen was het al te laat: ik had mijn hart verloren aan dat heerlijke sprookjeshuis.

Op de vloer lagen roodbruine plavuizen. Voor het raam hingen hippe paarse retrogordijnen, lichtelijk verschoten, dus waarschijnlijk origineel! In de geblokte gootsteen wiebelde een vrolijke toren vuile vaat. In de hoek, naast een paar aangekoekte bakjes kattenvoer, stond de computer en daarnaast, bedolven onder een enorme berg papieren, stond een vaag huishoudelijk apparaat met bladderende lak, waar iemand rode, blauwe, groene en gele hartjes op had geschilderd. Het gasfornuis was een beetje aangekoekt, erboven hing een vettige afzuigkap met afgebroken knopjes. Aan de muur, over het retrobehang, hing een fantastisch geborduurd wandkleed. Ernaast hing zomaar een gitaar aan de muur, een vreemd gevormd model met een knalrood elektriciteitssnoer.

Die hele keuken omhelsde me met warme, hartelijke, smoezelige armen. Er stond zelfs een doorgezakte oranje bank – dapper getorst door tere teakhouten pootjes – die riep: welkom! Welkom!

We gingen zitten aan de houten keukentafel.

'Wat kijk je?' vroeg Tibby.

Wat moest ik zeggen? Ik dacht aan onze keurige roestvrijstalen designkeuken en aan de marmeren tegels op de vloer.

'Zo gezellig,' zei ik. 'Bij ons...' Ja, wat moest ik zeggen?

Een vaaloranje kat kwam binnen. Hij streek met zijn kopje langs Tibby's benen.

'Heb je een poes?' vroeg ik dom.

'We hebben er vier. Whisky, Bacardi, Wodka en Schnaps. Dit is Whisky.' Whisky draaide rondjes om Tibby's enkels en miauwde klaaglijk. 'Niet zo zeuren, Whis,' zei Tibby. 'Ga maar een lekkere muis vangen. Hoog tijd dat je dat leert. Vanavond krijg je weer brokjes.'

'Eet hij muizen? Vet zielig!'

'Jij hebt zeker nog nooit een levende muis in je brood-trommel gehad,' zei Tibby.

'Iiiew!' riep ik. 'Jij wel?'

'Nee, want Schnaps vangt ze.' Ze lachte. 'Voordat we Schnaps hadden, raceten de muizen hier over de trap. Ze vraten hele tunnels door het brood. Aan Whisky heb je niks, die eet alleen brokjes. Hè, Whis? Luxe luilak.'

Tibby pakte Whisky op en knuffelde hem totdat ze een krab kreeg en hem uit haar handen liet vallen. Hij landde op zijn pootjes en liep beledigd weg. 'Heb jij dieren thuis?' vroeg ze.

Nee dus. Ja, Muis en Beer van vroeger, maar die telden natuurlijk niet. Ma vond katten vies. Vooral wat het katten-bakgedeelte betrof.

'Ik zou nog wel een hond willen,' zei Tibby. 'Een herders-hond, een mooie zwarte met grote fiere oren!'

Mij leek het niks. Het regent hier te vaak en natte honden stinken.


Tibby rommelde in de koelkast, gooide twee beschimmelde toetjes weg en vond onderin een pak appelsap.

'Wil je wat drinken?' Ze keek op het pak. 'Het moet nodig op.' Ze schonk in voordat ik kon weigeren.

Ik speelde met mijn glas en schoof het heen en weer over de houten tafel. Middenin zat een vreemde kuil met kerven. 'Gebruiken jullie de tafel als broodplank of zo?' vroeg ik. Het was een grapje, maar Tibby zei: 'Ja, natuurlijk.'

De tafel als broodplank? Nou ja, waarom ook niet? Het was eigenlijk zo praktisch als wat. Ik keek op mijn horloge. 'Ik moet zo gaan,' zei ik en op dat moment begon het hartjesapparaat in de hoek te schudden. De helft van de papieren trilde op de grond.

'Wat is dat?' vroeg ik.

'De was is klaar. Loop je nog heel even mee?' zei Tibby. 'Dan hangen we het op.'

Ik liep mee, blij dat ik het overdedatumappelsap kon laten staan.

Achter het huis was een schattige groentetuin met rijtjes sla en een rij plantjes met zwarte luizen en nog meer groene rijtjes die ik niet thuis kon brengen. Daarnaast hing een waslijn aan roestige palen. Tibby hing alles op, ik hielp mee. Uit de bosjes kwam een poes, die kopjes gaf tegen de wasmand.

'Hé, Wodka, kom je ook helpen?' zei Tibby vriendelijk.

De was wapperde vrolijk in de wind als vlaggetjes op een feest. Misschien werd je wel extra blij in zo'n drooggewapperd shirtje. Heel anders dan was uit de droger.

'Moet jij altijd de was doen?' vroeg ik. 'Is dat jouw klusje?'

'Hoe bedoel je, mijn klusje?' vroeg Tibby.

'Gewoon.' Wat begreep ze nou niet? Bij ons had iedereen een klusje, zelfs Pa en Ma, dan liep het lekker soepel in huis. Ik moest alle vuilnisbakken op tijd buiten zetten, de afwasmachine leegruimen en de planten water geven, maar dat waren er maar twee. Sam moest de was uit de droger halen en opvouwen en elke week het gras maaien, maar daar kreeg hij twee euro voor. Pa en Ma deden op zaterdag samen de boodschappen, dat vonden ze gezellig, en de kleine dingen kochten Sam en ik na school. Iedereen moest zijn eigen kleren strijken en op dinsdagavond ruimden we samen op, want 's woensdags kwam Jana, onze hulp.

'Tss,' zei Tibby, 'wonen jullie soms in een kazerne? Nou, wij doen niet zo moeilijk, hoor. We zien gewoon wel.'

Maar het werkte juist goed. Daar hoefde ze niet zo bits over te doen. 'Je zult toch die kattenbak wel schoon moeten maken?' zei ik. 'En vaak ook, met vier katten?'

Ik zei niet eens dat hun keuken naar pis stonk. Maar het kwam er kattiger uit dan ik bedoelde. Tibby keek me even aan. 'Neuh, ze gaan buiten.'

'Zullen de buren blij mee zijn.' Maar Tibby trok haar wenkbrauwen op en keek me aan met die zwarte, vonkende ogen. Jij bent jaloers, zeiden die ogen. Ze keek net zo lang tot ik begon te blozen als de rozen.

Toen draaide ze zich om en liep naar binnen.

Ik sjokte achter haar aan. Wodka drentelde om mijn benen en ineens wist ik weer hoe dolgraag ik een poes wilde. Als een wild verlangen kwam het boven, onaangekondigd, in volle hevigheid, op het moment dat ik Wodka tegen mijn benen voelde. Zo'n lieve poes met zachte pootjes, die kopjes gaf en dan spinnend op schoot kwam liggen. Zo'n warm diertje dat gezellig naast me lag als ik huiswerk maakte. Had ik maar een poes, dan was ik niet zo alleen.

In groep 2 had ik het zelfs aan de Sint geschreven, netjes op rijm in schattige kleuterlettertjes. Ma had het bewaard.

*Liefe Sint ik fraag je wat*
*geef me een kat, een zwarte kat*
*en dan nog iets gex*
*geev me een bezum dan ben ik een hex.*

Ik had best leuke dingen van de Sint gekregen. Geen 'bezum' maar wel een knalpaars stofzuigertje en ook een plastic strijkijzer dat echte stoomwolkjes kon blazen. Wolkjes van poeder die roken naar WC-EEND. En een heksenkwartet. Best leuke dingen. Maar geen kat.

En ik weet niet hoe het kwam, maar ik voelde me ineens zo verdrietig. Tibby zag het. 'Kom,' zei ze. Ze sloeg een arm om me heen en troostte me met het overdedatumappelsap. Het smaakte naar appelbloesem en naar aandacht.

'Ik moet echt gaan,' zei ik.

'Je weet het niet meer, hè?' zei Tibby bij de voordeur. 'Je bent het vergeten.'

Ze leunde met een geheimzinnig glimlachje in de deuropening.

Ik dacht na. Wat was ik nog meer vergeten? Nog iets van vroeger? Of had ik iets beloofd?

'Wij hebben samen op Het Schip gezeten,' zei Tibby. 'Was je vergeten, hè?'

'Echt niet,' zei ik. 'Dat zag ik meteen. Waarom kwam je eigenlijk nu pas in onze klas?'

'Ik denk dat ik jou miste,' zei Tibby warm. Haar zwarte ogen lachten en ik voelde me zo blij en zo welkom in die rare, wilde wereld van haar.

# 3

Ik was hoogstens anderhalf uur bij Tibby geweest, maar in
die korte tijd was onze straat totaal veranderd. Alle huizen
waren opeens zo netjes en zo saai. De vrijstaande huizen,
waar Elien woonde, hadden chique designtuintjes, strak ge-
plaveid met als hoogtepunt een kansloze conifeer. Keurig
en onderhoudsarm, zonder een spatje leven, want leven is
niet onderhoudsarm.

Ook de rij nieuwbouwhuizen leek opeens een stel steriele
klonen. De kliko's stonden netjes in hun hokjes, als stram-
me schildwachten om ons te bewaken tegen onze grote Vij-
and, het Vuil. Nergens een vrolijke wapperlijn, want de was
ging in de droger. Gaap.

Om de een of andere reden had de hele rij twee tuttige
dingetjes in de voortuin. Twee buxusbolletjes. Twee laurier-
boompjes. Twee kegelvormige coniferen. En overal, maar
dan ook echt overal twee Blokkerpotten voor het raam. Dat
was me nooit eerder opgevallen. Die tuintjes leken even
sprekend op elkaar als Jeske en Lianne, vroeger in groep 3,
toen de juf het verschil moest zien aan hun haarspeldjes.

Eigenlijk woonde ik in een straat vol na-apers, mijn hele
leven al. Waarom had ik dat nooit gezien?

Ons huis was een nieuwbouwhuis als alle andere. Gele bak-
stenen, twee onder een kap. Ik had het altijd een prima huis
gevonden, gewoon, no-nonsense en lekker ruim, zoals een
huis moest zijn. Maar nu ik bij Tibby was geweest, voelde
de gevel zo kaal en de tuin zo leeg. Alles was zo... nou ja, ik
wil niet zeggen gelikt, dat is niet aardig. Maar eigenlijk was
dat wel precies wat ik bedoelde.

Sam was net terug van het hardlopen. Hij liep rond met een groot glas cola en een bezwete kop. 'Waar kom jij vandaan, je kijkt zo rozig?' vroeg hij.

'Hoezo, ik was bij Tibby.'

'Bij wie?'

'Bij Tibby, die is nieuw in mijn klas.'

Ik wilde Sam alles vertellen, ik wilde hem duidelijk maken waarom ik zo blij was, wat ik voelde toen ik die keuken zag en die houten tafel die ze zomaar als snijplank gebruikten. Ik zocht naar woorden om te vertellen over zoveel wild geluk, over Whisky, over die gekke hartjeswasmachine midden in de keuken en over de geur van kamperfoelie en hoe ik me voelde toen ik dat rook.

Maar voordat ik woorden kon vinden, zei Sam kalm: 'Viola belde waar je bleef.'

Ai, de vioolles! Ik keek op mijn mobiel. Tien over halfzes! Het had nu geen zin meer.

'Ze heeft Pa opgebeld, dat je 't even weet. En waarom heb je de afwasmachine niet leeggemaakt? Dat moet je 's morgens doen. Nu staat het hele aanrecht vol.'

Helemaal vol? Er stonden vier bekers en één bordje.

Het smetteloos witte aanrechtblad van kostbaar, eeuwigmooiblijvend plastic keek me streng en verwijtend aan. Onze keuken deed niet aan warme omhelzingen. Ze beet me op bitse toon bevelen toe met kaken van roestvrij staal. 'Vier bekers! Een bordje! Foei! Ruim op!'

Terwijl ik nijdig de afwasmachine uitruimde, stuiterde er per ongeluk een beker aan stukken over de glimmende stenen vloer. Ik bevroor van schrik en durfde Sam niet aan te kijken, want het was de Ajaxbeker met De Handtekening.

Sam raapte stil de stukken op en legde ze op het aanrecht. 'Zo. Dat was dan mijn beker,' zei hij. Hij klemde zijn kaken op elkaar.

Was hij nou boos of teleurgesteld? Woedend? Ontzet? Ik kon het niet zien en ik voelde me ellendig.

'Sorry,' fluisterde ik. 'Ik eh, ik zal hem lijmen.'

Maar hij negeerde me en vertrok zonder een woord te zeggen naar boven. Even later hoorde ik de douche.

# 4

's Avonds aan tafel probeerde ik nog een keer om woorden te vinden voor mijn heerlijke middag bij Tibby.

'We hebben een nieuw meisje op school. Ze heet Tibby,' begon ik.

'Tibby?' zei Pa. 'Lekker jazzy naampje. Tib Tib Tibby Lib Liblib Libby. Leuk hoor.'

Zucht.

'Is ze aardig? Waar komt ze vandaan?' vroeg Ma.

'Ze zat vroeger bij me in de klas, op Het Schip. Ze wonen in een superschattig huisje achter het spoor.'

Ik zei nog iets over de vrolijke wapperwas en de kamperfoelie en toen wist ik ineens niets meer, want ze keken me zo glazig aan. Ze begrepen er niets van. Hoe kon ik dat nu uitleggen? Ik hakkelde wat over rozen en poezen terwijl ik zocht naar woorden voor die heerlijke sfeer. Dromerig? Sprookjesachtig? Maar niet kinderachtig of zo. Wel een beetje rommelig misschien, maar niet smerig, tenminste, niet al te smerig, gewoon, gezellig rommelig, sfeervol rommelig, losjes – zouden ze dat begrijpen?

Ze wachtten vriendelijk en beleefd en wazig, alsof ze dachten: wat een gewauwel, zou ze al bijna klaar zijn?

Ik haalde diep adem en ratelde vlug nog iets over Tibby's huis, vrijstaand, met bloemen, vlug, voordat hun aandacht helemaal weg was, voordat Pa aan de flauwe kantoorgrappen begon, voordat Ma over de apotheek ging vertellen, over de zwangere assistenten en de lastige dokters.

Sam onderbrak me midden in een aarzeling. 'Vet rijke lui zeker, in zo'n vrijstaand huis,' zei hij. 'Hebben ze een zwembad?'

'Een zwembad? Nee, welnee,' ratelde ik, 'poezen hebben ze, vier poezen die Schnaps heten en Whisky, die is echt zo schattig, hij krult rondjes om je benen maar hij moet eigenlijk muizen eten, anders zitten die in Tibby's broodtrommel en...'

Sam trok zijn neus op en keek Ma aan en ik wist opeens niet meer wat ik wilde zeggen. Poezen vonden ze hier maar vies, daar begrepen ze natuurlijk niets van, maar die poezen hoorden er juist zo bij. Hoe kon ik die heerlijke sfeer bij Tibby nu duidelijk maken zonder poezen en die hartjes op de wasmachine, dat was natuurlijk best raar en dat retrobehang en die vieze afzuigkap en luisterden ze eigenlijk nog of...

'Vast een verdwaalde erfenis,' zei Pa. 'Sommige mensen hebben alle geluk van de wereld. Vooral Tib-tib-tibby's.'

'Alle geluk van de wereld, ja, dat zeg je mooi, Pa. Maar rijk zijn ze niet,' zei ik.

Ma dacht even na. 'Wacht eens, bedoel je soms dat oude huisje bij het spoor? Dat was toen opeens gekraakt, weet je nog, lief? Hoe lang is dat al geleden, tien jaar?'

'Veertien jaar,' zei Pa. 'En of ik dat nog weet! Daar ging ons romantische plekje! Laffe krakers in hun nadagen, lekker voordelig wonen op kosten van de gemeenschap. Geen huur, geen hypotheek, geen verantwoordelijkheidsgevoel, geen zorgen.' Hij keek me nadrukkelijk aan. 'En geen verplichtingen, geen afspraken.'

Ik begon nattigheid te voelen. Afspraken. De vioolles. Ai.

Sam onderbrak mijn gedachten. 'Kijk eens aan. Dus jij hebt een kraakpandvriendin,' zei hij. 'Hoe is het daar?'

Dat had ik toch net verteld! 'Het is heerlijk,' zei ik, 'veel gezelliger dan hier. Niet alles zo saai en keurig. Ze hebben wilde kamperfoelie in de tuin. En sla.'

'En de bekers smijten ze na gebruik zeker gezellig stuk, in plaats van ze saai en keurig in de kast te zetten, zoals hier?'

'Sorry, Sam, dat was een ongeluk,' zei ik.

'Je ging anders nogal tekeer bij het uitruimen,' zei hij.

'Sorry, Sam, het spijt me echt. Ik zal hem lijmen.'

'Nou, al goed. Misschien komt het door die verdwaasde blik in je ogen,' zei hij. 'Je lijkt wel verliefd.'

Verliefd? Dat geluksgevoel toen ik die kamperfoelie rook, was dat een soort verliefdheid? En dat gevoel toen Whisky rond mijn enkels drentelde en ik ineens weer wist dat ik een poes wilde? Ja, misschien was ik wel verliefd, op dat huis, op al die bloemen, op alles. En ineens hoorde ik mezelf zeggen: 'Ma, ik wil zo graag een poes. Mag dat? Ik hoef er geen vier. Eentje is genoeg. Ik zal er zelf voor zorgen en je merkt er niets van.' Het floepte er zomaar uit.

'Hè, nee,' zei Ma vol afgrijzen. 'Alsjeblieft, Annemarth.'

De koude douche is door Ma persoonlijk uitgevonden.

'Maar waarom niet?' riep ik. 'Ik wil het al heel lang! Ik kan er toch zelf voor zorgen? Poezen zijn heel schone beesten.'

'Ja, als je er een kurk in stopt van onderen,' zei Sam.

Iedereen lachte. Iedereen, behalve ik.

'Nee, echt niet, liefje. Lieverd, wat vind jij?'

'Ik zeg: het mag, zodra wij hier muizen hebben. Hebben wij muizen? Neen. Driewerf neen.'

'Jemig, Pa. Kun je nou niet één keer normaal doen?' Wat verwachtte hij nou, dat ik muizen ging kweken?

'Ik doe mijn best, maar stel je verwachtingen niet te hoog,' zei Pa cryptisch. 'En ik wil je straks even spreken.'

Pa ging aan mijn bureau zitten. 'Viola heeft gebeld,' zei hij vriendelijk. 'Je hebt zomaar een les verzuimd. Ik wilde de maaltijd niet bederven, maar ik wil wel weten wat er aan de hand is. Komt het door dat kraakpand?'

Ja, duh. Ik haalde mijn schouders op en zei niets.

'Viola was niet zo te spreken over je vorderingen. Studeer jij wel genoeg?' vroeg Pa.

Ik knikte een beetje vaag, want ik wist alleen antwoorden die ik beter niet hardop kon zeggen. Zoals dat Viola een slavendrijver was en dat het jammer voor haar was dat ze bij het Concertgebouworkest was afgewezen, maar dat dat nog niet betekende dat ik daar nu bij hoefde, en dat muziek voor de lol was. Voor mijn lol, welteverstaan. Ik had een les verzuimd. Eén les, oei oei. Bel de politie.

Pa trommelde ongeduldig op mijn bureau. Bij zijn oog begon een spiertje te trillen. Ik klemde mijn kaken extra stevig op elkaar. Dit was niet het moment voor foute floepsels.

'Komt er nog een antwoord, meisje? Of ben je soms van plan je viool aan de wilgen te hangen? Dat zijn kostbare lessen, Annemarth, besef je dat eigenlijk wel?' Het spiertje trilde als een bezetene en in zijn nek verschenen de eerste rode vlekken. Ik moest nu snel iets kalmerends zeggen.

'Sorry, Pa,' zei ik. 'Het zal niet meer gebeuren.'

'Dat is je geraden,' zei Pa en hij vertrok.

Oef.

# 5

De volgende dag stonden we met ons vieren op het plein, zoals altijd. Jeske en Lianne, Elien en ik.

'Hoe was het bij Tibby?' vroeg Elien met een glinstering in haar ogen. 'Mijn moeder zegt dat ze in een kraakpand woont.'

'Een kraakpand?' vroeg Jeske. 'Dat méén je niet. Echt?'

'Ja, echt,' zei ik. 'Het is een superschattig huis. Ze hebben vier poezen en een tuin vol kamperfoelie en de was drogen ze buiten aan de lijn!'

'Lekker vies.' Elien trok haar neus op. 'Vogelpoep op je mooie shirtjes.'

'Hoe heb je het voor elkaar gekregen dat je mee mocht? Ik zou ook wel eens een kraakpand willen zien,' zei Jeske.

'Gewoon, ik zei: mag ik mee, ik wil wel eens een kraakpand zien.'

'Echt niet,' zei Jeske.

'Nee, duh,' zei ik. 'Ik ken haar van de basisschool.'

'Waarom is ze eigenlijk bij ons op school gekomen, zomaar midden in het jaar?' vroeg Lianne.

'Goeie vraag,' zei ik.

'Kennen jullie die nieuwe winkel op de Voorheuvel? Kraaltjes en Sjaaltjes?' vroeg Elien.

'Ja, ze hebben schattige armbandjes. Wat is daarmee?' vroeg Lianne.

'Die hippe donkere vrouw in die winkel, dat is Tibby's moeder.'

'Echt?' vroeg ik. Kraaltjes en Sjaaltjes, wauw. Ik wou dat Ma zo'n winkel had, in plaats van die saaie apotheek.

'Nou, Tibby ziet er anders niet bepaald hip uit,' zei Jeske.

Ze wees naar Tibby, die een stukje verderop op het plein stond. Ze droeg een verschoten zwarte slobbertrui met rare strikjes op de mouwen. Ze keek naar ons en ik zwaaide. 'Tibby! Kom erbij!'

Ze kwam aarzelend dichterbij.

'Kom er gezellig bij,' zei Lianne. 'Coole trui. Waar heb je die vandaan?'

'Uit Milaan,' zei Tibby.

We moesten allemaal lachen, maar Tibby hield haar hand voor haar mond en keek opeens heel verlegen. Ik dacht toen dat ze een grapje maakte. Wist ik veel dat het waar was, van Milaan.

'Is die leuke nieuwe winkel van jouw moeder?' vroeg ik. 'Kraaltjes en Sjaaltjes?'

Tibby knikte.

'Mazzelaar. Zo'n schattige winkel!'

'Gaat wel,' zei Tibby.

'Ik zou juist trots zijn als mijn moeder zo'n leuke zaak had.'

'Ben ik ook wel, maar sinds ze die zaak heeft, heeft ze nergens tijd voor.'

'Zullen we er na school even langsgaan?' vroeg Elien.

Tibby aarzelde. 'Ze heeft het wel druk, hoor.'

'Ja, druk hebben we het allemaal,' zei Lianne opgewekt.

Lianne moest bijna elke middag dansen, Jeske moest nog fluiten bij korfbal en samen hadden ze een krantenwijk. Elien had tennisles en ik moest nodig wat viool studeren voor de gemoedsrust van Pa en Viola. Elien en ik hadden binnenkort de einduitvoering van ons orkest. En het was uitverkoop in de stad. Gelukkig was het hockeyseizoen af-gelopen. We hadden helemaal geen tijd om met ons vieren bij die winkel langs te gaan.

Dus Tibby en ik gingen samen, een paar dagen later.

# 6

Kraaltjes en Sjaaltjes lag aan de Voorheuvel. Er waren geen klanten en Tibby's moeder was bezig in de etalage. Ze was een grote, prachtige, zwarte vrouw met een stralende lach, ontzettend hippe kleren en een felgekleurde sjaal in haar zwarte haar.

'Hoi mam, dit is Annemarth,' zei Tibby.

'Hai, Annemarth! Ik ben Sharima. Wat ontzettend leuk om jou weer eens te ontmoeten. Dat is wel zes of zeven jaar geleden!' zei ze hartelijk. Ze gaf me een hand en sleepte me enthousiast mee door de winkel. 'Kijk eens, hoe vind je deze sjaaltjes? Schattig, hè, van Magic Muds. Ik heb ze net binnen.' Ze knoopte een blauw sjaaltje met rode kraaltjes rond een etalagekop. 'Kijk, je kunt ze zo doen. Of zo. Of met een knoop hier, rond de hals, dat is ook wel een grappig stijltje, vind je niet?'

Moest ik nu iets vinden? Ik knikte maar wat.

Toen vroeg Tibby plompverloren: 'Mam, mag ik geld? De koelkast is leeg.'

'Ogenblikje hoor, ik maak dit even af.'

Sharima kleedde nog een etalagehoofd aan. Het zag er fantastisch uit, maar toch bleef ze het maar veranderen. Het duurde eindeloos en ze deed alsof wij lucht waren.

'Komen we wel gelegen?' vroeg ik. 'Tibby zei dat u het druk had.'

'Nou, schat, ze heeft natuurlijk wel een beetje gelijk. Het is hier een gekkenhuis.' Ze wees op haar bureau. Er stonden nog net geen hartjes op, maar verder leek het net die wasmachine, helemaal bedolven onder de paperassen. Waarom maakten die mensen er zo'n zootje van? Pa en Ma hadden het ook druk, maar die hadden nooit zoveel troep op hun bureau.

'Kom gauw een keertje terug, goed?' zei Sharima. 'Of, wacht.' Ze keek me indringend aan en haalde toen zomaar een paar schattige blauwe oorbellen uit een rekje. 'Hier, kijk eens, voor jou, precies de kleur van je ogen. Jij hebt fantastisch mooie ogen, weet je dat?'

'Dank u wel,' zei ik. Ik werd er gewoon verlegen van. Zo aardig.

'Zal ik ze in een leuk zakje doen?'

Ik knikte en keek blij naar Tibby, maar die trok een gezicht alsof ze zojuist in een citroen had gebeten.

'En jij, laat eens even kijken, meisje. Gooi die lelijke verschoten trui toch weg. En wat zie je weer vaal.' Ze wachtte niet op een antwoord. 'We zullen jou eens wat kleur geven.' Ze trok een oranjerode sjaal uit een kast. 'Kijk dan, zó enig! Net wat je zoekt voor je haar.'

'Ik zoek niks voor mijn haar,' zei Tibby bits. 'Ik heb de pest aan oranje, weet je dat nou nog niet? Geef mij maar blauw. Dat sjaaltje daar is wel leuk.' Ze wees naar het sjaaltje in de etalage, met de rode kralen.

'Onzin, dit staat juist énig. Vind je ook niet, Annemarth?' Ze hield het sjaaltje voor Tibby's haar. Ze had gelijk, het stond super.

'Ja,' zei ik, 'maar Tibby moet het zelf ook leuk vinden, toch?'

'Tibby heeft daar totaal geen kijk op. Zij is net haar vader, altijd zwarte nagels. Jij moet niet altijd zo negatief doen, Tiberia. En nu moet ik weer verder, ik gooi jullie de deur uit, schatten. Dikke zoenen en tot vanavond.' Ze ging verder met de volgende etalagekop.

Tibby keek even naar mij en trok haar wenkbrauwen op. Toen zei ze: 'Ma, ik heb geld nodig voor de boodschappen. En ik krijg nog kleedgeld van twee maanden. En mijn zakgeld...'

Sharima onderbrak haar. 'Kijk eens, lieverd.' Met een royaal gebaar viste ze twee tientjes uit de kassa en gaf ze met een stralende lach aan Tibby. 'Daar kun je even mee vooruit, zou ik denken!'

'Twee tientjes? Voor brood en boter en kaas en koffie en wasmiddel en poezenvoer? Er is haast niks meer in huis! En wanneer krijg ik eindelijk mijn kleedgeld?'

Sharima lachte onverstoorbaar en hartelijk. 'Ja, je hebt gelijk. Het is even voor nu. We moeten gauw weer eens gezellig samen gaan shoppen!'

Hè ja, dacht ik, lekker samen shoppen. Wanneer waren Ma en ik voor het laatst in de stad geweest? Een jaar geleden? Tibby bofte met zo'n hippe moeder!

Maar Tibby zette haar handen in haar zij. 'Mam, ik wil gewoon mijn kleedgeld. Afspraak is afspraak.'

'Tss, moet je zien hoe jij erbij loopt! Moet ik daar kleedgeld voor geven?' Ze lachte, maar het klonk niet als een grapje.

'Wat kan het jou schelen, je ziet me toch nooit!' zei Tibby fel.

Sharima ging nog meer rechtop staan. 'Zal ik je dan al mijn wisselgeld geven?' zei ze kortaf. 'Wil je dat?'

'Ik wil niet al je wisselgeld, ik wil gewoon mijn zakgeld en mijn kleedgeld. Dat is alles,' riep Tibby. Haar ogen spoten vuur, net als die keer bij de ijscoman.

Sharima's gezicht werd steeds vastberadener. Ze keek Tibby aan en kreeg iets statigs en ontzettend strengs over zich. Onzichtbaar vuurwerk schoot over en weer.

Ik wilde hier niet bij zijn. Ik wilde weg.

Gelukkig, Tibby gaf het op. Ze zuchtte. 'Laat maar, oké. We eten wel brood en muizen.'

'Brood is heerlijk! Dag *sweeties*! Bye bye!' Sharima lachte weer, alsof er niets gebeurd was. Ze deed de deur voor ons open en opeens stonden we buiten.

'Waarom was ze zo boos op je? Heb je iets gedaan?' vroeg ik.

'Ja, ik besta,' zei Tibby somber.

'Nou, zo erg is het toch niet?' zei ik. 'Ze heeft ons net een schattig cadeautje gegeven!'

'Ja, wauw,' zei Tibby zuur. 'Schattige oorbellen voor je prachtige blauwe ogen. En voor mij een stom sjaaltje, want ik ben zo vaal en zo lelijk.' Ze haalde haar schouders op. 'Ach, laat ook maar, wat weet jij daarvan.'

Ja, wat wist ik ervan? Ik had ook wel eens ruzie met Pa en Ma. Zo vaak. Steeds vaker, eigenlijk. Pa en Ma waren zo braaf en zo saai.

# 7

Na het bezoek aan Kraaltjes en Sjaaltjes fietsten Tibby en ik naar mijn huis.

'Jeetje, wat een kasten van huizen! En wat is het hier steriel,' zei ze misprijzend.

Ik keek om me heen. Ze had gelijk, ons huis was kaal en brandschoon vergeleken bij dat van haar, maar moest ze dat zo zeggen? Of was dat nog vanwege die scène met haar ma?

Ik snapte eerlijk gezegd niet waar ze zich zo druk over maakte. Sharima was juist hartstikke aardig en ze bedoelde het toch goed? Tibby moest even opgevrolijkt worden. Ik schonk cola in en zette een gezellig muziekje op.

'Jouw ma is echt de hipste moeder die ik ken,' zei ik.

'Vind je?' Ze bleef maar rondkijken met die afkeurende blik.

'Ja, ik wou dat mijn moeder er zo uitzag. Waarom ga je nooit met haar shoppen?'

'Ik kijk wel uit. Dan kom ik thuis met allerlei dingen die zij leuk vindt.'

'Nou, ze heeft er wel kijk op.'

'Ze heeft misschien kijk op kleren, maar ze heeft niet bepaald kijk op mij,' zei Tibby droog. 'Ik heb bijvoorbeeld de pest aan oranje.'

'Het stond je heel mooi, maar goed, jij moet het ook leuk vinden.'

'Juist,' zei Tibby. 'Ik moet het ook leuk vinden. Maar mijn moeder vergeet dat. Ze heeft geen flauw idee wat ik ervan vind en het kan haar ook niet schelen.'

'Maar...' begon ik.

'Hou erover op, wil je? Ik ga niet met haar shoppen, ik

heb geen zin in dat gezeur over kleren. Ik ben geen etala-gepop!'

'Zullen we dan een keer samen gaan? Dan koop je lekker wat je zelf leuk vindt.'

'Ik vind kleren niet leuk. En we zijn niet allemaal super-rijk, zoals jij.' Dat kwam er nogal vinnig uit.

'Wil je nog wat cola?' vroeg ik. Ik schonk nog eens in en keek de kamer rond met de ogen van Tibby. Zo rijk was ik toch niet? En zij liep erbij als een dweil. Maar dat zei ik maar niet.

'Een dweil? Nou bedankt!' Tibby's ogen schoten vuur en haar cola bruiste bijna over het glas heen. 'En dat is dan mijn vriendin!'

Een dweil? Dat had ik niet gezegd! Toch?

'Sorry, dat bedoelde ik niet zo,' zei ik.

Maar Tibby pakte haar tas en ging boos naar huis.

# 8

Ik weet niet of het door onze ruzie kwam, maar de volgende dag zag Tibby er iets minder slordig uit en had ze opeens een zwierig blauw lint in een van haar vlechtjes. Ik zwaaide en ze zwaaide terug, maar ze zei niets en ik wist ook niet wat ik tegen haar moest zeggen.

We hadden wiskunde en ik zat naast Elien. Terwijl Annechien een wiskundesom op het bord schreef, haalde Elien met een geheimzinnig gezicht een wimperkrultang uit haar etui. 'Leuk hè, net nieuw,' fluisterde ze. 'Wil jij ook?' Elien krulde mijn wimpers zonder dat Annechien ook maar iets in de gaten had. Ze was serieus een expert.

In de grote pauze kwam Tibby aarzelend naar me toe, net toen Elien vroeg of ik meeging naar de bakker. 'Ik heb mijn brood vergeten,' zei ze.

SMOES, stond er met grote blozende letters op haar gezicht.

'Oké, wie is het en weet je al hoe hij heet?' vroeg ik, terwijl ik gebaarde dat Tibby even moest wachten.

'Jij ziet ook alles!' zei Elien en ze begon nog erger te blozen. 'Je moet echt meekomen. Hij lijkt op een kruising tussen Johnny Depp en die jongen die in *Afblijven* speelde, die met die lange naam. Hij heet Friso, dat staat op de kassabonnetjes.'

Ik lachte verontschuldigend naar Tibby en ik wilde iets zeggen, maar ze draaide zich om en sjokte weg. Het blauwe lintje flodderde zielig over haar rug.

Ik slikte.

Bij de bakker was het stampvol en we moesten heel lang wachten, wat uiteraard de bedoeling was. 'Kijk, daar staat hij, achter bij de broodjes,' fluisterde Elien en ze liet haar mooiste, liefste glimlach opbloeien. Ze leek Ma wel, zoals ze lachte.

Toegegeven, hij was leuk. Vrolijke bruine ogen en ruige zandkleurige haren en lekker brede schouders en als hij lachte had hij een kuiltje in zijn wang. Dat had elke vlam van Elien. Hij had alleen te veel gel in zijn haar.

Elien kocht voor ons allebei een saucijzenbroodje om het te vieren. Ik wist al hoe de komende tijd eruit zou zien: zeker drie keer in de week naar de bakker zodat Elien even kon zwijmelen over Friso's mooie ogen. Vlamsnacken, noemde zij dat. Gewoon een beetje van zijn aanblik snoepen en ondertussen hopen dat er 'iets' zou gebeuren.

Dit moest niet te lang duren, anders werd het een ramp voor de lijn. Ik hoopte maar dat ze snel iemand bij de Gamma zou ontdekken.

Maar leuk was hij wel, die Friso. Leuk voor Elien.

Het zonlicht valt door het raam op de lege bladzijden van het blauwe boekje. Ze kijken me geduldig aan, terwijl ik woorden zoek om iets te schrijven, iets over Tibby, iets over Elien. Waarom liep Tibby weg terwijl ik lol had met Elien?

Ik voel tranen prikken, vervelende tranen vol spijt en andere nare dingen die ik niet voelen wil. Ik haal diep adem en ik zucht ze weg, die tranen.

Tibby was nu eenmaal anders, totaal anders dan Elien. Bij Tibby viel ik van de ene verbazing in de andere. Neem alleen al die hippe moeder die mij echt zag staan! En dan die heerlijke wilde tuin die barstte van het leven, die knusse woonkeuken, tenminste, in het begin was alles leuk en spannend. Leuk, maar ingewikkeld. Tibby liep weg toen ik even lol had met Elien. Dat besef ik nu pas.

Tibby was ingewikkeld.

Elien niet. Elien is altijd duidelijk. We kletsen over leuke jongens, we kletsen over het gekke haar van Viola en over *Wie is de mol* en over nieuwe nagellak. We ruilen ringtones en we roddelen over de leraren. Niks bijzonders. Elien is heel gewoon.

Elien en Tibby zijn eigenlijk niet te vergelijken.

Elien ís er gewoon, net als altijd.

Tibby ben ik kwijt. Voorgoed.

Er prikken nog meer tranen in mijn ogen en onder die tranen kolkt een eng soort gevoel, wild en angstig en veel te ingewikkeld voor mij. Kon ik het maar van me af schrijven, dan was ik er vanaf.

Mijn pen blijft aarzelen boven de roomwitte bladzijden, ik weet niet hoe ik dit op kan schrijven. En opeens valt mijn oog op de schaduw. Over de linkerbladzijde speelt de schaduw van de berkenbladeren, onvoorspelbaar, dansend van licht naar donker en weer terug. Ja, denk ik, zo was Tibby.

De rechterbladzijde is gewoon wit, verlicht, stralend, soms een beetje verblindend. Zo is Elien.

Alles wat ik weet staat er eigenlijk al, ik heb geen woorden nodig. Links staat Tibby: spannend, veranderlijk, onnavolgbaar. Rechts staat Elien: helder, overzichtelijk en voorspelbaar.

En ik snap ineens waarom Tibby me zo gek gekregen heeft om met haar mee te doen, toen met die hittegolf.

# In het diepe

Een paar dagen later werd het bloedheet, wel dertig graden, abnormaal heet voor juni. Het was niet te doen op school, zonder airco. Iedereen zat met flesjes water en de leraren werden onredelijk kwaad. Waarschijnlijk was ik zelf ook niet zo gezellig, want in één week werd ik er drie keer uit gestuurd. Zelfs JP, onze rector, werd kwaad. 'Ik krijg te veel klachten over jou. Je haalt wel hoge cijfers, maar je let totaal niet op. Het schijnt dat je zelfs je wimpers zit te krullen tijdens de les!'

Ik voelde mijn wimpers krullen van schaamte. Ik dacht dat Annechien niets had gezien!

'Dit moet afgelopen zijn,' zei JP en hij keek me streng aan over zijn bril. 'Als ik jou hier nog één keer zie, jongedame, dan neem ik maatregelen. Ben ik duidelijk?'

'Ja, meneer.'

Ik wou maar dat het niet zo warm was.

Opeens moest JP glimlachen. Had hij me verstaan? Hij veegde het zweet van zijn voorhoofd met een frommelige zakdoek en ineens was hij zo menselijk.

Maar ik begreep wel dat ik ontzettend moest uitkijken.

De enige die van de zon genoot, was Tibby. 'Heerlijk!' zei ze steeds. 'Zo lekker warm!'

De ijscoman was onze redding. Iedere pauze stond er een lange rij.

Ik was vooruit gerend en riep naar Tibby wat voor ijsje zij wilde. Vanille natuurlijk. Tarik stond vlakbij, met zijn onafscheidelijke mp3-speler op.

'Hey, Annemarth, joh!' riep hij. 'Lekker, een ijsje! Trakteer jij? Lief van jou!'

Typisch Tarik. Hij zat bij ons in de klas en hij was altijd zo. Überbrutaal. Ik wilde hem al afpoeieren, maar toen zag ik Tibby.

'Hoi, Tarik,' zei Tibby.

Zag ik dat nou goed? Ja, ik zag het goed. Ze lachte, stralend en schattig en verlegen en onbedwingbaar. Zelfs haar haren begonnen te glanzen, bij wijze van spreken dan.

En Tarik?

Ja! Idem! Hij grijnsde zo vrolijk. Raak!

Ik moest weten wat er verder zou gebeuren met die twee, dus ik kocht voor ons alle drie een ijsje.

'Ha, die Tips!' zei Tarik. 'Wat zie ik daar? Ik zie een lach! Ik zie schoonheid! Jij moet meer lachen, Tipsiebipsie! Jij bent mooi als je lacht! Kom, dans met mij, op het plein.'

Hij stond tegenover Tibby, uitdagend, heupwiegend, terwijl zij van haar ijsje likte en lachte. Ze zag er onweerstaanbaar sexy uit.

'O, o, ik zie het al,' zei Tarik, 'het ijs gaat voor. Dom van jou. Neem je altijd vanille?'

'Ja,' zei Tibby. 'Natuurlijk. Aardbei en chocola zijn NTV.'

Tarik maakt een serie tamelijk onsmakelijke gebaren met zijn tong en zijn ijsje, grijnsde en danste toen vrolijk verder. Tibby bleef nog een poosje stilletjes stralen.

Dit zou veelbelovend kunnen zijn.

# 2

Die donderdag was Tibby niet op school. Op vrijdag ontweek ze mijn vragen. En op maandag was ze er weer niet. Elien en ik vroegen ons af of ze een zomergriepje had, want volgens Ma vlogen de diarreemiddelen als warme broodjes over de toonbank. We sms'ten haar. Maar Tibby sms'te terug dat alles in orde was en de zon zo fijn. Dinsdag was ze er weer en in de pauze kwam ze naar me toe met twinkelende ogen.

'Was je ziek of zo?' vroeg ik. 'Gaat het weer een beetje?'

'Kan je een geheimpje bewaren?'

Ik knikte. Ik flapte er wel eens onverstandige dingen uit, maar als het op geheimen aankwam, kon ik zwijgen als het graf.

Achteraf denk ik wel eens dat het beter was geweest als ik meer had gepraat, misschien dat er dan minder uit was gefloept. Maar praten was zo moeilijk. Hoe dan ook, Tibby's geheim was snel verteld. 'Ik was naar het strand, lekker bakken. Donderdag ga ik weer. Ga je mee?'

'Donderdag hebben we school.'

'Ja, en?'

'En? Dat is spijbelen.'

'Wat geeft dat nou, voor één keertje? Jij haalt toch allemaal negens, mens.'

Dat was waar. Niet allemaal negens, maar wel genoeg negens om rustig een dagje op het strand te kunnen gaan liggen. Maar spijbelen? Durfde ik dat?

Ik kreeg al zo vaak gezanik dat ik te brutaal was in de klas, zelfs als ik mijn best deed om rustig te blijven. En ik zat al helemaal niet te wachten op lange zeurpreken van Pa en Ma. Of nog erger, huisarrest.

'Of ben je daar te netjes voor?'

Ai, die was raak. Ik begon precies op Pa en Ma te lijken, met hun keurige regeltjes hoe alles hoorde. Tibby ging er toch ook gewoon vandoor, en zij had zesjes en een paar zevens.

'Is dat nou wel slim?' zei ik. 'We hebben zoveel toetsen! En gedonder met JP is niet leuk, geloof me.'

'Nee, op school zitten in de hitte, dat is leuk.'

Tja. Daar zat wat in.

Ik had het erover met Elien.

'Donderdag wordt het 33 graden. Ik ga met Tibby naar het strand. Ga je mee?'

'Ben je niet wijs?' zei ze. 'Daar krijg je gedonder mee.'

'Ja, vast. Nou en,' zei ik stoer. 'Ik hoef niet altijd zo braaf te zijn.'

'Je doet het niet, hoor!' zei Elien. 'Ik ken jou. Niet doen.'

Ik aarzelde twee dagen. Het was makkelijk om heel stoer te zeggen dat ik ging spijbelen, maar het was niet zo makkelijk om het heel stoer ook echt te doen. Toen ik donderdag naar school belde dat ik een zomergriepje had, stond het zweet me in de handen.

Ik hoopte dat Elien me niet zou verlinken.

De trein was duur, dat viel me tegen. Tibby verklaarde me voor gek. 'Ze controleren toch niet. Laat dat kaartje toch.' Maar dat durfde ik niet.

En ik baalde dat ze mij een brave rijke stinkerd vond, maar afgezien daarvan hadden we een zalige dag, luierend op het strand.

'Op het strand voel ik me zo vrij,' zei Tibby. 'Alsof de wind en de golven alles van me af spoelen. Heb jij dat ook?'

Zo had ik het strand nog nooit bekeken. Ik lag loom op het zand en probeerde te voelen wat ze bedoelde. 'De wind waait je hoofd leeg,' zei ik. Het was een nieuwe sensatie. 'En de zon maakt je warm vanbinnen. En de golven spoelen de tijd weg. Bedoel je dat?'

Tibby glimlachte loom en ze knikte. Toen stond ze op, rekte haar lange armen en benen uit en rende naar de zee. Ik rende achter haar aan en we spetterden elkaar nat in het water.

Veel te snel hadden de golven de hele dag weggespoeld. Ik moest me ontzettend haasten om nog op tijd thuis te zijn. De trein naar huis had vertraging en ik vrat mijn nagels op van de stress.

Ze gingen net aan tafel toen ik binnenkwam. Ik schoof aan met het zand nog tussen mijn tenen en ik hoopte dat ik niet al te erg naar zonnebrandcrème rook.

'Wat zie jij rood?' zei Sam op plagerige toon.

Hij had me door! Ik zag het in één oogopslag. Hij had me hartstikke door.

'Ik heb het warm,' mompelde ik maar. Mijn gezicht gloeide. Ik was zo verbrand als een kreeft.

Sam wilde weer iets zeggen, maar Ma was hem voor.

'Ik zie Elien haast nooit meer,' zei ze. 'Je hebt toch geen ruzie met haar? Dat is zo'n lief meisje.'

'Elien is een schatje,' zei ik. 'Ik zie haar op school en op hockey en bij orkest, hoezo?'

'O, ze belde. Hockey is nu toch afgelopen?' Ma wilde ergens heen, ik voelde het. Als Ma zo opvallend onschuldig doet, op het onnozele af, dan wil ze ergens heen. Altijd. Nog even en we kregen die speciale Ma-glimlach, waarmee ze iedereen om haar vingers windt. Mij ook, natuurlijk.

'Zeg, dat nieuwe meisje uit jouw klas,' ging Ma verder. 'Daar trek je wel veel mee op, hè?'

En daar was de glimlach! Nu kwam het. 'Ik herinner me van vroeger, dat die mensen er nogal op los leven. Is dat nu wel een aardige vriendin voor jou?'

Had Sam me verraden? Had Elien iets doorgeklept? Ma had me vast door. Dat mens is gewoon te slim.

'Ik vind het niks voor jou, Ma, om zo te roddelen,' zei ik maar.

'Nee, Annemarth, ik ben gewoon bezorgd. Ik hoop niet dat dat meisje een slechte invloed op jou heeft. Je kunt niet zomaar doen wat je wilt.'

Waarom draaide Ma er zo omheen? Het schoot me opeens in het verkeerde keelgat. 'Waar wil je heen, Ma? Welke slechte invloed bedoel je precies? Bij Tibby leven ze tenminste. Daar is het gezellig. Hier is het net een kil en steriel laboratorium.'

Het bleef even stil.

Pa sneed nadenkend zijn hamburger in kleine stukjes, die hij een voor een aan zijn vork prikte. 'Hoor ik hier een rode rebel ontwaken?' vroeg hij toen.

Ma veegde een paar haren uit haar gezicht en glimlachte, onverstoorbaar als altijd. 'Ik vind het prima dat je je een beetje over dat meisje ontfermt, maar laat je niet te veel meeslepen, schat,' zei ze. 'Ik zie niet graag dat je in moeilijkheden komt.'

'Hoezo over haar ontfermen, wat nou moeilijkheden? We zijn gewoon vriendinnen!' riep ik boos.

'Nou, dan is het goed,' zei Ma.

Maar Pa zei: 'Pas op, lieverd, een beetje rebel versla je niet zo snel.'

Hij prikte nog een stukje hamburger aan zijn vork en knipoogde naar me toen hij het met zijn kaken vermorzelde, alsof hij bedoelde: pas op, Annemarth, een rebel heeft hier geen schijn van kans.

# 3

Maandag was Tibby weer niet op school. Maar 's avonds onweerde het heel hard en dinsdag was het weer normaal, lekker weer. We waren vroeg uit en Tibby en ik fietsten samen naar haar huis.

'Het strand was toch leuker met jou erbij,' zei ze. 'Waarom wilde je nou niet mee, gisteren?'

Ik had Tibby uitgebreid verteld over die ruzie met Ma. Begreep ze dan niet dat ze me hartstikke doorhadden thuis? 'Leek me beter van niet,' zei ik. 'Zullen we straks gaan zwemmen?'

'Ja, goed idee. Dan rommelen we eerst wat in de moestuin,' stelde zij voor. 'En dan neem je verse sla mee naar huis voor je moeder, dat vindt ze geweldig, weet ik zeker. Dan is het zo weer goed.'

'Is dat leuk, in de moestuin rommelen?' vroeg ik. 'En wil je daarna nog zwemmen?'

'Ja, natuurlijk! Na het schoffelen springen we in de Kromme Rijn, achter ons huis.'

'Gatver!'

'Hartstikke schoon. Je kunt het drinken.'

'Geef mij maar cola, maar goed. Ik moet nog even terug voor mijn zwemspullen,' zei ik.

'Ik ga altijd in mijn blootje.'

Ik wist niet of ik dat wel wilde, maar ik ging er niet op in. We waren al bijna bij haar huis en de kamperfoeliebloemen hadden me al weer te pakken met hun bedwelmende geur. We kiepten onze fietsen in de rozenstruiken. Tibby leerde me schoffelen. Het was een soort oergevoel, met zo'n schoffel tussen de groenten rommelen met een oude strohoed op. We vingen slakken uit de sla en haalden het onkruid weg tussen de bonen en de maïs en we gooiden alles bij de kippen. Onder het schoffelen bekeek Tibby elke plant met de kritische blik van een ervaren tuinier.

'Die tuinbonen moeten eruit,' zei ze. 'Moet je zien, ze zitten vol zwarte luizen. En de spitskool is aangevreten door de koolwitjesrupsen.'

'Wat weet je er veel van af.'

'Ja, vind je het gek. Ik help Jeff al sinds ik kan lopen.'

'Jeff?' vroeg ik. 'Heet je pa zo?'

'Ja. De tuin is echt zijn kindje. Als hij er is. Als hij weg is, doe ik het.'

'Zoals nu?'

'Ja, hij zit in Duitsland. Hij is op tournee met MaiZZ.'

'MaiZZ? De band?' Ik maakte een sprong. 'Dat meen je niet! Werkt hij met hen? Wat gaaf!'

Zelfs Elien had een YouTube-filmpje van MaiZZ op haar Hyves. Geef mij een pa met zulke vriendjes! 'Ken je Fenz ook? Die is echt fantastisch!'

'Ja, die Fenz is een aparte. Hij is hier een keer geweest. Hij ziet er niet uit en hij loopt altijd te zingen.'

'En is je pa nu met hen mee? Wat doet hij dan?' MaiZZ! Ik kon mijn oren niet geloven!

Tibby schoot in de lach. 'Hij doet wat klusjes voor ze.'

Toen Tibby eenmaal over Jeff begon, was ze niet meer te stuiten. Onder het schoffelen vertelde ze stoere verhalen over hem. Jeff trok met zijn vrienden heel Europa door in een busje. Ze legden gewoon een fles cola op het gaspedaal als cruisecontrol! Voeten op het dashboard, gitaar erbij, drankje erbij en karren maar. Ze maakten overal muziek en ze klusten wat. Keldertje metselen, dakkapelletje timmeren, badkamertje betegelen, zo verdienden ze hun geld. En hij schreef liedjes.

'Maar kan hij dan zomaar weg?' vroeg ik. 'Hoeft hij niet te werken, heeft hij geen baan? En zijn pensioen dan?' vroeg ik.

'Mijn pa met een baan en een pensioen?' zei Tibby. 'Zie je het voor je?'

'Mijn pa zegt altijd: "Zonder baan ga je naar de maan."'

'Jemig, wat braaf. Jeff zegt: "Met een tuin heb je altijd iets te eten." Hij heeft wel gelijk, tenminste, als je van sla en radijsjes houdt. En van slakken.' Tibby zuchtte mismoedig.

Ik wist niet wat ik hoorde. Dat je zo kon leven.

'Heb jij echt nog nooit in je blootje gezwommen?' vroeg Tibby, alsof bloot zwemmen de normaalste zaak van de wereld was. We stonden op de oever en ze trok haar kleren uit. Haar huid was overal even mooi bruin. Vergeleken met haar had ik witte sprietenbenen en ik had natuurlijk een stomme witte bikini op mijn borsten en mijn kont. Ik schaamde me, vooral voor al die pikzwarte haren op rare plaatsen waar ik ze niet wilde hebben. Ik stond nog te aarzelen met uitkleden, toen Tibby al haar kleren al op een hoop had gegooid en zó, zonder aarzelen, in haar blootje in de Kromme Rijn sprong.

'Kom, het is heerlijk!'

Ik vond het best gênant, maar ze riep nog een keer en het zag er zo heerlijk uit, dat ik ook mijn laatste kleren uitgooide. Ik haalde diep adem en sprong achter haar aan.

Het water was inderdaad lekker en best schoon, en toen ik er eenmaal door was, voelde het super aan mijn blote lijf. Er zat iets in de Kromme Rijn wat echt niet in het zwembad zat, iets levends, iets vrolijks, ik weet niet wat het was. Iets waardoor ik me heerlijk en uitgelaten voelde. We zwommen tussen de eenden en de waterhoentjes. We zwaaiden naar een kano die langspeddelde en na een poosje klommen we op de oever naast haar huis en lieten ons opdrogen, stovend in de hete zon. Ik pulkte aan een madeliefje.

Hij houdt van me, hij houdt niet van me.

Hij houdt van me, hij houdt niet van me.

'Wie vind jij leuk?' vroeg ik.

'Niemand,' zei ze.

'Tarik?' vroeg ik.

'Ja, een beetje,' zei ze verlegen. 'Hij lacht zo leuk. En jij, op wie ben jij?'

'Niemand.' Ik wist eigenlijk niet zeker of ik op iemand was en op wie. Elien was altijd op iemand. Nu weer op die Friso bij de bakker, die met die bruine ogen.

Ik pulkte verder. Hij houdt van me, hij houdt niet van me, hij houdt van me.

Stel je voor. Hij hield van me en ik wist niet eens wie hij was.

Dromerig lag ik op mijn rug en keek naar de wolken. Luchtige donzige zomerwolken tegen een stralend blauwe hemel. Alles voelde zo heerlijk ongedwongen.

Zo kun je dus ook leven, dacht ik. Erop los leven, zoals Ma het noemde. Niks moest en alles kon.

'Jij hebt een mooi figuur, weet je dat?' zei ik. 'Als je zou willen, zou je er fantastisch uit kunnen zien.'

'Nou, toevallig wil ik dat niet,' zei ze.

'Vind je het zo moeilijk met die kleren?'

'Ja,' zei ze. 'Maar dat begrijpt niemand. Iedereen vindt me stom.'

'Ik niet,' zei ik. 'Ik weet niet of ik het begrijp, maar ik vind je heus niet stom. Jullie zijn juist zo lekker relaxed. Zo levend.'

Tibby was even stil.

'Jij bent echt mijn beste vriendin ooit,' zei ze toen. 'Zullen we altijd vriendinnen blijven?' Dat kwam recht uit haar hart.

Ik voelde me heel ongemakkelijk worden, alsof ik nu ook iets moest zeggen. Dat zij ook mijn beste vriendin was, bijvoorbeeld. Maar dat wist ik eigenlijk niet. Voor altijd was zo lang.

Ik staar naar de wolken. Dansend dons tegen een blauwe lente-lucht, zo blauw als het lege boekje van Easy, dat voor me ligt. Krop het niet op. Schrijf het van je af.

Een bladzijde voor Elien, een bladzijde voor Tibby.

Hoe kon Tibby mijn beste vriendin zijn? Bij je beste vriendin keek je toch niet je ogen uit, elke keer opnieuw? Als ik een beste vriendin had, dan was dat waarschijnlijk Elien. Behalve dat Elien en ik het daar nooit over hadden.

Dat ontdekte ik pas door Tibby. Ik kon er zelfs woorden voor vinden, voor soorten vriendschap en hoe verschillend die kunnen voelen. Met Elien had ik het daar niet over. En thuis hadden we het niet over gevoel.

Die gesprekken met Tibby vond ik heel bijzonder. Dat mis ik zo.

Ik probeer te schrijven, maar de woorden zitten verborgen onder een deken van tranen. Zonder Tibby is alles weer kaal en logisch en steriel, net als vroeger. Maar vroeger had ik daar geen tranen over en nu wel. Ik verdrink erin, in de tranen. Ze fluisteren als de lenteregen en het natgeregende boekje fluistert terug.

'Ze is weg,' fluistert het boekje. 'Ze is weg en ze komt nooit meer terug.' Ik hoor het duidelijk, ergens diep in mijn gedachten. Komt die stem echt van het boek? Ik schuif het van me af, ik wil juist aan de gekke en fijne dingen denken. Aan Tibby die er niet mee zat om al haar kleren uit te trekken. Bloot in het water, ik zou er niet op komen maar het was te gek. En dan kom ik toch opeens weer bij haar keuze.

'Was het ook niet een beetje jouw schuld?' fluistert het boek.

Die opmerking laat me niet meer los. Ik had het toch zien aan-komen? Waarom had ik er niet méér aan gedaan?

En dan word ik boos. Op mezelf, op het boek, op Tibby, op iedereen! Het boekje was bedoeld om me te helpen, maar dit helpt echt niet! Ik voel me zo schuldig als wat!

Nijdig droog ik mijn tranen, terwijl de donzige wolken onaangedaan langs de hemel dansen. Net als toen.

# 4

Tibby en ik lagen in ons blootje op te drogen en te doezelen in de zon, toen we een dieselbusje hoorden ronken.

'Jeff!' Tibby sprong overeind. 'Hoe kan dat? Hij zat toch in Duitsland?'

Ik greep mijn kleren en kleedde me in recordtempo aan.

Een lange, magere man kwam door het poortje in de rozenhaag. Tibby rende zo in haar blootje naar hem toe. Dus dit was de geweldige Jeff.

Ik had eigenlijk een donkere man verwacht, maar Jeff was net zo wit als ik. Hij droeg een leren hoed, had zijn haar in een lange staart en hij sprak langzaam, met een zwaar Amerikaans accent.

'*Hi, sweet pea of mine.*' Hij aaide over haar vlechtjes. 'Heb je lekker gezwommen?'

*Sweet pea?* dacht ik. Zoete Erwt? Wie noemt zijn kind nu Zoete Erwt? Hij was toch geen indiaan?

'Wat ben je vroeg,' zei Tibby terwijl ze haar kleren aantrok. 'Jeff, dit is nou Annemarth.'

'*Hi, Annemarth, great to meet you.*'

'Hoi Jeff,' zei ik.

Jeff knikte. 'Koffie! En dan uitladen. Doe je mee?'

'Eerst uitladen, dan koffie, ik ken jou,' zei Tibby resoluut. Ze leek haar ma wel. Ik voelde me opeens te veel en ik was blij dat ik kon helpen.

Het busje zat vol grote zwarte kisten, waarschijnlijk allemaal muziekspullen. Zwijgend zeulden we de boel naar binnen.

'Waarom laat je die spullen niet gewoon in de bus?' zei Tibby terwijl ze het zweet van haar voorhoofd veegde.

'Dan zijn ze morgen weg, *sweetheart*, en de bus erbij,' zei Jeff.

'Zet je hem toch in de schuur, met de deur op slot. Plek zat.'

Als antwoord gaf Jeff een trap tegen een hoek van de schuur. Hij trapte zo door de planken heen.

Tibby zei niets meer en toen de hele gang vol stond, maakte ze koffie. Ik ging op de oranje bank zitten. Ik wist niet wat ik moest doen. Jeff zat aan tafel en rolde een sjekkie waar hij wat groen spul bij deed. Wiet? Hasj? Ik vond het maar raar en ik keek hoe Tibby reageerde. Ze pakte een gitaar van de muur en gaf die aan Jeff. Hij speelde mooi en ik werd er dromerig van, maar Tibby praatte er gewoon doorheen, alsof ze het de normaalste zaak van de wereld vond dat haar pa zo prachtig zat te spelen met een jointje binnen handbereik.

Ik luisterde maar half naar haar, want ik liet me meedrijven op de klanken. De gitaar zong een lied zonder woorden dat ik toch kon verstaan. Maak je niet druk, pluk de dag, maak lol met je vrienden. Het was zo relaxed.

'*What do you think*,' zei Jeff na een poosje, 'hebben we genoeg broccoli voor ons viertjes? Voor een feestmaal? *Wanna join us, Annemarth?* Eet je mee?'

Ik belde Ma. Zowaar, het mocht, als ik niet te laat thuis was want morgen was het weer vroeg dag en bla bla bla.

Ja Ma, goed Ma, tuurlijk Ma, tot straks.

Jeff zette borden op tafel en schonk voor zichzelf een flink glas whisky in. Toen pakte hij de gitaar weer op en speelde verder.

Tibby haalde broccoli uit de tuin. Ze waste het, deed het in kleine roosjes in een vergiet en wentelde toen een stuk kaas door het paneermeel.

'Jij kunt echt koken,' zei ik. 'Leer je mij dat een keer?' Want ik kon alleen maar pizza.

'*Sure*. Snij dic aardappels maar in plakjes.'

Ik deed het. 'Wat voor kaas gebruik je?' vroeg ik.

'Jong belegen. Dat smelt zo lekker vanbinnen als je het bakt.'

'Hoe laat komt Sharima?' vroeg Jeff.

Tibby haalde haar schouders op. 'Die zien we voorlopig nog niet.'

'Ach ja,' zei Jeff. Hij belde. *'Hi darling, I'm home!'*

'Ze is nog heel even bezig,' zei hij toen hij had opgehangen. 'Het wordt echt niet laat.' Hij lachte, alsof het een standaardgrap was. Het was al kwart over zeven. Zou Sharima altijd zo laat thuis zijn? Als Jeff op reis was, at Tibby hier dan elke avond in haar eentje?

Tibby bakte de aardappels en de kaasschijven en ze roerbakte de broccoliroosjes. Ze wist precies hoe alles moest.

De broccoli was knapperig en de aardappeltjes ook. De kaas was vanbinnen gesmolten en vanbuiten krokant. We aten buiten in de avondzon. Een merel zong, hoog op het dak, de rozen straalden en bloosden en de kippen zaten dicht naast elkaar in de vensterbank. Een veilig plekje voor de nacht.

'Ik dacht dat je de hele week nog in Duitsland zat,' zei Tibby na het eten.

'Ja, er waren wat problemen. Met de bus en zo. Niks bijzonders.' Jeff wuifde vaag met zijn hand, maar Tibby drong aan.

'Wat dan?'

'Ik zat gewoon wat te spelen. Ik kan de gitaar in de bus pluggen, *you know*. En toen kreeg ik een beetje kortsluiting, *sort of*. Opeens sloegen de stoppen door.'

'Allemaal tegelijk? Wat had je er nog meer in geplugd?'

'Niks bijzonders,' zei Jeff vaag, 'er was iets doorgebrand of zo.'

'Maar zonder stroom kun je toch niet rijden? Dan start de bus niet eens,' zei Tibby.

'Nee, klopt. Ik kon niks meer, niet voor- of achteruit, en

het was onmogelijk om te vinden waar het zat. Uiteindelijk heb ik alle draden doorgeknipt en de ontsteking weer verbonden. Toen kon ik rijden, maar vraag niet hoe. Ik had geen licht, geen radio, geen richtingaanwijzer, niks. Ik hoopte maar dat het droog bleef, want zelfs de ruitenwissers deden het niet meer. Het leek me beter om naar huis te gaan en de boel eens rustig na te lopen.'

'Jemig, pap, dat is levensgevaarlijk!'

'Zeg dat wel. Wat een rit! Maar ik ben er.'

'En nu?'

Jeff haalde zijn schouders op. *'We'll have to fix it, I guess.'* Lekker laconiek.

'Is dat niet heel duur?'

'Nah, ik ga wel even langs Pete. Je weet wel, die met die garage.'

'Maar je werk dan? Je moest toch helpen met die tournee?' Tibby's stem werd steeds hoger en ze kreeg een diepe frons in haar voorhoofd.

*'Oh, well,* ze vinden wel iemand.'

'Maar dan verdien je toch niks!' Haar stem sloeg nog net niet over, maar de paniek vloog over haar gezicht.

Jeff streelde over haar springerige zwarte vlechtjes. *'Take it easy, relax. Trust me, okay?'*

'Dat is het niet, pa,' riep Tibby. 'Ik vertrouw je wel, maar het is alleen... het gaat helemaal niet goed zo. We moeten toch eten kopen en mijn beltegoed is bijna op en mijn muur is kapot, er zit een grote scheur in, dat heb ik je toch laten zien? En mijn band is steeds lek en ik heb geen kleedgeld en straks moet ik nieuwe boeken...'

'Rustig, geen zorgen. Er zal altijd geld zijn,' zei Jeff kalm.

Ik stond op om te vertrekken want ik gêneerde me dood. Echt hoor, hun geldzorgen hoefde ik niet te weten. 'Hey, Tips, ik eh...'

Maar Tibby leek me niet op te merken. Ik pakte mijn tas. 'Sorry, ik moet...'

Nu zag ze me. 'Annemarth, wat doe je? Je gaat toch niet weg? Alsjeblieft, blijf nog even! Please?'

Ze keek zo smekend dat ik nog maar even ging zitten. Whisky kwam aanlopen en sprong op mijn schoot.

Jeff streek nog eens zacht over Tibby's haar en pakte zijn gitaar weer op. *'Don't worry, sweet pea,* we redden het best. We hebben vrienden die ons helpen, er is weer sla en er zijn al boontjes, heb je dat gezien? *We're alive, that's what counts.'* Hij lachte vriendelijk en schonk nog een flink glas whisky in. 'Kom, wat zal ik voor je spelen? *Your song?'* Hij tokkelde en zong een liedje van MaiZZ. Het was Tibby's lievelings-liedje. Ze had het zelfs op haar Hyves.

De muziek spoelde langzaam de ergste schrik van me af en ik zag dat Tibby zich ook ontspande. Ze zei gelukkig niets meer over geld en niets meer over haar kapotte muur, niets over haar schoolboeken, niets over haar achterband en ze vroeg ook niet meer hoe Jeff zo gauw aan een ander baantje dacht te komen.

Maar ik dacht terug aan die keer in de winkel, toen ze geld vroeg voor de boodschappen. En onder die deken van heerlijke gezelligheid en mooie muziek voelde ik iets an-ders, iets grimmigs, iets wat ik niet kende en niet begreep en waar ik bang van werd.

# 5

Als Jeff gitaar speelde, veranderde er van alles. Hij vulde die keuken met gezelligheid en sfeer en troost. Er gebeurde iets moois, iets dromerigs als hij speelde. Dat wilde ik ook. Dat was veel belangrijker dan zuivere dubbelgrepen spelen.

Thuis pakte ik mijn viool om het te proberen. Ik probeerde het met stukken van vioolles en met stukken van orkest, Mozart en Mendelssohn, maar er gebeurde niets. Ik werd niet dromerig en het werd ook niet speciaal gezellig. Eigenlijk veranderde er niets. Hoe deed Jeff dat toch? Hij speelde zomaar uit zijn hoofd, zonder noten. Het leek wel magie.

Ik legde mijn bladmuziek weg, maar toen vergiste ik me de hele tijd.

Het klonk naar niks.

Misschien kwam het doordat mijn viool in een kist woonde, opgesloten als een dooie vampier. Jeffs gitaar hing vrij aan de muur. Misschien werd mijn viool ook wat dromeriger als hij af en toe de zon kon zien.

Dat was makkelijk op te lossen. Mijn muur was dodelijk saai, dus ik ging eerst maar eens op zoek naar verf. Met een afgedankte tube ultramarijnblauwe acrylverf van Ma schilderde ik een groot blauw vlak op mijn witte muur. Het werd een beetje vlekkerig, maar dat was juist wel artistiek. Het was heel snel droog. Ik bond een rood-wit-blauw haarlint aan mijn viool en hing hem op aan een spijker. Het zag er verrukkelijk Tibby-achtig uit, en dat midden in mijn eigen kamer!

Ik was trots en blij. Misschien kon ik ook zonder noten leren spelen, net als Jeff. Met echt gevoel. Ik riep Ma om het te laten zien.

En wat zei Ma?

'Weet je wat dat instrument kost, Annemarth? Vijftien-honderd euro! En die stok is van echt pernambucohout! Dat hang je toch niet zomaar aan de muur, kind, hoe haal je het in je hoofd! Daar moet je zuinig op zijn.'

Zoals ik al zei, de koude douche is door haar persoonlijk uitgevonden.

'Hij hangt daar toch goed? Wat kan er nou gebeuren?'

'Nee, ik vind het echt te kwetsbaar. Haal 'm eraf.'

'Nee,' zei ik.

Toen werd ze ontzettend boos. 'Als jij er niet netjes mee om kunt gaan, ben jij zo'n kostbaar instrument niet waard. Dan kun je een viool van triplex krijgen, Annemarth.'

Ik sloot hem maar weer op. Doodstil in zijn kist.

Achteraf gezien heeft Ma natuurlijk groot gelijk. Die kostbare viool liep groot gevaar aan de muur. Al die aardbevingen hier! Die talloze poezen die wild door het huis heen springen! Die horden kleine kinderen die door de kamers gymnastieken en per ongeluk met hun beentjes tegen de viool aan kunnen trappen!

Nu ik erover nadenk, valt me pas goed op hoe verkrampt en bang Ma reageerde. En ik begrijp steeds beter waarom ik het zo leuk vond bij Tibby. Het had te maken met die waanzinnig relaxte sfeer, met die muziek van Jeff en hoe anders dat voelde. Maar als ik bij dat gevoel kom, zit ik ook weer met die tranen.

Zwijgen is beter; zwijgen is netjes, zwijgen is veilig, dan wordt er niemand boos. Ik kan zwijgen als de beste. Ik kan zwijgen tot ik barst en het er vanzelf uit floept. Zelfs mijn pen zwijgt als ik probeer te schrijven.

Ik haal mijn viool uit de kist. Als het niet lukt om iets op te schrijven, kan ik misschien iets spelen.

Het lukt: ik kan een stukje spelen, zonder noten maar met gevoel. Ik weet niet of het handig is, want ik ga er ontzettend van huilen. Maar ergens voelt dat toch wel fijn.

Ik huil om wat er gebeurd is. Ik huil ook, omdat ik me zo schuldig voel. Tibby had het zo moeilijk thuis met die ouders, zonder geld, ze wist zich geen raad en ik had niks in de gaten. Ik stond erbij en ik keek ernaar. Ik probeer nog wat te spelen, tot mijn tranen op zijn, maar het zijn er te veel. Ze klonteren aan elkaar in mijn keel, een verdrietige klont.

Mijn viool hoeft niet meer in zijn kist. Ik hang hem opnieuw aan de muur. Ma zal wel laaiend zijn. Jammer dan. Als zij me een triplex viool wil geven gaat ze haar gang maar, maar ik berg hem niet meer op in de kist. Hij heeft recht op zonlicht en op vrijheid.

# Lathyrus en kamperfoelie

We zaten op het plein met het laatste ijsje van het jaar om te vieren dat we allemaal over waren van de tweede naar de derde. Tibby met de hakken over de sloot, maar toch.

'Wat gaan jullie doen?' vroeg Jeske. 'Wij gaan naar Friesland, mijn tante heeft een huisje met een boot. Lekker zes weken zeilen!'

'Ik weet het nog niet precies,' zei Elien. 'Maar het wordt *chill*.'

'Ik blijf lekker thuis,' zei Tibby. 'Heerlijk niksen in de zomerzon. Daar hoef ik de deur niet voor uit.'

Ik had juist heel veel plannen voor de vakantie. Drie weken naar Zwitserland en een weekje muziekkamp. Verder wilde ik gezellige dingen doen: zwembad, zonnen, beetje chillen met Elien. Misschien konden we zelfs een paar dagen samen naar Terschelling of Texel en een leuke nieuwe vlam zoeken voor Elien, want met die bakker was het niks geworden.

Maar het liep anders.

Elien kreeg een telefoontje van haar opa in New York en weg was ze, zes weken naar Amerika en naar de Bahama's, zeilen op de Caraïbische Zee, de mazzelaar. Mij liet ze moederziel alleen achter. Bye bye Texel. Jeske en Lianne zaten in Friesland en zo kwam het dat ik de halve zomervakantie bij Tibby rondhing. Zij was ook alleen. Sharima kon niet weg vanwege haar winkel, en Jeff had de bus gerepareerd en was vertrokken.

'Hij is op zwerftocht,' zei Tibby.

'Wilde je niet mee?' vroeg ik.

Ze haalde haar schouders op en ik weet niet waarom,

maar ik kreeg zomaar de indruk dat ze niet zo welkom was op zijn trip.

'Mis je hem erg?'

'Ach nee,' zei ze. 'Hij blijft niet zo heel lang weg.' Ik keek naar haar gezicht. Volgens mij miste ze hem verschrikkelijk. Ze schoffelde opeens zo ijverig verder.

Sharima zag ik nauwelijks. Ze was iedere avond tot laat in de winkel, ook al was het dorp bijna uitgestorven. Ik vond het wel zielig voor Tibby dat ze zo alleen was, maar we konden doen en laten wat we maar wilden. Zwemmen, vuurtje stoken, hamburgers roosteren boven het vuur – en ze erin laten vallen, natuurlijk. We waren uren bezig met optutten en we plukten bloemen voor in ons haar. Het leek wel alsof er een toverdrank over die tuin was uitgegoten, waardoor alle bloemen rijker en intensiever bloeiden. Als ik mijn neus in de rozen begroef, voelde ik me alsof ik zelf ook begon te bloeien. Ik nam hele bossen bloemen mee naar huis. Zachte rozen en geurige lila bloemen die ik niet kende.

'Lathyrus,' zei Tibby. '*Sweet pea.*'

'Zoete Erwt?' Ineens begreep ik die naam die Jeff voor haar had. 'Ruikt zalig!'

Ik dacht dat ze trots zou zijn, maar ze haalde haar schouders op. Soms moest ik maar raden wat ze dacht.

Tibby kon echt goed koken en ze leerde me hoe dat moest. We maakten sperzieboontjes met verse nootmuskaat die je van een bolletje moest raspen. We maakten lekkere kaasschijven en zalige verse spaghettisaus met gehakt en ui en verse oregano uit de tuin. Ik vond het griezelig om oregano te plukken want het zoemde er van de bijen.

'Ik heb zin in iets lekkers,' zei ze af en toe en dan kwam ze weer met iets nieuws. 'We maken appelbollen.'

Appelbollen? Kon je die zelf maken?

'Ja, er is geen klap aan.' Ze had gelijk en even later rook de keuken weer naar appel en kaneel. Zo vlogen de weken om. Ik had de tijd van mijn leven.

# 2

'Kom je morgen weer?' vroeg Tibby telkens als ik naar huis ging. Ze vroeg het elke dag opnieuw. 'De sla moet geschoffeld,' zei ze. Of: 'De kippen moeten gekortwiekt.' In het begin voelde ik me gevleid, maar na een week of twee begon het me te beklemmen. Ik kreeg het gevoel dat ze zich aan me vastklampte.

'Kom jij nu eens naar mij?' stelde ik voor. 'Ik wil wel eens wat anders doen dan schoffelen.'

Ze kwam één keer en daarna niet meer. 'Sorry, maar het is zo steriel en netjes bij jullie. En ik voel me toch al zo'n pauper.'

'Trek dan ook iets leuks aan,' zei ik, want ze liep er inderdaad bij als een pauper. 'Kom op, we gaan lekker shoppen in Utrecht. Het is hartstikke uitverkoop.'

'Ik heb toch al gezegd dat ik daar geen zin in heb!' zei ze. 'Trouwens, zie je het voor je, met mijn fiets naar de stad?'

Dat was waar. Haar fiets rammelde, het spatbord hing los en ze had al vier keer haar band geplakt.

'Ja, daar moeten we eens iets aan doen. Laten we het dorp in gaan, even langs je ma, dan kunnen we meteen naar de fietsenmaker.'

'Sharima heeft het veel te druk en de fietsenmaker gaat die ouwe fiets van mij echt niet repareren.'

'We kunnen toch vragen wat het kost,' zei ik.

# 3

De volgende dag fietsten we door de Dorpsstraat. Fietsen-maker nummer één raadde haar een nieuwe band aan en nog een hele rits reparaties. 'Honderd euro! Dat gaat hem niet worden,' zei Tibby. 'Wat nu?'

'Van der Linden,' zei ik. 'Misschien is die goedkoper.'

De winkelbel rinkelde vol ouderwetse vriendelijkheid. Na een paar minuten slofte de fietsenmaker binnen. Zijn kap-sel was een dunne, grijze versie van dat van Elvis Presley en hij droeg een blauwe stofjas, ook ongeveer uit die tijd. In zijn mond hing een gewoontesigaar, waar hij dunne slieren rook uit blies. Zij handen waren groot en zwart en iedere be-weging die hij maakte was kalm en traag en doordacht. Van der Linden was een toonbeeld van vakmanschap en geduld.

Vakkundig bekeek hij Tibby's fiets. 'Ja, moppie, daar moet een nieuwe band op. Jullie moeten niet zo op die fietsen raggen, daar ken zo'n fiets niet tegen.'

'Kunt u hem niet gewoon plakken?' probeerde ze.

Van der Linden richtte zich op en nam de sigaar even uit zijn mond. 'Kijk, moppie, die band is doorgesleten. Hiero en hier en daaro, zie je wel.' Hij wees het precies aan met zijn sigaar als aanwijsstok. Daarna stopte hij hem weer tussen zijn lippen. 'Dus ik ken hem wel plakken, maar dan is hij morgen weer lek, hè. En daar schieten we niks mee op.'

'Maar kunt u hem niet nog één keertje plakken?'

De fietsenmaker nam de sigaar weer uit zijn mond en ging er eens goed voor staan. 'Lieve meid, ik ken hem nog wel vijftig keer plakken. Vandaag en morgen en overmor-gen en ga zo maar door. Maar daar begin ik niet aan. Dat is prutswerk. Als jij een nieuwe band moet hebben, dan krijg je een nieuwe band. Effe kijken, het is nu woensdag, maandag is het klaar. Vijfendertig euro.'

De sigaar ging weer terug in zijn mond en hij kauwde er eens lekker op. Van achter een stoffige toonbank haalde hij een stompje potlood tevoorschijn en een vaalroze formulier om op te schrijven wat er aan de fiets mankeerde.

'Ik heb hem eigenlijk morgen nodig,' zei Tibby.

'Toe maar, hebben we haast? Nou, vooruit, als het moet.'

'Stuurt u de rekening naar mijn moeder?' vroeg Tibby. 'Ze heeft een zaak hier verderop. Kraaltjes en Sjaaltjes.'

De fietsenmaker schoof zijn sigaar bedachtzaam naar zijn andere mondhoek en schudde zijn hoofd. 'Dat ken zo niet, wijffie. Het is hier geen bank van lening, hè. Ik zet die band erop in volle galop en morgen is het klaar. Jij gaat ondertussen naar die winkel van je moeder om geld te halen. En morgen kom je terug om te betalen, gewoon cash in het handje. Afgesproken?'

'Zeker weer omdat wij zwart zijn,' zei Tibby binnensmonds. 'Ik kan ook ergens anders heen gaan,' zei ze wat harder.

De fietsenmaker zuchtte. 'Kijk, alles goed en wel, maar ik moet ook rond zien te komen, hè. De huur gaat alsmaar omhoog en dan krijg ik weer een belastingaanslag. Deze regering brengt me nog aan de bedelstaf.' Met brede, trage gebaren onderstreepte hij zijn betoog. 'En denk maar niet dat ze het fietsen stimuleren, welnee. De mensen moeten in de auto zitten, anders hebben ze geen emplooi voor die dure autosnelwegen. Dat levert lekker veel accijnzen op, dat is het. Tachtig euri's aan benzine, driehonderd euri's voor een autoreparatie, het geeft allemaal niks, maar reken je ze dertig euri's voor een fietsreparatie, man man, dan is de wereld te klein. Zo, moppie, tijd is geld, ik ga weer verder. Dus zeg het maar, moet ik hem maken of niet?'

'Sorry, we gaan al,' zei Tibby. Ze stampte terwijl ze de winkel uit liep. 'Burgerlul,' mompelde ze.

'Wat is het probleem?' vroeg ik. We kunnen toch even langs je moeder gaan?'

'Ik heb in elk geval weer licht op mijn fiets,' zei ze.

'Hoezo?'

Ze liet me twee fietslampjes zien, nieuw in de verpakking. Die had ze in de gauwigheid gejat.

'Doe effe normaal!' riep ik. 'Je gaat toch niet jatten bij zo'n ouwe kerel? En waarom laat je hem nou niet maken? Zo duur is dat toch niet?'

Maar ze keek me aan alsof ik zielig was en niets begreep. Ze luisterde gewoon niet. En ik kreeg weer dat enge, grimmige gevoel dat er iets verschrikkelijk mis was.

# 4

Ma had gevraagd of ik wilde helpen om de laatjes op te ruimen in de apotheek.

Toen Tibby dat hoorde, wilde ze per se mee. Dat vond ik vreemd. Als ze het bij ons thuis al een steriel lab vond, hoe zou ze de apotheek dan wel vinden? Ergens had ik toen al het gevoel dat ze iets achterhield. Maar dat gevoel wuifde ik meteen weg. Ik was haar beste vriendin. Als er iets was, zou ze het heus wel tegen me zeggen.

Ma begroette Tibby heel vriendelijk. 'Dat is lang geleden! Wat leuk om je weer te zien.'

We kregen thee en Ma praatte over vroeger, over Sharima, hoe het met de nieuwe winkel ging en dat ze gauw eens langs zou gaan. Daarna liet ze Tibby de apotheek zien en hielpen we mee om een paar laatjes op te ruimen. Tibby vond het allemaal woest interessant.

'Annemarth zegt dat u hier echt dodelijk vergif verkoopt,' zei ze.

Ik stond versteld. Vergif? Waar wilde ze heen? We zaten niet in het oude Rome! Ma moest lachen. 'Alles is dodelijk, als je er maar genoeg van inneemt. Zelfs water, wist je dat?'

'Maar u hebt toch ook wel heel heftige pillen? Wat zijn de giftigste?' drong Tibby aan. Ma keek haar aan met haar speciale pietjepreciesblik. Ik kende die blik. Als ze zo keek, rook ze onraad.

'Alle geneesmiddelen hebben hun risico's,' zei Ma. 'Daarom zijn ze niet zomaar in de supermarkt te koop. En daarom kijk ik ook elke dag alle recepten na, of er geen vergissingen gemaakt zijn.' Dat laatste met een blik op mij.

Tibby wilde nog iets vragen, maar Ma zei: 'Gaan jullie lekker het dorp in?'

Hoef ik niet meer te helpen? wilde ik vragen, maar ik slikte het in. De boodschap 'ophoepelen' was duidelijk genoeg. 'Moet ik nog wat meenemen?' vroeg ik.

'Ja, de melk is op en de kaas ook. Hier, willen jullie nog een lekker dropje?' vroeg Ma. 'Tot straks, Anne. En bedankt hoor, voor de hulp, allebei.'

'Het was maar een kwartiertje,' zei Tibby. 'Ik wil best nog meer doen, hoor.'

Weer die onraadblik van Ma. Ik trok Tibby mee naar buiten.

'Dat was gaaf,' zei ze en haar zwarte ogen twinkelden.

'Vond je? Waarom dan?' Zo spannend vond ik het niet.

'Gewoon, het idee. Al die vergifjes en zo.'

'Pas maar op, je krijgt er een zwarte tong van,' zei ik, en we staken onze tongen uit.

Pikzwart.

# 5

Ik vond het niet erg toen de school weer begon. Het was heerlijk om Jeske en Lianne en Elien weer te zien. Ik had zelfs het geduld om Tarik aan te horen met zijn onophoude-lijke stroom grapjes en uitdeeldrop en mentos en altijd een nieuw liedje op zijn mp3-speler. 'Hey, dit moet je echt horen!'

De derde klas leek precies op de tweede, behalve dat ik opeens heel vaak naast Tibby zat. Wij moesten even samen doen met mijn boeken, want die van haar waren te laat. Maar toen Tibby's boeken er na anderhalve week nog steeds niet waren, begonnen de leraren tegen haar te mop-peren en Tibby begon tegen mij te mopperen.

'Die stomme Fred met zijn preek,' zei ze. 'Niet normaal, toch?'

'Hij zei gewoon dat je beter moest leren.'

'Ja, dat lukt ook zo lekker zonder boek.'

'Heb je al gebeld waar je boeken blijven?' vroeg ik.

'Ze komen heus wel. Ze moeten niet zo zeuren.'

Dat vond ik ook. Het was veel te mooi weer om te zeuren. We hingen op het plein, het was prachtig zomerweer en de ijscoman stond er. Vlak naast de ijskar stond die nieuwe jongen uit de vijfde. Hij leunde ontspannen tegen een hek. Leuk gezicht, blond, waanzinnig relaxed. Ik kende serieus niemand die zo relaxed tegen een hek kon hangen. Als ik hem alleen al zag, werd ik blij. Ik moest nodig uitzoeken hoe hij heette en waar hij vandaan kwam. Zo te zien uit de hemel. Misschien kon Elien me helpen, zij was daar erg handig in. Of Sam, die zat ook in de vijfde.

'Wil je een ijsje?' vroeg ik aan Tibby. 'Vanille of chocola?' Ik liep alvast in de richting van de ijskar.

'Zeg dat woord niet!' zei ze.

'Wat?'

'Het C-woord! C is NTV!'

Giechelend liep ze mee, vlak langs die leuke jongen. Ik probeerde zijn blik te vangen, even naar hem te lachen, maar hij keek net de andere kant op.

De ijscoman maakte twee royale vanille-ijsjes voor ons.

'Lekker, Tips?' vroeg ik.

Tibby knikte. 'Bedankt. *Vanille rulezz.*'

Waarom hingen haar schouders dan zo omlaag? 'Tips, wat is er?' vroeg ik.

Ze keek weg en zei niks.

'Heeft het iets met Tarik te maken? Hij doet toch best aardig tegen ons.'

'Tegen jou, ja,' zei ze zuur. Ze deed hem na. 'Hey, dit moet je echt horen!'

'Nou ja, wat een onzin. Tarik doet heus niet aardiger tegen mij dan tegen jou. Denk je dat echt? Hij zoekt gewoon publiek, jij kunt ook naar hem luisteren.'

'Laat maar,' zei ze. 'Ik baal dat we hier de hele dag opgesloten zitten.'

'Voor een school is het niet slecht, toch?'

'Vind jij,' zei Tibby.

'Waar zat je vorig jaar dan op school?' vroeg ik.

'O, in Utrecht tussen de kakkers. Niks aan.'

'Maar nu zit je hier bij ons en het is hier best oké. *Cheer up, Tipsy!*'

Ze knikte.

Ik keek nog even naar die nieuwe jongen, die toevallig net mijn kant op keek.

Yes! Ik werd zo blij. Ik werd erger dan blij. Ik werd roekeloos. 'Wil je ook een ijsje?' riep ik opeens tegen hem.

Tibby gaf me een por en keek me aan alsof ik gek geworden was. Mr Relax lachte heel even, maar hij had niet door dat ik het tegen hem had, want verder reageerde hij niet.

Of hij vond me megastom.

Of hij hield niet van ijs en wilde me de verlegenheid besparen.

Of hij was een beetje doof.

Jammer dat je nooit wist wat mensen dachten. Zelfs niet ongeveer. Wist je het maar.

Tarik had me wel gehoord. 'Hey, Annemarth!' riep hij. 'Lekker, een ijsje! Doe maar vanille,' zei hij. 'Waar heb ik het aan te danken?'

Aan die relaxte held daar verderop, die mij niet schijnt te horen. 'Wat denk je zelf?' vroeg ik.

'Ach, ik had wel zin in een ijsje. En ik ben blut,' zei hij.

Dat was wel weer leuk van Tarik. Hij kwam niet met flauwe onzin over hoe schattig ik was. Dat kon hem echt niks schelen. Dansen en grapjes maken en een lekker ijsje eten, dat was het enige wat Tarik iets kon schelen.

Misschien bleef hij even met Tibby praten als ik een ijsje voor hem kocht. Dan kon ik het geluk mooi een handje helpen. Waarom zei Tibby nou niks? Ze moest zelf ook wel iets doen. Of vond ze hem toch niet zo leuk?

Tarik grijnsde ondeugend toen ik hem zijn ijsje gaf. Hij had het in een paar happen op.

Hij lachte weer. Naar Tibby? Toch niet naar mij? 'Hey, ladies,' zei hij. 'Xie jullie!' Hij zwaaide. 'Enne, zie je die gast daar verderop? Die nieuwe? Hij was laatst dj bij Sisters en hij draait echt lekkere muziek!'

En weg was Tarik.

'Wat lach je!' zei ik. 'Je vindt hem echt leuk!'

'Mwah,' zei Tibby.

Ze haalde haar schouders op, maar ze straalde. Aha.

# 6

'Er is een nieuwe jongen op school,' vertelde Sam 's avonds aan tafel.

Ja, Sam, dat wisten we al. Lang, blond, relaxed, en dj! *Tell me about it.*

'Hij heet Easy en hij zit in 5C,' zei Sam. 'Hij is dj bij Sisters!'

Easy. Dat wist ik dan weer niet. Easy. Beetje apart, maar leuk. Easy.

'Easy? Wat een aparte naam,' zei Pa. Kon die man gedachtelezen? *'Take it easy, Easy.* Hier is dj Easy voor een uurtje *easy listening.'* Hij lachte. Had hij door dat hij de enige was?

'Leuk,' zei Ma. 'Is hij aardig? Waar komt hij vandaan?'

Dat vraagt ze altijd. 'Wat, die naam?' vroeg Sam. 'Dat is een afkorting van iets. Hij is heel aardig en hij komt ergens uit de buurt van Den Haag.'

'Hoe vinden jullie mijn spaghettisaus?' vroeg ik vlug, voordat ik begon te blozen. Ik had zelf gekookt, een recept van Tibby. Speciale culinaire spaghettisaus met geroosterde paprika en gehakt en verse oregano. 'Wat is het voor merk?' vroeg Ma.

'Tiberia,' zei ik. 'Met oregano extra.'

'Lekker hoor,' zei Ma.

Dat was alles. Zo ging dat hier dus. Ik kookte voor het eerst van mijn leven zelfstandig goddelijke, verse, culinaire spaghettisaus en dan zeiden ze niets anders dan 'lekker hoor'.

Ik kreeg opeens zo'n heimwee naar Tibby's knusse keuken met die rare broodplanktafel waar haar pa gezellig gitaar zat te spelen terwijl wij in de pannen roerden. Hier zat iedereen 's avonds achter de computer. Het was nooit eens gezellig, iedereen ging zijn eigen gang en er mocht nog eens niks ook. Ik mocht niet eens een kat.

'Zullen we iets leuks doen vanavond?' stelde ik voor. 'Lekker met z'n allen Risken? Of Carcassonne? Katan?'

Niemand reageerde.

'We kunnen ook gezellig een filmpje kijken. Wie doet er mee? Ik wil wel popcorn bakken.'

'Ik ga naar Sarah,' zei Sam. Hij schoof de borden in de vaatwasser en weg was hij, naar zijn vriendin.

'Misschien straks, als ik klaar ben,' zei Ma. Ze veegde afwezig met haar handen door haar haar. 'Ik moet de recepten nog nakijken.'

'O wee, o wee, er mocht eens een dooie vallen.' Het floepte er zomaar uit.

'Dat vind ik flauw,' zei Ma. 'Dokters zijn ook maar mensen, die kunnen zich vergissen.'

Ik zei niets, maar ik durfde er mijn iPod om te verwedden dat al die menselijke dokters op ditzelfde moment gezellig met hun kinderen zaten te Katannen thuis, terwijl Ma hun vergissingen glad liep te strijken. Hoezo emancipatie?

Pa had ook al geen tijd. Hij beweerde dat zijn laptop luidruchtig protesteerde omdat hij nog zoveel werk moest doen. 'Volgens mij zit er zelfs ongedierte in van het lange niksdoen,' zei hij. 'Luister maar, je hoort ze snorren daarbinnen. "Hup, aan de slag," roepen ze.' Hij zette zijn pc aan en lachte en keek me vol verwachting aan.

Hup? Doe me een lol, Pa. 'Dat is gewoon de ventilator,' zei ik.

'Juist, de ventila-*tor*.' Hij lachte.

Zuchterdezucht. 'Ik ben veertien, Pa, geen vier! Bijna vijftien!'

'Ik zal 't noteren. En stamp niet zo op de trap!' riep hij me na.

Ik stampte niet! En waarom deden Pa en Ma hun werk niet overdag?

Zo gaat dat dus bij ons. Er is niet veel veranderd, zo gaat het nog altijd. Alles is tot in de puntjes geregeld en we zijn altijd overal op tijd. We wonen keurig in dit ruime nette huis en we kunnen altijd alles vinden. Alles, behalve elkaar.

Ik staar uit het raam, waar de wolken elkaar achternajagen. Ik sluit mijn ogen en dan voel ik een zacht gefluister, als een tere stem, vol verlangen, een stem als een zucht van de wind die fluistert over iets wat wild en heerlijk is, wreed en verrukkelijk tegelijk, een grimmig geluk. In mijn binnenste voel ik een verlangen opwellen dat gestild moet worden als honger, een verlangen naar avontuur, naar ruige blonde haren en betoverend groene ogen, een wild verlangen dat ik niet ken en dat ik nét niet kan verstaan.

Ik streel de bladzijden van het Fluisterboek. Het is zacht onder mijn aanraking, het lijkt mee te geven als zachte huid, als lippen zo zacht, met ruwe randen waar meer achter zit dan ik ken. Veel meer.

Ik voel en ik luister, en dan leg ik het weg, snel, abrupt. Ik weet niet zeker of ik dit wel durf te horen. Ik ken Easy nog maar zo kort.

# *Herfsttijd*

Begin september had Tibby nog steeds geen boeken terwijl we al een paar weken aan de gang waren op school. 'Mag ik je Duits nog één dagje lenen?' vroeg ze.

'Ja, als ik mijn Frans terugkrijg. En mijn Engels. Ik heb ze zelf ook nodig. Zal ik wat kopietjes voor je maken?'

'Ja, graag. Hier is je Engels terug. Frans krijg je morgen, goed?'

Er zat een bobbelige watervlek op mijn boek.

'Whisky. Sorry hoor,' zei Tibby. 'Ik wou het nog zeggen. Ik heb het zo goed mogelijk schoongemaakt.'

Getver. Zou ze echte whisky bedoelen, whisky van Jeff? Of bedoelde ze pies van Whisky? Ik werd boos. 'En mijn Frans, hangt dat nog aan de waslijn of zo? En nu wil je mijn Duits lenen? Wat ga je daaroverheen kliederen?'

'Hallo, het spijt me heel erg. Het was echt een ongelukje.'

Ja, duh. 'Wat is er toch met die boeken van jou?' vroeg ik. 'Wanneer komen ze nou eindelijk een keer?'

Tibby wreef zenuwachtig met haar hand over haar lippen. Ik kon haar amper verstaan. 'Ik weet het niet. Ik baal er ook van!' mompelde ze. 'Die lui zijn gewoon belachelijk laat met leveren.'

Ik begreep het niet. Mijn schoolboeken waren altijd op tijd. Altijd. Die van de anderen ook. 'Er is vast een misverstand. Heb je ze al gebeld?' vroeg ik.

'Dat heeft toch geen zin,' mompelde ze geïrriteerd. 'Ze komen vanzelf.'

'Bel nou op, er is vast iets fout gegaan. Ze kunnen die boeken heel snel leveren. Als het moet, heb je ze morgen.'

'Ze zullen vandaag of morgen wel komen,' mompelde ze,

nog steeds door haar hand. 'Laat maar, oké? Ik vraag het wel aan iemand anders. Zullen we vanmiddag appelbollen bakken?'

Ik baalde als Tibby zo ontwijkend deed. Het had vast iets met geld te maken, maar ik begreep niet hoe. Iedereen kreeg toch boekengeld? Soms wilde ik dat ik in haar hoofd kon kijken. Maar die appelbollen, dat leek me wel wat.

'Goed,' zei ik. 'En we maken gewoon een paar kopietjes voor je.'

# 2

Onze school had er een sport van gemaakt om de taalleraren te selecteren op saaiheid. Voor Duits hadden we Fred de Wit, voor Frans hadden we Belle Bonamour, die heel wat minder lieflijk was dan haar naam deed vermoeden. Engels kregen we van Arthur Wilkes. Ik verdacht hen ervan dat ze met hun drietjes wedstrijden afspraken, bijvoorbeeld wie de meeste leerlingen in slaap kreeg tijdens de les.

Fred nam bijvoorbeeld op zijn dooie akkertje de Duitse toets door die door iedereen voldoende was gemaakt, behalve door een stuk of vijf mensen die geen klap hadden uitgevoerd. Waarom moesten we hier altijd op die luilakken wachten?

Fred spetterde tijdens het praten. Sinds vorig schooljaar had ik zijn woedeaanvallen bestudeerd en ze verliepen steevast volgens hetzelfde patroon. Het was verbijsterend. Het was verbluffend. Fase I begon met spetteren, gevolgd door belletjes om zijn mond. In Fase II vertrok hij zijn gezicht tot model oorwurm en begon hij te trommelen. In Fase III liep hij rood aan. De kunst was om Fase III zo lang mogelijk te rekken, want in Fase IV begon hij te schreeuwen en dan stuurde hij mij eruit. Fred spetterde, dus we zaten pas in Fase I. Ik kon nog op mijn gemak een briefje schrijven aan Elien.

Wat had jij ik een 8,2 k verveel me dood. Hoe vind je Freds T-shirt?

Elien stuurde het briefje terug via Tarik. Die las het en schreef er rustig nog iets bij. Hij lachte ondeugend en klunsde zo dat Fred het zag en het papiertje afpakte. Dat was niet de bedoeling!

Fred trommelde even, een oprisping van Fase II, vouwde toen het briefje open en las het hardop voor.

'"Ging wel, ik had een 6,3. Dat T-shirt is kansloos, maar dat haar slaat alles."'

Fred keek de klas rond voordat hij verderging. Elien kreeg een kleur. 'En dan nog iets in het Arabisch.'

Tariks triomfantelijke lach verdween toen Fred zei: 'Even kijken, er staat: "Jij bent de mooiste van de klas."' Fred keek de klas rond. 'Mensen, als jullie zo nodig briefjes moeten schrijven onder mijn les, doe het dan tenminste in het Duits!'

'Fred kan Arabisch lezen! Die kerel zit vol verrassingen,' fluisterde ik tegen Tibby.

Maar zij keek me vernietigend aan. Had ik iets verkeerd gezegd?

'Tips, wat is er?' vroeg ik verbaasd.

'Dat weet je heus wel,' zei ze.

Maar ik wist het niet. 'Kom op, Tibby! Zeg het nou gewoon.'

'Ga maar nadenken. Dat kan je toch zo goed.'

Ze keek uit het raam en ik dacht na. Waar had ze het over? Ik stootte haar een paar keer aan, maar ze reageerde niet. Pas na een hele tijd fluisterde ze: 'Tss, jij snapt echt niks. Hij vindt jou het mooiste meisje van de klas!' Toen draaide ze haar gezicht weg en keek weer naar buiten.

Was dat het? Tarik vond mij het mooiste meisje van de klas? Terwijl hij naar háár zat te knipogen? Hoe blind kon ze zijn? Dit was te absurd voor woorden! Dit moest ik met wortel en tak de kop indrukken.

'Maar Tips,' fluisterde ik, 'ik bén het mooiste meisje van de klas. Mijn zachte haren, mijn tedere oogopslag, mijn stralend blauwe ogen, twee hemelse meren, mijn bleke, roomwitte huid, mijn mysterieuze glimlach, de welving van mijn hals, mijn mond als twee rozenblaadjes. Daar kan toch niemand tegenop?'

Ik fluisterde zo zacht ik kon, zodat Fred niet ging zeuren. Ik overdreef net zo lang tot Tibby moest lachen en meedeed. 'Ik ben veel mooier. De honderd vlechten in mijn ravenzwarte haar, mijn edele profiel, mijn bronzen gelaat, mijn exotische uitstraling, mijn fonkelende ogen, het smeulende vuur in mijn binnenste, mijn volle wimpers die...' We lachten zachtjes. Fred keek, maar hij zei gelukkig niks.

'Luister, laat je de kop niet gek maken door die Tarik,' zei ik. 'Voor hem is alles één groot spel. Hij probeert maar wat.'

'Tjonge, jij snapt helemaal niks van Tarik. Dat is wel duidelijk,' fluisterde ze.

'Wat bedoel je dáár nu weer mee?' vroeg ik.

Maar ze haalde haar schouders op en zei niets.

De volgende Duitse les zat ik weer gewoon naast Elien. Elien had tenminste al haar boeken en ze had een onverwoestbaar zonnig humeur. Bovendien had ze parfumlipgloss in haar etui, heel lekkere van Cutey Fruitey. Al onze Duitse woordjes smaakten die ochtend naar *Erdbeeren*. We fluisterden stiekem over Tibby en Tarik, of dat iets kon worden of niet. Elien dacht van niet, omdat Tarik zo'n fladderaar was. Maar ik dacht van wel, omdat Tibby hem zo leuk vond en hij haar vast ook.

Tibby zat alleen. Ze kreeg een beurt en ze bakte er niets van.

'Heb je het niet geleerd?' vroeg Fred.

'Ik heb mijn boek nog niet,' zei Tibby. Weer die suffe hand voor haar mond.

'Onzin,' zei Fred. 'Dit stond allemaal op het werkblad, dat heb ik aan iedereen uitgedeeld. Ook aan jou.'

Tibby werd rood onder haar bruine huid. Ze zei niets.

Ik kreeg medelijden met haar. Wat moest ze ook. Stapels papieren op de wasmachine, stapels op iedere tafel in huis, stapels op haar bureau. Elke keer was ze haar kopietjes kwijt.

'Wil je mijn werkblad kopiëren?' vroeg ik in de pauze.

'Nee, hoeft niet,' zei ze kortaf.

'Sorry, ik dacht alleen, omdat Fred...'

'Ik had er gewoon geen tijd meer voor,' zei ze kortaf.

'Hoezo niet?' vroeg ik.

'Ik moest ergens heen,' zei ze vaag.

Dat klonk als een SMOES. 'Waarheen dan?' vroeg ik.

'Hallo, is dit de inquisitie of wat?'

'Nee, ik ben gewoon bezorgd. Het lijkt wel alsof je geen klap uitvoert. Wat is er toch? Straks moet je van school af.'

'Ach, ja, dat ben ik gewend.'

Dat was waar. Wat was er toch op die vorige school gebeurd?

# 3

'Wat ga jij doen vanmiddag?' vroeg Tibby. Ik was blij dat ze weer gezellig deed, maar ik had al met Elien afgesproken. Jeske en Lianne waren bijna jarig, we wilden iets leuks voor ze uitzoeken en misschien nog even wat drinken.

'O,' zei Tibby. 'O, oké.' Maar ze bleef staan.

'Hoezo dan?' vroeg ik. 'Wilde je iets doen?'

'Laat maar,' zei ze. 'Als je al iets hebt.' Ze stond daar maar, met die teleurgestelde ogen totdat ik me raar en kriebelig ging voelen, ergens diep vanbinnen waar ik niet kon krabben.

Elien kwam erbij staan. 'Lianne wil een leuke beker,' babbelde ze. 'En voor Jeske wil ik een poster uitzoeken, vind je dat leuk? Er zijn superschattige posters bij Expo.'

'Goed idee,' zei ik. 'Doe je ook mee, Tips?'

'Expo is vet duur. Ik ken hen nauwelijks,' mompelde Tibby.

Kriegel de kriebel, zei mijn buik. 'Tips, wat is er toch?' vroeg ik.

'Ga je gezellig mee?' vroeg Elien.

'Nee, ik moet nog Engels leren. En een boek van iemand lenen. Ik had een vier.' Ze wierp een hoopvolle blik naar Elien, maar die pakte de hint niet op. Of ze had geen zin om haar boeken uit te lenen, dat kon ook. 'O, o jee, nou, sterkte hoor,' kletste ze opgewekt. 'Zullen we dan maar?'

Tibby slofte weg. De zon scheen op haar gebogen schouders en ik voelde me superschuldig. Ik had haar best mijn Engelse boek kunnen geven.

Op weg naar het dorp zag ik Tibby in de verte lopen met haar fiets aan de hand.

'Waarom plakt ze die band niet wat beter?' vroeg Elien. 'Hij was laatst ook al lek.'

'Hij is nogal versleten,' zei ik. 'Volgens mij hebben ze niet zoveel geld. Daarom heeft ze ook nog steeds geen boeken, denk ik.'

'Wat een onzin,' zei Elien. 'Iedereen krijgt toch boeken-geld? En wat kost nou een band?' Het kwam er nogal kakkig uit, en even was ze echt Elien Hartman Prins uit de villa. Zo deed ze gelukkig bijna nooit.

De Halfords was vlakbij en we gingen even kijken wat een band kostte. Een beetje voor de grap, een beetje voor Tibby en een beetje vlamsnacken voor Elien, want bij de Halfords werkte een jongen die zij heel leuk vond. Eenmaal binnen werd ze ineens heel verlegen en kon ik het in mijn eentje opknappen.

De nieuwe vlam van Elien gaf ons een bandenset en lachte naar Elien. Zij lachte terug en hun vingers raakten elkaar toen ze de banden aanpakte. In gedachten zag ik de vonken overspringen. Rode, groene en blauwe vonken. *Zoeff! Kaboem!* Vuurwerk!

'Het is een aanbieding,' zei hij tegen Elien, die verlegen de andere kant op keek. 'Een binnenband en een buitenband kosten samen acht tachtig.'

Dat was te doen. 'Zullen we zo'n setje voor haar kopen?' zei ik. 'Of is dat raar?'

'Nee, juist lief!' zei Elien. 'Ieder vier veertig, daar kunnen we haar toch niet voor laten tobben? Misschien willen Jeske en Lianne ook wel meedoen, dan is het ieder twee twintig. Dat is net zoveel als één frietje met.'

De vlam van Elien keek ons vol verbazing aan. 'Zal ik er dan maar een cadeaupapiertje omheen doen?'

Het was afschuwelijk papier, blauw met groen, met HAL-FORDS erop in knoerten van letters. Maar Elien knikte en straalde. Die jongen pakte ontzettend sloom en klunzig in. Ik begreep niet wat Elien in hem zag, behalve dat kuiltje in zijn wang. Hij plakte alle plakbandjes scheef. Als hij met Sinterklaas ook zo sloom deed, waren zijn pakjes misschien met Pasen klaar. En elke keer lachte hij naar Elien, die naast me stond te schuifelen en te blozen.

Ik wachtte.

En ik wilde dat ik ook zo iemand had. Iemand die naar me lachte en klungelde met het plakband, alleen maar omdat ik het was. Het liefst die nieuwe jongen uit 5C.

# 4

Thuis zat Sam achter de krant.

'Wat ben jij laat,' zei hij.

Ik keek op de klok: halfzeven al?

'Je was zeker weer bij die rare Tibby?'

'Pardon?' vroeg ik.

'Je grote kraakpandliefde,' zei hij. 'Heb je de boodschappen? Ik rammel.'

Boodschappen? Oei.

Wat moest ik ook al weer halen? Ik keek op het mededelingenbord. Hagelslag, brood, wc-papier, oude kaas, sla, pizza. Pa en Ma hadden zeker hun dag niet toen ze zaterdag boodschappen deden.

'De Appie is tot tien uur open,' zei Sam. 'Doe je nog een beetje mee hier in huis? Of moet ik alles in mijn eentje opknappen?'

'Hoezo?' vroeg ik. 'Ik ga ze heus wel halen, hoor.'

Maar Sam begon al mijn fouten op zijn vingers af te tellen. 'Je zou de afwasmachine nog uitruimen. En je zou koken vanavond, weet je nog?'

Ik keek in de diepvries. 'Wat zeur je nou, er zijn toch pizza's?' zei ik. 'Die kunnen zo in de oven, beetje sla, klaar.'

'Die pizza's heb ik net gekocht, toen jij maar niet kwam opdagen. Ik wilde Tiberiasaus voor je kopen, maar die hadden ze niet.'

'O,' mompelde ik. 'Bedankt, Sam. En sorry. Je had best even kunnen sms'en, dan had ik het meteen meegebracht.'

'Nou ja, geeft niet. Als jij nou gewoon de afwasmachine doet. En kijk je uit met mijn oude Elmobeker? Die wil ik nog even heel houden. Weet je wat, ik zet hem zelf wel in de kast.'

Hij deed het nog ook! Gelukkig, toen vertrok hij naar boven.

Ik dacht aan de Ajaxbeker met De Handtekening. Die lag al maanden als bouwpakket in mijn la. Ik moest hem nu echt eens plakken.

Waarom moest ik altijd zoveel? Waarom kon ik nooit eens gewoon wat later zijn, even gezellig shoppen en wat drinken met een vriendin? Elien moest haar verhaal kwijt, logisch toch? Ze had een vol uur gezwijmeld over die Halfordsjongen. Hij heette Wouter. Ze had haar papieren servetje vol gekladderd met WE. 'WE, dat is wij. Leuk hè?'

'Ja, leuk. Heb je zijn nummer al?'

'Ik ga het de volgende keer vragen. Als ik durf.' Hoopvol.

'Vast.' Ik aarzelde even, maar tegen Elien durfde ik het wel te zeggen. 'En wat denk je van EA?'

'A? W zul je bedoelen. Hij heet Wouter, hoor!'

Alsof ik dat na een uur nog niet wist. 'En ik heet?'

'O! O, sorry! Jij bent A natuurlijk. En wie is E? Wacht, laat me raden! O, ik weet het al! Easy, die nieuwe uit de vijfde! Ben je op hem?'

Ik knikte half, want ik wist het niet zeker.

'Easy! EA, even denken.'

'Of EA, is dat iets? Nee, hè? Dat is niks, toch?'

'Spelletjes,' zei Elien, 'EA zijn spelletjes. Sims en zo. En nog wel andere ook. EA is "en andere", haha.'

'Slecht voorteken,' zei ik. 'Dat is dus niks.'

'Ach,' zei Elien hartelijk, 'het kan altijd nog iets worden.'

'En wat denk jij van T&T?' vroeg ik.

'Wie?'

'Tibby en Tarik.'

'Nee, ik denk van niet,' zei Elien. 'Tarik is eerder op jou. Hij vond jou het mooiste meisje van de klas en hij loopt non-stop met je te sjansen.'

'Ach, welnee. Hij loopt gewoon te dollen,' zei ik. 'Ik wed dat dat briefje voor Tibby was. Laatst stond hij met Tibby te dansen op het plein, je had hen moeten zien.'

Nu ik erover nadacht, was dat al even geleden. Maar toch.

'Ik zal er eens op letten,' zei Elien. 'Wanneer zullen we Tibby die band geven? En wat zullen we dan zeggen?'

Daar had ik nog niet over nagedacht. Hier is een band voor je fiets, want dit kan zo niet langer? Eigenlijk was het best een pijnlijk cadeau.

Na het eten ging ik meteen naar boven, want het was weer lekker ongezellig aan tafel. Die suffe pizza's waren per ongeluk aangebrand. Mijn schuld, volgens Sam. Alsof ik een draak was en ze expres persoonlijk met mijn adem had verschroeid. Ma begon te zeuren over opletten en verantwoordelijkheid en dat ik zo afwezig was de laatste tijd en dat ik bla bla bla gaap gaap gaap...

Maar dat was het ergste niet.

Ik leunde met mijn ellebogen op de vensterbank en staarde over de daken. De wolken hadden de zon verslagen en sponnen een vieze donkergrijze suikerspin over het dorp. Het werd donker en ik voelde me ontzettend alleen.

Alles wat ik deed leek stom en zinloos. Was het stom om zoveel met Tibby om te gaan? Elien was juist zo'n leuke vriendin. Waarom had Tibby geen boeken? Hadden ze echt geen geld of smeten ze het over de balk? Was ze zielig of was ze gewoon stom? Moesten we haar die band wel geven, of moest ze het zelf oplossen met die fiets en gewoon even niet zo miepen?

Nog meer waaroms buitelden over elkaar in mijn hoofd. Hoe kwam ik erachter of Easy mij leuk vond? Waarom vond een jongen een meisje leuk? Waarom liep Sam zo over mij te vaderen en waarom deed Pa alsof ik vier was? Waarom had Tibby vier poezen en ik niet een? Wat moest ik toch met die waarompuzzel in mijn hoofd?

Ja, die waarompuzzel. Ik kom er maar niet uit.

Het Fluisterboek ligt voor mijn neus te smiespelen. Ik negeer het en probeer kalm en logisch na te denken.

Net als vroeger.

Ik dacht vroeger altijd dat alles vanzelf goed zou komen als ik maar logisch nadacht, redelijk bleef en volhield en het niet opgaf. Maar nu weet ik dat niet meer zo zeker. De puzzelstukjes passen niet, wat ik ook probeer.

Ik had mijn schoolboeken en mijn keurige familie dolgraag willen ruilen tegen vier poezen, een huis vol kamperfoelie en vrolijke muziek.

Waarom ging het dan zo mis met haar?

Blijkbaar heb ik iets over het hoofd gezien of iets heel erg fout gedaan, maar wat? Mijn gedachten glijden terug naar school, toen alles nog goed was, toen ze nog gezellig naast me zat.

# 5

Bij Frans kwam Tibby opeens weer naast me zitten. Dat vond ik wel fijn.

'Ik heb chocotoffees, wil je er een?'

Dat vond ik extra fijn. We kauwden in stilte. Toen vroeg ik: 'Waarom was je niet bij Jeske en Liannes feest? Je was toch uitgenodigd?' Ik fluisterde, want Belle was in een rothumeur.

'Ik kon niet,' zei Tibby.

'Waarom niet, had je iets leuks?'

Tibby begon twee keer zo hard te kauwen en zei niets.

'Jammer,' fluisterde ik, 'Tarik was er ook. Ik heb met hem gedanst en hij vroeg waar jij was.' Dat was gemeen en het was ook niet waar, maar ik vond het zo stom dat ze mij met smoesjes afpoeierde.

De rest van de les bleef Tibby ongewoon stil. Ik schaamde me een beetje en ik verveelde me te pletter. Ik kon niet sms'en of mijn nagels lakken als Belle zo'n bui had. Ik probeerde te zien of Tarik op Tibby lette. Hij keek voortdurend om zich heen, net als ik eigenlijk. En hij knipoogde naar me.

Tibby zat in elkaar gedoken en lette niet op. Toen ze een beurt kreeg, wist ze haast niks.

'Je hebt een twee. Wel een beetje werken, *ma chérie.*'

Maar Tibby ging rechtop in haar bank zitten. 'Ik heb er hartstikke goed naar gekeken!' riep ze.

'*Sans doute,*' zei Belle droog. 'Zonder twijfel. Als je er weer eens naar kijkt, doe het boek dan even open.'

Tibby snoof. 'Stomme woordjes,' mompelde ze tegen mij. 'Wat heeft het voor zin. Ik vergeet ze toch weer.'

Ik kreeg medelijden. 'Ik heb niet met Tarik gedanst,' zei ik.

'O, oké,' zei ze en ze aarzelde even. 'Ik moet ook al naar JP in de pauze!'

'Waarom, wat is er?' vroeg ik.

'Weet ik veel. Ik ga niet. Zie ik er ziek uit?'

Ze zag er belabberd uit. 'Ga nou maar, JP eet je niet op. Straks is het iets leuks.'

'Ja, en de aarde is plat.'

Maar in de pauze ging ze gelukkig toch.

Ik liep met Lianne en Jeske naar buiten. 'Leuk hè, van Elien en Wouter!' zei Jeske. 'Het is nu echt aan!'

'Ja, sinds gisteren,' zei ik. 'Elien heeft het nergens anders over. Wouter Wouter Wouter.'

Lianne glimlachte. 'Wat een giller, om een fietsband te kopen! Voor Tibby, toch?'

'Dat klopt,' zei ik. 'Volgens mij heeft ze geen geld voor een nieuwe.'

'Echt? Weet je hoe zielig!' Ik hoorde iets in haar stem. Iets vervelends. Alsof ze het wel smeuïg vond, dat Tibby geen geld had voor een band.

'Waar is Tibby? Dan kunnen we hem meteen geven,' zei Jeske enthousiast.

'Ze moest naar JP,' zei ik.

'Naar JP? Wat is er dan?' vroeg Jeske. Weer dat smultoontje.

Gelukkig kwam Elien eraan, helemaal vol van Wouter. Ze onderbrak haar verhaal voortdurend om de sms'jes van Wouter te lezen. Ik keek rond of ik Tibby al zag.

Ze kwam net naar buiten. Ze droeg een zwartleren jasje met rode en blauwe naden. Het stond haar fantastisch, ik wist niet wat ik zag. Ik zwaaide. 'Tips! Hier!' Maar ze keek niet en sjokte naar een hoek van het plein, helemaal alleen.

'Tibby! We zijn hier!' Ik zwaaide nog een keer, maar ze reageerde niet. Zag ze me niet? Of was het foute boel met JP?

'Sorry, ik ga even naar haar toe.'

De anderen waren al weer verdiept in de mobiel van Elien, die een foto van Wouter liet zien. Ik liep naar Tibby toe.

'Tips, wat is er? Waarom sta je hier zo in je uppie? Was het zo erg bij JP?'

'Gaat wel.'

'Wat zei hij dan?'

'Hij begon te zeuren over die boeken. Hij vroeg hoe dat kwam en wat ik eraan ging doen. Iedereen klaagt over mij en nu gaat hij mijn ouders bellen. Hij zei ook dat ik zelf vijf oplossingen moest bedenken. '

'Heb je dat bedrijf nou eigenlijk al gebeld?'

'Ik zei toch dat dat geen zin heeft!' riep Tibby boos.

Maar nu wilde ik het weten ook. 'Tips, ik eh... ik wil niet vervelend doen,' zei ik terwijl ik duimde dat ze niet zou flippen, 'maar misschien is er al bij het bestellen iets misgegaan?'

Raak. Haar koolzwarte ogen begonnen te gloeien en haar huid werd rood onder het bruin. Toen barstte ze los, fel als de Etna zelf, zomaar midden op het plein.

'Luister, als die kerel het allemaal zo goed weet, dan mag hij mij eens vijf oplossingen vertellen! Wat kan ik eraan doen dat mijn ouders geen cent te makken hebben en dat we in een gammele keet wonen waar alles met plakband aan elkaar hangt en dat mijn ma winkeltje loopt te spelen in plaats van iets te verkopen en dat ik zelfs moet zeuren om geld voor boodschappen en dat ze me op school met de nek aankijken? Vijf oplossingen? Sorry hoor. Ik weet er geen één.' Ze stampvoette.

Ik schrok me rot. 'O, sorry, Tips, ik bedoelde het niet zo. Sorry. Wie kijkt jou dan met de nek aan? Is dat op deze school, of op de vorige?'

'Laat maar. Jij kunt er ook niks aan doen,' zei Tibby.

Ze veegde een paar tranen weg en ik sloeg een arm om haar heen. Ze beefde. 'Kan ik je helpen, Tipsy?'

'Nee!' mompelde ze bokkig. 'Ik weet geen oplossingen. Er zijn geen oplossingen. Ik hou er net zo lief helemaal mee op! Overal mee!'

'Kom op, Tips, zo erg is het allemaal niet. Het gaat nu even om je boeken. En niemand kijkt jou met de nek aan.' Ik wilde haar meetrekken naar de anderen, maar ze trok haar arm los. Ik begreep niet goed waarom ze er zo'n toestand van maakte. Het ging toch alleen om haar boeken?

'Heb je al die dingen aan JP verteld?'

Ze schudde haar hoofd.

'Moet je doen. Misschien helpt het als hij met je ouders praat.'

'Je kent mijn moeder toch?' zei ze.

Ik wist niet wat ik daarvan moest denken. Sharima leek me juist zo aardig, die paar keer dat ik haar had gezien. Hoewel – ze was niet iemand tegen wie je makkelijk nee kon zeggen. Ze drong ontzettend aan toen Tibby die sjaal niet wilde hebben. Maar Tibby was zelf ook niet op haar mondje gevallen. Ze kon haar ma toch best aan, leek mij.

'Vraag anders of Jeff je helpt,' zei ik. 'Je hebt toch een goede band met hem?' Ze hielp hem al in die tuin sinds ze kon lopen. Ze had het de hele zomer constant over Jeff.

'Jeff is er toch bijna nooit, hij is altijd op stap, met MaiZZ of met vrienden. En als hij er is...' Ze maakte haar zin niet af maar ik begreep het al. Muziek, jointje, whisky. Nee, dat schoot inderdaad niet op. We moesten iets anders verzinnen.

'Als je dat gave jasje verkoopt, krijg je er best veel geld voor op Marktplaats. Dan kun je alle boeken kopen die je nodig hebt.'

'Hallo, dat jasje is van Sharima, heeft ze van haar zus uit Milaan. Het dak vliegt van het huis als ik dat verkoop.'

'Neem dan een baantje. Een krantenwijk? Of in een kledingzaak, krijg je nog korting ook.'

'Alsof ik daar tijd voor heb,' zei Tibby. 'Weet je hoe lang ik aan die stomme woordjes zit? Uren en uren.'

'Uren en uren?' Dat kon ik me niet voorstellen.

'Nou, een halfuur, een kwartier, *whatever.*'

'Dat is niet echt heel lang,' zei ik.

'Lang zat. Ik vergeet ze toch weer. Sorry An, ik weet dat je het lief bedoelt, maar ik kan hier niks mee.'

Ze staarde naar haar tenen en ik kreeg zo'n medelijden. 'Sorry,' zei ik. En toen schoot me die band te binnen. 'Trouwens, wij hebben nog iets leuks voor je. Iets waar je echt iets aan hebt,' zei ik. Ik hoopte dat ze nieuwsgierig zou worden, blij zou kijken, even uit die somberte zou stappen.

'Nou, wat dan?'

'Een verrassing,' zei ik. 'Kom je mee? Je staat er niet alleen voor, weet je.'

Blij keek ze niet, maar ze kwam tenminste mee, langzaam, alsof haar voeten aan het schoolplein bleven kleven.

'Hey, Tibby, gaat-ie?' vroeg Lianne vriendelijk.

'Waarom ging je daar in je eentje staan?' vroeg Jeske. 'Dat is toch niet gezellig?'

Elien glimlachte.

'We hebben iets voor je,' zei ik en ik hoopte dat Elien die band niet thuis had laten liggen.

Maar Elien had het verfomfaaide pakje van Wouter natuurlijk bij zich. Met een trots gezicht gaf ze het aan Tibby. 'Dit is het gekste cadeautje dat je ooit hebt gehad,' zei ze.

Ik schoot in de lach.

Tibby maakte het pakje open. 'Bedankt,' zei ze en ze keek naar haar voeten.

'Kan je pa hem er mooi voor je op zetten,' zei Jeske vrolijk.

Tibby trok haar wenkbrauwen op, alsof Jeske iets ontzettend doms had gezegd. *Right,* zei ze zacht. 'Nou, eh, bedankt allemaal.'

Jeske keek gekwetst, Elien keek alsof ze iets vies rook. Ik baalde en ik voelde me voor gek staan, want het was mijn idee, van die band. Had Tibby nu niet een klein beetje enthousiaster kunnen zijn? We wilden haar toch helpen!

Toen de bel ging, vluchtte ik snel naar binnen, voor de anderen uit. Toen ik omkeek of de anderen al kwamen, zag ik dat Easy niet ver achter me liep! Hij liep te kletsen met Sam en met Danny, een meisje uit de vijfde met prachtige lange haren en afschuwelijk mooie borsten. Hij keek een paar keer mijn kant op en opeens lachte hij naar me! Had Sam soms iets over mij gezegd? Ik lachte terug, ik smolt, ik vergat de fietsband.

Ik keek nog eens om en lachte naar hem en ik treuzelde even. Achter ons begonnen ze te duwen en hij botste tegen me op. 'Sorry,' zei hij. Hij lachte weer! Yes!! Ik werd overspoeld door dat verrukte gevoel, alsof de hele school was overwoekerd met kamperfoelie. Ik bleef staan, midden in het gedrang, alleen om even te voelen hoe hij me opzij duwde. Ik lachte en hoopte dat hij nog iets tegen me zou zeggen. Maakte niet uit wat. Maar voordat hij iets kon zeggen, had Tibby me ingehaald en trok ze me mee, de gang in. Toen ik nog even omkeek, was hij weg.

Waarom was Tibby nou niet blij met die band? We hielpen haar toch, waarom was ze dan niet blij?

Ik blader door de bladzijden van het Fluisterboek. Misschien staat er ergens op een lege bladzijde zomaar weer een antwoord, net als de vorige keer.

Maar de blanco bladzijden ritselen vol onbegrip. 'Snap je dat dan niet?' fluisteren ze achter in mijn hoofd.

Waar komen die woorden toch vandaan?

'Begrijp je dat dan niet?'

Ik begrijp er inderdaad niet veel van, maar het gefluister gaat verder. 'Wat moest Tibby met een fietsband? Wie moest hem er voor haar op zetten? Dat kon ze toch niet zelf?'

Hoe zacht het gefluister ook klinkt, het komt aan als een donderslag.

Wie moest hem erop zetten? Daar had ik nooit, maar dan ook nooit bij stilgestaan.

Ik had Pa.

Pa vindt het heerlijk om te helpen. Pa weet overal slimme trucjes voor, hoe je iets handig kunt oplossen. Pa zorgt dat ik bandenplak bij me heb en een reservelampje. Pa is er gewoon als ik hem nodig heb, heel vanzelfsprekend.

Maar Tibby heeft niet zo'n pa. Haar pa maakt muziek, maar meer doet hij niet.

Dat wist ik toch! Ik had na moeten denken. Als ik beter had nagedacht, was alles heel anders gelopen.

# Was ik maar een poes

Tibby en ik fietsten na school naar haar huis om samen wat huiswerk te maken. 'Hé, je band zit erop!' zei ik. 'Fijn! Was het veel werk, nee zeker?'

Haar antwoord kwam als een verrassing. Ze kreeg een kleur. 'Tarik heeft me geholpen.'

'Tarik? Niet!' gilde ik. 'Wat gaaf! Hij vindt je leuk!'

'Ik denk het niet. Hij hoorde me helemaal uit over jou. En daarna hij heeft niks meer van zich laten horen.'

'Ach, hij moest toch ergens over praten,' zei ik. Tibby moest niet zo moeilijk doen. Ik zag niks in Tarik en als hij slim was, wist hij dat.

'Rijdt het lekker?' vroeg ik.

Ze knikte.

Het begon te regenen. Ik dacht dat ze heel tevreden was, over die band en over Tarik en alles, maar toen we bij haar huis waren trapte ze keihard tegen de voordeur.

'Wat doe je boos?' vroeg ik.

'Het regent, dan klemt hij nogal.' Ze zei het alsof dat heel normaal was en gaf nog een schop.

'Moet je dat niet repareren? Vraag Tarik nog een keer.'

Als antwoord gaf ze nog een flinke schop, rechtsonder. De deur vloog open. 'Zie je? Werkt prima.'

Wat je prima noemt, dacht ik.

Tibby smeet haar tas neer in de gang. Er rolden een paar lege flessen opzij. Van een feestje? Of van Jeff?

Tibby schopte de flessen aan de kant. '*I'm home!*' schreeuwde ze.

Niemand gaf antwoord. Ik zei maar niks.

Tibby gaf de poezen eten en verschoonde de waterbakjes.

Daarna rommelde ze in de koelkast en schonk op haar dooie gemak twee glazen cola in.

'Zullen we maar eens beginnen?' zei ik.

'Ja, mag ik even thuiskomen?'

'Je bent toch thuis? Kom op, Tip, we zouden wiskunde doen. Actie!'

Tibby dronk haar cola met kleine slokjes op. Haar getreuzel begon me te irriteren. Ik wilde haar best even helpen, maar ik had nog meer te doen. Ik had Ma beloofd om langs de stomerij te gaan en ik zou bloemen kopen voor een of ander bestuursfeestje van haar. 'Alleen als je tijd hebt, hoor,' had ze gezegd. Maar ik wilde het best doen.

Tibby had eindelijk haar wiskundeschrift gepakt. 'Mag ik jouw boek straks nog even hier houden?' vroeg ze.

Toen werd ik echt boos. 'Ben je die kopietjes alweer kwijt? Wanneer regel je eindelijk dat je zelf boeken krijgt? Schud die pa van je eens wakker, vraag waar je boekengeld is gebleven.'

'Ja, daag. Als ik Jeff wakker maak, flipt hij. Je had hem laatst moeten horen, toen JP opbelde.'

'Laat hem lekker flippen. Jij hebt die boeken toch nodig.' Ik vroeg me af wat Jeff zou doen als hij flipte. Ging hij slaan? Schelden? Stampvoeten? We zouden het zo weten. 'Waar wacht je op? Doe je best, Tips! Go!'

Tibby sprong overeind. 'Kappen, oké,' riep ze hard. 'We zijn niet allemaal rijke stinkerds met zakken vol geld!' Ze keek me woedend aan. Ik schrok, maar ik moest nu voet bij stuk houden. 'Wie niet rijk is, moet slim zijn,' zei ik. 'Je hebt die boeken nodig. Verzin er iets op.'

'O, begint het gezeur weer, vijf oplossingen, morgen klaar? Lekker makkelijk,' schreeuwde ze. 'Jij snapt er niks van!'

'Ik probeer je toch alleen te helpen!'

Gelukkig, ze ging weer zitten. Ik besloot voet bij stuk te houden, anders kwamen die boeken er nooit. 'JP heeft ergens best gelijk, hoor,' zei ik.

'Tuurlijk,' zei ze sarcastisch. 'Oplossingen zat. Een: ik ga van school, ik ben toch een domme buitenlander. Twee: ik beroof een bank. Drie: ik verkoop mijn jas, zodat ik longontsteking oploop en rustig thuis kan blijven. Vier: ik jat een auto en ga joyrijden, naar mijn tante in Milaan. Naar Kaapstad, weet ik veel. Dat is vijf.'

'Tss,' zei ik. 'Vijf versies van "hoe steek ik mijn kop in het zand". Kom op, Tipsy, dat kan veel beter!'

'Sure,' zei Tibby sarcastisch. 'Ik neem de boot naar Engeland en halverwege spring ik eraf, nou goed? Zit me toch niet zo op mijn nek!'

Ik legde mijn hand op de hare, maar ze duwde me weg. Wat moest ik nou zeggen?

'Is het zo erg?' vroeg ik.

'Het heeft gewoon geen zin, wanneer snap je dat een keer?' snauwde ze. 'Ik ga Jeff nu echt niet wakker maken. En aan Sharima heb ik ook niks. Zij denkt maar aan drie dingen: de winkel, de winkel en de winkel. Weet je waarom ze die winkel heeft? Omdat ze het zat was om arm te zijn. Maar die stomme winkel kost alleen maar geld. Huur, voorraad, administratie, etalage, reclame, de boekhouder, weet ik het. Vroeger had ze tenminste nog tijd, maar nu heeft ze De Winkel. En het levert geen ene moer op. Helemaal niks.'

Ze pakte de gitaar en begon als een zombie op een van de snaren te pingelen. Het was irritant, maar het was ook zo zielig. Ik kreeg zin om een baksteen bij Sharima door de ruit te keilen en de kassa te plunderen. Ik kreeg zin om een whiskyfles op Jeffs kop kapot te meppen totdat hij zich realiseerde dat hij een dochter had voor wie hij moest zorgen. Ik kreeg ook zin om Tibby door elkaar te rammelen en die suffe gitaar uit haar handen te trekken. Dat hulpeloze gedoe! Ze gaf het gewoon op, alsof dat hielp! Ik wilde iets doen, iets waardoor het allemaal weer goed kwam.

Ik nam een slok cola en dacht na. 'Moet jij niet eens hulp hebben van iemand?' vroeg ik na een tijdje.

'Wie moet mij nou helpen?'

Ik wou dat ik het wist.

Bacardi sprong bij Tibby op schoot, alsof hij me had gehoord. Ze legde de gitaar weg en we aaiden hem over zijn zwart-witte velletje. 'Wat vind jij ervan, Bacardi? Was ik ook maar een poes,' zei Tibby en ze zuchtte diep. 'Dan at ik muizen en dan hoefde ik nooit meer naar school.'

'En dan had je negen levens,' zei ik optimistisch.

Maar Tibby mompelde: 'Dat zijn er negen te veel.'

We zaten een hele poos op de bank. Vroeger was het hier zo heerlijk, maar nu voelde de keuken groezelig en vermoeid en er hing iets vettigs in de lucht. Het rook niet meer naar kaneel en appelmoes. Het rook naar frituurvet en kattenvoer en vochtige oude kranten.

# 2

Pas op weg naar huis dacht ik weer aan die wiskundesommen. Ik had er niet één gemaakt, en ik moest ook nog een lading Duits. Dit wordt nachtwerk, zei het brave meisje in mijn hoofd.

Of niet, zei de spijbelaar in mijn buik. Elien deed het ook niet en Fred kon wel tegen me zeuren, maar ik stond een acht voor Duits. En voor wiskunde stond ik een negen, dus waar hadden we het over.

De keurige huizen van onze straat keken me streng en verwijtend aan. Ik bonkte de stoep op met mijn fiets en pas op dat moment schoot de rest me weer te binnen. De stomerij! De bloemen voor het bestuursfeest van Ma!

Als een bezetene fietste ik terug naar het dorp, maar de stomerij was dicht. Alles was dicht. Gelukkig had het benzinestation nog een bos chrysanten. Het waren net oude dames, die bloemen, vaalroze en wat flets en het mooie was er al af, maar het waren bloemen en het bestuur bestond tenslotte uit oude dames. Ik stond net af te rekenen toen Ma me sms'te.

Waar blijf je schat. kom snel k moet zo weg ik sta al in mn onderjurk : ) xxx mama

Hoi Ma, vijf minuten, trek maar iets anders aan want ze zijn hier niet zo vlot

De voordeur klapperde toen ik thuis naar binnen stapte.

Ik droeg de oudedamesbloemen als bewijs voor me uit. Ik had mijn best gedaan. Ik had blocmen. Ik was betrouwbaar. Sterker nog, dat vaalroze had wel iets chics. Vond ik.

Maar Ma vond van niet. 'Wat heb je nou gekocht? Bloemen, vroeg ik, mooie bloemen, er valt iets goed te maken binnen het bestuur! Waarom denk je dat ik er vijfentwintig euro aan uitgeef? Wat moet ik met die prulchrysanten? Ze lijken wel zo van het pompstation te komen!'

Ik zag de chrysanten onder mijn ogen veranderen in een kleurloos en slap bosje.

'En mijn kleren heb je ook niet? Alles vergeten? Zeker te laat?'

Waarom had Ma altijd alles door? Waarom was ze zo waanzinnig slim en zo apothekerig precies? Ze had een kast vol kleren, maar nee, dat éne pakje moest ze aan.

Dat zei ik niet hardop!

Maar Ma werd woedend en ging tegen me tekeer als een herfststorm, wat zeg ik, als een orkaan.

Ik was onverantwoordelijk en onbetrouwbaar en nu had ik ook nog gelogen. Al haar opgekropte irritatie, woede en ergernis over alle bestuurscrises door de jaren heen slingerde ze naar mijn hoofd, als striemende ijsvlagen. 'Zal ik dan maar in mijn onderjurk gaan?'

'Trek die fluwelen jurk dan aan, Ma, die staat je hartstikke goed.' En die is lekker warm. Goed tegen al dat ijs.

'Die operajurk?' Als een sneeuwstorm gierde Ma in mijn oren. 'Denk je dat ik voor mijn lol op stap moet? Er speelt een gevoelige kwestie binnen het bestuur, dan ga ik toch niet in een operajurk!'

Haar stem maakte een rare gillerige uithaal en haar stabiele muur van redelijkheid werd meegesleurd door de ijzige storm. Ik klampte me vast aan een laatste brokstuk redelijkheid. Die fluwelen jurk stond haar prima. Maar ze droeg hem nooit, want dan zag je haar buik. Alsof dat wat uitmaakte. Ma heeft een buik, wauw, bel de krant.

'Die bloemen, nou ja, dat was inderdaad stom van me,

Ma, sorry. Maar ik wist niets over vijfentwintig euro, sorry dat ik het zeg. Jij had weer eens haast.'

'Wees toch niet zo dwars, Annemarth, ik heb al genoeg aan mijn hoofd! Als Charlotte omvalt, kunnen we inpakken, begrijp dat dan!'

Ik had geen idee wie Charlotte was en ook niet waarom ze zomaar om zou vallen. Maar ik zag in Ma's gezicht de vlekken opvlammen en ik hoorde de zenuwachtige uithalen in haar stem en ik begreep dat Charlotte hoe dan ook overeind moest blijven.

En ik begreep ook dat Ma zwaar in de overgang zat, al was het niet zo aardig van me om dat te zeggen.

En ik had ook beter niet kunnen zeggen dat haar wangen rood werden van het schreeuwen en haar neus ook en dat ze er steeds slechter uit ging zien. Dat was wel waar, maar om eerlijk te zijn zag Ma er zelfs met vlekken nog prima uit. Vooral als ze lachte.

Maar ik was gewoon te boos. 'Waarom moet je naast die overfulltime baan zo nodig in al die besturen, Ma?' riep ik. 'Waarom heb je nooit eens tijd voor ons? Doen wij er soms niet meer toe?' Het floepte er zomaar uit. Stom. Zulke nare dingen moet je niet zeggen. Zeker niet als ze echt waar zijn.

'Dat hoort bij mijn positie, begrijp dat dan. Zonder positie heb je niets te vertellen.'

Haar positie? Kon wel wezen, maar wat had ik daaraan? Elke keer als ik thuiskwam na een gezellige middag, kreeg ik thuis van Ma een koude douche over me heen. En vandaag zelfs storm, ijs en hagel! Ik had er meer dan genoeg van. 'Als jij hier thuis niet meedoet, heb je hier thuis ook niks te vertellen! Ik doe nooit meer boodschappen voor je!'

Ma werd zo boos dat ze in tranen uitbarstte. 'O, dus dat ik hier het geld verdien, telt niet meer mee? Wil je soms voor je eigen inkomen zorgen?'

Help. Nog meer rode vlekken. Zo had ik het ook weer niet

bedoeld. 'Mam,' begon ik en ik probeerde snel iets aardigs en sorry-achtigs te bedenken om haar te kalmeren.

Maar mijn medelijden was overbodig, want als een ware ridder schoot Pa haar te hulp. Hij stond te koken en had alles gehoord.

'Zo is het wel genoeg, jongedame. Ga maar naar je kamer. Jij hoort hier nog van.'

Goed Pa. Wat jij wilt, Pa. Ik zeg al niks meer. Ik ga wel weg.

Maar ik was nog niet boven of hij riep me terug omdat het eten klaar was.

Aan tafel zwegen we, Pa en Sam en ik. Ma was al weg, naar haar bestuur, om mee te tellen en om te zorgen dat Charlotte niet omviel. Charlotte die zo waanzinnig belangrijk was. Belangrijker dan wij.

# 3

Na het eten moest ik blijven zitten voor de preek van Pa. Een halfuur entertainment, zomaar voor de vuist weg, helemaal zonder aantekeningen. Als het niet zo kansloos was, zou het grappig zijn.

Pa begon met een lang verhaal over vertrouwen en verantwoordelijkheid en betrouwbaarheid, en meer van dat soort Pa-dingen. Toen zei hij dat ik zo intensief optrok met Tibby. Dat die losbollige kraakpandmentaliteit chaos creëerde en verwoestend werkte op de samenleving. Hij zeurde dat ik me zo liet meeslepen dat ze zich zorgen om mij maakten en ten slotte kwam hij met de Consequenties. Huisarrest! Vijf dagen na school meteen naar huis en 's avonds niet uit, en dat alleen vanwege een zielig bosje bloemen? Echt hoor. Hij wilde me gewoon bij Tibby weg hebben!

'Maar Pa! Als ik niet voor haar zorg, is ze helemáál aan haar lot overgeleverd. Ze heeft niet eens schoolboeken! Ik moet haar toch helpen! Zij heeft niemand!'

'Zij heeft twee levende ouders, Annemarth.'

'Maar die doen niks! Als je het hebt over vertrouwen en verantwoordelijkheid, nou, Tibby vertrouwt mij. En ik voel me verantwoordelijk, ja. Zo ben ik opgevoed.'

'Dat is nobel van je en dat waardeer ik, maar jij bent niet verantwoordelijk voor Tibby, dat zijn haar ouders. Als zij in de chaos willen leven en hun kind verwaarlozen en de kosten op een ander afwentelen, als een stel losbollen, dan is dat helaas hun goed recht in dit land.'

'Maar daar hoef ik toch niet aan mee te doen? Dat zei je net zelf, dat ik niet losbollig moest zijn. Ik zorg tenminste voor Tibby.'

'Je kunt best iets bijdragen, maar je moet niet overdrijven. Haar welzijn rust niet op jouw schouders.'

'Jij bent ook niet verantwoordelijk voor Ma, maar als zij even tekeergaat, spring je zelf ook als een ridder in de bres.'

'Zo erg was het niet.'

'O nee? Ma bulderde als een orkaan! Jurk nummer vijftig was er niet, o, o, gil gil schreeuw schreeuw, ik heb niks om aan te trekken. Dat is een klassieker, Pa, weet je dat nu nog niet? Catharina de Grote van Rusland had vijftigduizend jurken, weet je waarom? Omdat ze ook steeds niks had om aan te trekken. Dat hoort bij vrouwen, Pa. Dat is normaal. Daar ben jij niet verantwoordelijk voor.'

'Laat je niet zo meeslepen, Annemarth. Je bent onbeleefd en volkomen onredelijk.' Echt, dat zei hij, veel te beheerst, op zo'n koele, neerbuigende toon. Ik zag het spiertje bij zijn oog trekken.

En opeens begreep ik het.

Pa dacht dat hij redelijk was, alleen omdat hij niet schreeuwde. Maar hij was absoluut niet redelijk. Hij was rationeel, dat is iets totaal anders. Redelijk is warm en meevoelend en nadenkend en alles in overweging nemend. Liefst kalm, dat wel, maar dat hoeft niet eens. Rationeel is koud en verstandelijk en niet betrokken, hoogstens wat neerbuigend. Rationeel is doen alsof je gevoel er niet toe doet.

Rationeel is niet hetzelfde als redelijk. In de verste verte niet.

Dus dat zei ik.

'Mis, Pa. Ik ben boos en geïrriteerd, dat klopt, én ik ben volkomen redelijk. Wie laat zich hier nu meesleuren? Jij misschien? Ik weet niet of je het doorhebt, maar Ma zit allang gezellig aan de champagne om haar bestuurscrisis te lijmen met die geweldige glimlach van haar. Daar kan Ma alles mee lijmen, daar heeft ze jou echt niet bij nodig. En wie haalt er ondertussen haar kastanjes uit het vuur? Nou?'

Redelijk of niet, dat had ik achteraf toch beter niet kunnen zeggen. Dat van die champagne was kantje boord, maar toen ik over die kastanjes begon, plofte pa zowat.

'Laat ik jou één ding zeggen, jongedame. Ik wil geen nieuwe taferelen zoals we vorig jaar hebben beleefd, met uit de klas gestuurd worden en spijbelen en muzieklessen verzuimen en ander losbollig gedrag. Jij gedraagt je, basta. En als ik van jouw school ook maar één onplezierig bericht hoor, dan zit jij zwaar in de problemen. Dan mag je een hele maand thuisblijven. Ben ik duidelijk?'

Het was me volkomen duidelijk. Het spiertje bij zijn linkerooghoek trilde als een bezetene, alsof alle emotie er in dat ene spiertje uit moest.

Ik had geloof ik precies zo'n spiertje aan mijn ooghoek en ook een heel stel in mijn buik. Ik voelde me in elk geval heel trillerig. Overal eigenlijk.

'Goed, Pa, jij je zin. Ik zal nooit meer iemand helpen. Tibby niet en jullie ook niet. Stel je toch voor, dat er een spoortje losbollige chaos aan me zou blijven kleven. Bah! Foei! Stel je voor.'

Daarna vloog ik de trap op en sloeg de deur keihard achter me dicht.

Ik zat een kwartier na te trillen en toen moest ik vreselijk huilen.

Belachelijk, huisarrest.

Waarom mocht ik hier niks? Waarom was Pa zo bang voor gevoel? Zo bang voor alles? Ik moest zeker weer helemaal keurig worden en netjes en betrouwbaar en nooit meer iets doen wat naar risico rook. Alleen nog stiekem in het geniep, netjes zoals het hoorde in dit hypocriete gezin.

Ik belde Tibby, maar ze nam niet op. Elien was in gesprek, vast met Wouter Wouter Wouter. Gelukkig was Jeske er. Ze luisterde geduldig naar me en genoot van alle kansloze details. Ze zei dat Pa wel weer zou opwarmen en dat ik

heus niet de hele week thuis hoefde te blijven voor een kleine ruzie en dat zij ook niet uit mocht vrijdag.

Jeske is zo tof. Zij is er tenminste als ik iemand nodig
heb.

# 4

Ik mocht een week nergens heen na school. Pa belde persoonlijk met hockeyen, met vioolles en zelfs met orkest. Ma belde mij iedere middag op vanuit de apotheek om te controleren of ik thuis was. Ik mocht niet eens op de computer!

Ik overwoog nog even om de telefoon door te schakelen naar mijn mobiel, maar ik durfde niet. Ma heeft dat soort dingen meteen door. Ik hield me de hele week extra koest op school, want ik wist niet wat ik moest doen als ik nu ook nog problemen kreeg met JP.

De week kroop om. Als Tibby me niet iedere middag had ge-sms't, was ik misschien wel doodgegaan van verveling.

Een week nergens heen was veel langer dan ik had verwacht.

Als enige troost kon ik 's middags ongestoord in Pa's heilige boekenkast rondneuzen, waar ik eigenlijk niet mocht komen. Pa wilde niet dat zijn kostbare verzameling werd beduimeld. Er stonden rijen romantische oude boeken met loodzware leren kaften. Boeken over alchemie, vol vreemde plaatjes en symbolen, boeken door een of andere Salomo en door Cornelius Agrippa von Nettesheim en dikke boeken over Griekse mythologie. Daarnaast lag een stapel onvoorstelbaar mooie Egypteboeken met schitterende foto's.

De rest van de week was ik in gedachten op reis, heel Egypte door, langs mysterieuze piramiden vol hiërogliefen, langs machtige stenen beelden en tempelmuren vol intrigerende gebeeldhouwde taferelen. Ik droomde weg bij met goud ingelegde maskers en zwoele palmbomen en stoffige karavanen en de Nijl die elk jaar buiten haar oevers trad. Boek na boek bladerde ik door. Het was betoverend. Het was fenomenaal. Toen ik ten slotte een boek vond dat alleen maar over hiërogliefen ging, sloop ik naar Ma's kamer om haar extra mooie kleurpotloden te 'lenen', zodat ik die plaatjes en geheimzinnige tekens na kon tekenen.

Eeuwenlang waren de hiërogliefen geheimzinnige decoraties geweest op de Egyptische tempels en piramiden. Tergend bewaarden ze de mysteries van de Egyptische beschaving, de intrigerende goden op die prachtige afbeeldingen, de oorsprong van de piramiden, al die waanzinnig mooie kunst, verfijning van vijfduizend jaar oud. Niemand kon het doorgronden. Niemand kon het lezen.

Toen werd het 1799. De Fransen veroverden Egypte, vraag me niet waarom, en in 1799 vond een stel Franse soldaten bij het plaatsje Rosetta een heel aparte, platte steen van een halve meter hoog. In die steen waren drie stukken tekst uitgebeiteld in drie talen: in het Grieks, in het demotisch en in hiërogliefen. Een Franse geleerde, Jean-Francois Champollion, werd erbij gehaald. Die slimmerd begreep meteen dat er drie keer precies hetzelfde stond en dat hij de sleutel tot de hiërogliefen in handen had! Hij zocht direct een flinke groep geleerden bij elkaar en samen gingen ze aan de slag om de hiërogliefentekst te ontcijferen. Die Jean-François was serieus een genie. Hij had zichzelf als klein jochie leren lezen door ondersteboven de dubbelgevouwen krant van zijn pa te ontcijferen. Toen hij zo oud was als ik kende hij al vijftien talen! Hallo, we zijn veertien en kennen vijftien talen? En niet alleen normale talen zoals Frans, Engels, Grieks en Latijn, maar ook exotische talen zoals Hebreeuws, Syrisch, Arabisch, en nog een handjevol waar ik nog nooit van had gehoord zoals Chaldeeuws, Koptisch en dat demotisch dus. Ik vroeg me af waar die kerel op school had gezeten. Vast niet op zo'n school als de onze, waar Belle, Fredje en Wilkes wedstrijdjes deden wie de meeste leerlingen in slaap kon krijgen tijdens de les. Evengoed had deze briljante Champollion nog drieëntwintig jaar nodig voordat hij de hiërogliefen helemaal had ontcijferd.

En toen kreeg ik een idee. Ik pikte het boek mee en stopte het weg op mijn kamer.

# 5

Toen ik aan het eind van de week 's avonds op mijn Hyves keek, stond er een uitnodiging om vrienden te worden met... Easy!

Yess!

Klein minpuntje: ik werd vriendin nummer 343 en zijn hele Hyves stond vol meidenkrabbels, van vrolijk tot verleidelijk tot slijmzoet. Hij kon kiezen wie hij wilde.

Die uitnodiging nam ik dik en vet aan, maar daarna moest ik zomaar huilen, om niks, omdat ik me zo kansloos voelde en omdat Easy zo leuk was dat ik stomme dingen begon te hopen terwijl ik gewoon de zoveelste was die hij kende. Vriendin nummer 343.

Ik huilde ook omdat ik geen poes mocht en omdat Tibby zo klem zat en omdat Jeff zich zo wanhopig voelde dat hij al die whiskyflessen leegdronk en om het geploeter van Sharima en omdat Pa en Ma zo Keurig waren en nooit eens naar me luisterden. Ik huilde om alles. Ik huilde om de hele ellendige puzzel die mijn wereld was.

En tot overmaat van ramp werd ik ook nog ongesteld.

# 6

Een week later zag ik Tibby 's ochtends slepen met een volle boekentas.

'Tibby! Je hebt boeken! Wat goed!' riep ik verrast. 'Hoe kom je daar opeens aan?'

'O, had ik dat niet verteld? Heeft JP geregeld.' Alsof dat vanzelfsprekend was.

'Hoe heeft hij dat voor elkaar gekregen? Heeft hij je ouders bewerkt?'

Tibby zette haar tas neer. 'Hij wist nog ergens een potje, geloof ik.'

'Hoe lang weet je dat al?'

'Ik weet niet, een paar dagen, een week of zo,' zei ze.

Ik stond paf. Ik had tientallen kopietjes voor haar gemaakt. Gisteren nog, voor geschiedenis. Ik had haar mijn boeken uitgeleend en ze teruggekregen met verdachte whiskyvlekken. Ik had tientallen oplossingen aangedragen, om aan boeken te komen en om haar met werk te helpen. En nu pleegde JP een telefoontje, één telefoontje, en hopla, Tibby had mooie nieuwe boeken voor alle vakken en ze vond het niet de moeite waard om mij daar iets over te vertellen?

'Dat je daar niks over verteld hebt. Ik dacht dat je er dolblij mee zou zijn!'

Tibby haalde haar schouders op. 'Het zijn maar boeken, wat doe je moeilijk.'

Ik zocht in mijn tas. 'Alsjeblieft,' zei ik en ik duwde de kopietjes in haar handen. 'Het zijn maar kopietjes en het was maar een halfuur werk en het was maar tachtig cent en laat maar zitten, dat kan je toch zo goed.'

Toen liep ik weg.

De hele ochtend ontweek Tibby me. Ik zat in de les met een knagend gevoel. Ik wist niet goed wat het was, misschien teleurstelling, misschien irritatie dat Tibby het allemaal zo onbelangijk vond. Ze had me toch trouw ge-sms't toen ik thuis zat opgesloten? Of was ik stiekem kwaad op mezelf, omdat ik mezelf voor de gek hield, omdat ik mezelf wijsmaakte dat ik haar echt kon helpen.

In de pauze had ik het erover met Elien, maar die vond ook dat ik niet zo moeilijk moest doen. Het was toch fijn voor Tibby dat ze boeken had!

Elien had natuurlijk gelijk. Tibby was nu eenmaal heel anders dan ik. Ik stopte het knagende rotgevoel weg, diep, diep, zo diep als ik kon.

# 7

'Kun jij mijn Frans straks even overhoren?' vroeg Tibby. We zaten in de hal en het regende en ik was er met mijn hoofd maar half bij, want ik had Easy net langs zien komen.

'Vanmiddag?' vroeg ik.

Tibby knikte. 'Ik snap er nog niks van.'

'Het zijn woordjes. Wat valt er nou te snappen aan woordjes? Hoe lang heb je eraan gezeten dan?'

Een uur, een halfuur, drie uur, dat wist ze niet precies. 'Als jij me overhoort, onthou ik het veel beter.'

'Voor de vakantie ging het toch ook prima?' vroeg ik. 'Je kunt hartstikke goed leren.'

'Ik weet het niet. Mijn hoofd is een zeef,' verzuchtte ze. 'Ik vergeet alles zo weer en ik moet nog zoveel inhalen. Elien zei dat ik bijles moest nemen, dat heeft zij ook. Maar ja.'

Daar hebben wij geen geld voor. Ik hoorde het wel, ook al zei ze het niet.

Tibby keek zo smekend dat ik 's middags natuurlijk mee-ging. Het was heerlijk om te voelen hoe Bacardi om mijn benen kronkelde en om te zien hoe Schnaps geduldig voor een bosje zat te loeren. Tibby sleepte me mee om bietjes te oogsten, want het zou gaan regenen, dacht ze. Ze spoelde de klonten klei eraf in de Kromme Rijn en gooide de bladeren een voor een in het water, waar ze langzaam wegdreven, als rode bootjes.

De Franse woordjes lukten niet geweldig. Tibby onderbrak me steeds, om paracetamol te zoeken, om iets te drinken in te schenken.

'Wat is er, Tips? Concentreer je!' zei ik. Maar het hielp

niet. Toen we wiskunde deden, had Tibby geen goede liniaal en daarna was haar passer weg.

Het irritante knaaggevoel in mijn buik stak de kop weer op, maar toen ik zag hoe hulpeloos Tibby keek, ebde het weer weg. Ik wilde haar zo graag helpen en behalve mij had ze niemand.

Wodka zat te snorren op mijn schoot en Bacardi kwam me begroeten met kopjes tegen mijn knie, en ondanks het gedoe van Tibby was ik hier toch gelukkig.

Terwijl Tibby aan haar wiskunde werkte, met mijn passer en mijn liniaal, deed ik mijn best om die keuken weer gezellig te maken, net zo gezellig als in de zomer. Ik sopte de vette afzuigkap en leegde de stinkende kattenbakken. Ik smeerde dikke plakken Euroshopper-ontbijtkoek, die ik zomaar afsneed op de broodplanktafel, en ik legde af en toe een som uit.

Het potkacheltje stond te snorren, want het was oktober en het werd koud. Ik verpakte twee appels in aluminiumfolie en pofte ze in de asla. Ze smaakten heerlijk, half rauw, half naar appelmoes met caramel. Daarna overhoorde ik Tibby's Franse woordjes, waar ze zowaar driekwart van wist. Ik had het gevoel dat ik echt iets nuttigs deed. Dat vond ik fijn, want thuis had niemand me nodig. Thuis moest ik alleen maar ontzettend veel.

Ik stapte thuis de deur nog niet binnen of Pa en Ma begonnen al tegen me te zeuren. Zelfs Sam deed mee.

'Zo, heb je fikkie gestookt in het kraakpand?'

Er zat een veeg as op mijn broek.

'Ruim je vanavond nu eindelijk je kamer op, Annemarth? Jana heeft het al twee keer gevraagd. Ze kon nergens bij.'

'Doe je donkere was in de donkere wasmand, schat. En niet in de lichte.'

'Denk je nog om de afwasmachine?'

'Ga je nog een keer viool studeren? Viola zei dat je niet zoveel doet.'

'Waarom heb jij geen licht op je fiets? Volgende week word je vijftien, Annemarth, vijftien, dus ga mij niet vertellen dat je nog steeds niet weet hoe gevaarlijk het is om zonder licht te rijden! Waar zijn je lampjes dan? Wat nou, weg? Morgenmiddag koop je nieuwe. Meteen 's middags, denk erom.'

Dus ik weer met Elien naar de Halfords. Lampjes in cadeaupapier. Geweldig.

Ik had het gevoel dat niemand me begreep, thuis. Daarom vond ik het zo fijn bij Tibby. Zij had mij tenminste nodig. Als ik haar hielp, was het tenminste niet omdat het moest.

# Mummie zonder speelruimte

Oktober werd november en de bomen werden kaal. Het plensde onafgebroken. Vlak voor mijn verjaardag vatte ik kou en voor ik het wist lag ik in bed te zweten van de griep. Al mijn spieren deden pijn. Dagenlang vocht ik met mijn lakens die steeds aan me plakten. Toen ik op een nacht eindelijk indommelde, droomde ik dat ik stevig ingemummied was in een dikke laag verband en dat ik langs een juichende menigte werd gedragen. Muziek, gezang. Ik kon me nauwelijks bewegen en ik kon ook niet goed ademen. Ik droomde dat Easy zomerse muziek liet rondtollen op een zilveren cd. Iemand ving al die klanken op in een donkerblauwe schaal en weefde er een heelal van, van klein naar groot, van atoom tot melkwegstelsel, in lichte letters waarmee je alle kennis van de wereld kon opschrijven en weer teruglezen, zodat er nooit meer iets verloren ging. Toen droomde ik dat Easy iemand anders kuste waar ik naast stond, een granieten godin met een zwarte huid.

Ik schrok wakker door het geluid van mijn mobiel. Een sms! Ik probeerde mijn mobiel te pakken maar ik kon me niet verroeren, ik zat klem! Ik gilde het uit. Waar was ik?

De mooie geheimen van het heelal waren op slag verdwenen.

Opnieuw ging mijn mobiel af en nu pas had ik door dat ik gewoon thuis was en dat ik mezelf in de zweterige lakens had gewoeld. Ik worstelde me los en zocht koortsachtig tussen de natte lakens naar mijn mobiel, toen Sam zijn hoofd om de deur stak.

Hij trok zijn wenkbrauwen op toen hij de warboel op mijn bed zag.

'Hey, Anne, gefeliciteerd! Er staat een feestontbijtje voor je klaar. Kom je?'

Gefeliciteerd? Ontbijten? Jarig, o ja.

Sam hielp me de trap af. Beneden stond de tafel vol met warme eitjes, croissantjes, vers geperst sinaasappelsap en zelfs een schaal wentelteefjes met bruine suiker en kaneel. De tafel was gedekt met de mooie oma-borden met de gouden randjes, die niet in de afwasmachine mochten. Ik kreeg zoenen en knuffels en er lagen kleine, veelbelovende pakjes naast de borden.

'We willen even met je praten,' zei Ma. 'Nu je vijftien bent...'

'Sorry Ma, de croissantjes worden koud.' Ik wilde geen preek over 'nu ik vijftien was', geen nieuwe verantwoordelijkheden en vertrouwenskwesties en al die ingewikkelde Pa-en-Ma-dingen. Ik wilde een warm croissantje en droge lakens en de rest liet me nu even koud.

Maar Pa zei: 'Heus, dit wil je graag horen.'

Hij maakte er een hele cabaretvoorstelling van, met herinneringen aan hoe ik was op verschillende leeftijden, en hij vertelde me dat ik nu vijftien was (goh), dat ik zakgeldverhoging kreeg (yes!) en dat ik uit mocht als ik er 'verantwoordelijk' mee omging (yesserdeyes!).

Pa en Ma houden er een heel eigen taaltje op na: het Keurigs. Ze hebben allerlei keurige woorden voor gewone woorden die zij te smerig vinden, of te grof. Waarschijnlijk was 'verantwoordelijk' gewoon Keurigs voor 'zorg dat je niet stomdronken thuiskomt'. In elk geval niet zo, dat zij het merkten.

Ik kreeg een paar leuke cd's, een royale boekenbon en een nieuwe set snaren voor mijn viool, zodat ik me meteen schuldig voelde, en als topper kreeg ik een supergave nieuwe mobiel met camera, mp3 en bluetooth, en ook nog een dik vet abonnement erbij, zodat ik me meteen weer helemaal hiephoi voelde.

Na een lauw croissantje en een glas sinaasappelsap was ik doodmoe. Pa verschoonde mijn bed en de rest van de ochtend lag ik te doezelen zonder te zweten en zonder te dromen. Af en toe werd ik wakker van een sms'je op mijn nieuwe mobiel.

Ey liefie! happppppppie birthday! xxx Elien

Sgat je bent tog jarig vandaag? GEFELICITEERD! Jeske

Gefeliciteerd! Heb je leuke dingen gekregen? =D Kus Lianne.

Hey baby jarig en niet op school? Gauw beter worden oké. byebye Tarik

Ha lief ie gefeliciteerd maak r wat van en snel weer beter worden oké, misya ONTZETTEND, xx Tibby

Dat vond ik lief. Misschien wilde Tibby mijn oude mobiel wel hebben. Die van haar was zo'n antieke koelkast.

## 2

Pas dagen later kon ik weer naar school.

Ik had niet veel gemist, want Fred, Belle en Wilkes hadden een nieuwe wedstrijd: zo weinig mogelijk nieuwe stof in één les. Ze bleven alles maar herhalen, alsof het komkommertijd was. Misschien hadden ze salarisverlaging gekregen? Ik had spijt dat ik niet in mijn bed was blijven liggen. Ik had hoofdpijn. Wat deed ik hier?

De eerste tien minuten overleefde ik door wat woordjes te leren. De rest van de les vermaakte ik me met het hiërogliefenboek van Pa. Ik hoopte dat hij het niet zou missen. Ik hoopte ook dat het me geen drieëntwintig jaar ging kosten voordat ik die hiërogliefen onder de knie had. Het was veel lastiger dan ik had verwacht.

En toen ging Fred ineens vervelend doen. 'Annemarth! Wil jij even herhalen wat ik zojuist zei?'

Beetje last van het kortetermijngeheugen, Fredje? dacht ik. Ik zei het echt niet hardop, maar overal om me heen klonk gesmoord gegrinnik. Tibby onderdrukte een lachbui.

'En herhaal ook meteen wat jij daar mompelde.'

Waarom liet hij me niet met rust? Goed, er lagen inderdaad bladzijden vol hiërogliefen op mijn tafel, maar wat had Fred daar voor last van? Ik schoof de blaadjes netjes bij elkaar en legde mijn Duitse boek er half overheen. Hopelijk was hij nu tevreden.

Helaas. Een ongeduldig kuchje.

'Annemarth!'

'Oké, oké.' Ik aarzelde. Wat wilde hij ook al weer? O ja, ik moest herhalen wat hij zei.

'U zei dat de derde naamval handig is om te kennen voor

de duidelijkheid van de zinsbouw, waardoor men in het Duits mooie compacte, gecompliceerde lange zinnen kan maken die toch volkomen helder zijn, meneer,' dreunde ik op. 'En ik geloof dat ik iets zei over het kortetermijngeheugen, maar dat weet ik niet meer precies.'

Gegrinnik.

Ha! Daar had Fredje niet van terug. Hij dacht zeker dat ik niet oplette. Maar voor zijn saaie herhaalles had ik maar een piepklein beetje aandacht nodig. De rest had ik over voor eigen gebruik. Multitasking.

'Ik wil dat jij beter oplet en die rommel van je bank weghaalt. We zijn hier met Duits bezig, en niet met andere dingen,' zei hij afgemeten. 'Een leeg bureau kenmerkt een ordentelijke geest. *Eine gute Organisation ist alles!*'

Fred bevond zich qua woede in Fase I: hij spetterde bij het praten. Het zag er best vies uit. Bij sollicitaties zouden ze daar beter op moeten letten. Ik schoof mijn blaadjes nog iets verder onder mijn Duitse boek. 'Goed, meneer. Gaat u toch alstublieft verder met Duits,' verzuchtte ik.

Moest de klas daar nu ook al om grinniken?

Fred keek nijdig rond. 'Zeker. Zodra jij die troep van je bank haalt. Ik wacht.'

Zijn spuug spetterde nu tot aan de eerste rij en zijn stem was zo zuur als ijsazijn. IJsazijn heeft een pH van 1 en dat is ontzettend zuur, dat wist ik van de scheikundeles. Ik lette heus wel op, op school, wat JP ook beweerde. Met zijn: 'Ik accepteer geen excuses meer van jou, jongedame. De volgende keer neem ik maatregelen.'

Maatregelen leken me op zich een goed plan. Misschien kon hij iets aan die saaie lessen doen. Fred zou zichzelf eens moeten zien, zoals hij daar ongeduldig met zijn vingers op het bureau stond te trommelen. Dat was niet goed voor de bloeddruk, echt niet. De man zou een hobby moeten nemen. Pianospelen of drummen. Dat kon heel ontspannend werken, drummen. Of een hond nemen, als hij zo graag gehoorzaamd wilde worden. Honden vonden het heerlijk als iemand flink de baas over ze speelde. Honden hadden ook niks beters te doen.

En ik wel.

Ik schrok op door een geweldige por van Tibby, die driftige gebaren maakte. 'Hou je mond, idioot!' siste ze.

Hoezo, ik had mijn mond toch dicht?

Niet dus. Ik had alweer hardop zitten ijlen! Oei, dit was zwaar alarm. Grens bereikt.

'Ja, komt er nog wat van?' zei Fred. Rond zijn mondhoeken verschenen kleine belletjes spuug. Hij vertrok zijn gezicht als een oorwurm: Fase II. Het zou nu vast niet lang meer duren voordat hij mijn werk van de tafel kwam grissen.

Gehoorzaam maakte ik nette stapeltjes van mijn papieren om ze in volgorde op te bergen. *Eine gute Organisation ist alles*, of niet soms?

'Schiet nou toch op! Straks hang je,' siste Tibby zenuwachtig. 'Of wil je JP soms op je nek? Stop dat weg, snel, schiet op!'

Fred liep langzaam rood aan en zijn linkerneusvleugel begon te trillen. Dreigend kwam hij op ons af.

Eén voor één schoof ik mijn stapeltjes netjes in hun mapjes. Een goed opbergsysteem kenmerkt een ordentelijke geest, dacht ik.

Nog meer gegrinnik! Ik zei dat niet. Echt niet!

Fred was nu vlakbij. Hij zag nu zo rood als mijn nieuwste lippenstift, Fleur de Feu oftewel Feuerblume, dus dit was duidelijk Fase III. Die trillende neusvleugel van vandaag was een extraatje. Ik treuzelde nog een klein beetje met mijn papieren, niet expres natuurlijk, maar voor de sport, om Fase III zo lang mogelijk te rekken en dan precies, precies op tijd te stoppen, nét voor Fase IV.

'En nu ga je eruit! Wegwezen, uit mijn ogen, jij! Ga je maar melden bij de rector!'

Ai.

*Fiat voluntas tua.* Wat jij wilt, dacht ik. Ik wist niet waarom ze weer lachten. Ik zei het toch niet hardop? Of wel? Ik wilde me niet laten kennen, dus ik pakte zo kalm als ik kon mijn tas en wandelde naar de deur.

Maar toen ik over de zwart-witte tegeltjes naar het kantoor van JP liep, verdween het hilarische gevoel.

Ik kreeg buikpijn. Wat als ik deze keer echt te ver was gegaan?

# 3

*Dr. J.P. van Dijk, rector*, stond er op het koperen bordje.

Ik klopte. Mijn hart klopte keihard mee. Er gebeurde niets. Ik wachtte een poosje en klopte opnieuw. Nog niets. Mijn buik kronkelde en krampte, maar mijn hoofd hield goede moed. JP was misschien wat traag van begrip vandaag.

Of hij zat aan de telefoon.

Of hij deed stiekem zijn dagelijkse yoga-oefeningen.

Misschien was hij er niet, dat zou helemaal mooi zijn.

Ik wachtte.

Het was gelukkig niet druk in de gang, maar iedereen die langskwam grijnsde of maakte een plagerige opmerking. Arthur Wilkes kwam langs en keek me aan met opgetrokken wenkbrauwen.

Ik stond hier voor gek, maar ik durfde toch niet zomaar weg te lopen.

Na tien minuten wachten zag ik hem, aan het einde van de gang. Mijn hart begon te galopperen alsof het op hem af wilde rennen. Die relaxte tred! Die rechte rug! Die lekkere haren en dat figuur! Ik wilde wel in de grond zakken. Als Easy mij hier zag staan wachten, als een eersteklas loser, dan kon ik het wel schudden. Waarom deed JP niet open?

'Hoi,' zei Easy. 'Wacht je op iemand?'

Help! Wat moest ik zeggen? Iets intelligents, iets wat niet klonk als een schorre *burp*. Ik verschoot van kleur. Fleur de Feu, minstens. Ik zag mijn voeten verlegen rondschuifelen en opeens wist ik hoe Elien zich had gevoeld bij de Halfords.

'Hoi,' zei ik dom. 'Ik ben Annemarth.' Duh, dat wist hij allang, maar hij lachte. Wauw, wat een lach. Ogen om in te verdrinken. Zeegroen. Of zeeblauw?

119

'Weet ik toch,' zei hij. 'Easy, weet jij ook al, toch? Wij zijn vrienden op Hyves.'

'Ja, vriendin nummer 343,' zei ik. Mijn mond was droog.

'Heb je ze geteld?' Easy lachte nog een keer. 'Ik eh...' Hij woelde met zijn vingers door zijn haar. Nu komt het, dacht ik. Geen idee wat, maar ik voelde het gewoon. Er kwam iets. De spanning hing tussen ons in als een gordijn dat elk moment in vlammen kon uitbarsten. Nu ging hij iets liefs zeggen, of iets charmants, iets onweerstaanbaars. Het spanningsgordijn zou opvlammen in duizend vuurpijlen, de hele school zou naar kamperfoelie ruiken. En dan zou hij me in zijn armen nemen en me kussen en me op zijn paard tillen en we zouden samen weggalopperen door de straten, de bossen, de wouden, langs de wolken naar de regenboog, voorgoed. En dan...

Hij hoestte even en keek me een beetje verlegen aan. 'Weet jij waar je een telaatbriefje moet halen?'

De regenboog verschrompelde en mijn mond schoot in een onbedwingbare glimlach. 'Bij Prikkebeen,' zei ik en ik lachte. 'Ben je erg te laat?'

Hij knikte. 'Voor Frans, ik was de weg even kwijt. Prikkebeen is de conciërge, toch?'

Ik knikte.

'Rare naam.'

'Hij heet meneer Been en hij regelt het prikken op vrijdag. Strafmaatregel voor als je te laat komt.' Ik staarde naar mijn voeten, die een complete schuifeldans deden, helemaal in hun eentje, zonder mij.

'En ook als je bij de rector moet komen?'

'Zou kunnen.' Ik aarzelde. 'Of hij trapt me van school.'

'Vast niet,' zei hij. 'Tot vrijdag dan maar, hè?' Hij lachte en liep door, relaxed als altijd. Hij was te laat, maar hij had totaal geen haast. Hij stopte en keek nog even om. 'En misschien een keer bij Sisters?'

Tot vrijdag? Prikken? Sisters? Yess! *Disco, here I come!*

Ik staarde hem na en zag Wilkes pas toen hij naast me stond.

'Zo, Annemarth, sta je daar nu nog? Je kunt lang wachten, hoor, meneer Van Dijk is in bespreking. Leg maar een briefje in zijn postvak.'

'O, dank u.' Een briefje in het postvak? Ik dacht het niet! De rest van de dag dobberde ik rond in een blije droom. Het gevoel leek erg op het gevoel dat ik had als ik een hele middag bij Tibby in de keuken had gezeten met de poezen. Mijn dag kon niet meer stuk.

Dacht ik.


Maar 's middags trof ik Tibby in tranen aan in het fietsenhok.

'Tips! Wat is er?'

'Hier, moet je zien.' Ze duwde me twee frommelige velletjes in handen. Een 2,9 voor Duits en een 3,2 voor Engels. Wilkes had er een paar stekelige opmerkingen bij geschreven.

'Hoe kan dat nou? Had je het niet geleerd? Je hebt nu toch boeken?' vroeg ik.

'Ik wist opeens niks meer,' zei ze. 'Helemaal niks. Die stomme school! Die snertleraren! Ik kap ermee. Met school. Met alles!' Ze snoot haar neus, smeet het papieren zakdoekje op de grond en stampte het plat.

'Kom nou, Tips,' zei ik, 'Niet zo somber. Iedereen kan een keer een dipje hebben, toch? Je loopt gewoon een beetje achter. Het komt heus wel weer goed.'

'Ik kan er niks van,' huilde ze. 'Ik krijg elke keer een blackout.'

'Je kunt het heus wel, anders hadden ze je hier op school toch nooit aangenomen? Voor de zomer ging het toch ook goed?' Ik troostte haar zo goed als ik kon met mijn dromerige, verliefde hoofd.

Tibby veegde haar neus af aan haar mouw. 'Help jij me dan een beetje op weg als we een toets hebben?' smeekte ze. 'Gewoon, als ik het niet weet, een of twee antwoorden maar? Ik kan het gewoon niet! Help je me?'

Ik sloeg een arm om haar heen. 'Tuurlijk, meid. Ik help jou. Je kunt het best, let maar op.'

Tibby poetste haar tranen weg. 'Jij bent echt zo'n toffe vriendin,' zei ze. 'De enige die ik kan vertrouwen.'

Maar op de fiets naar huis zat het me toch niet lekker. Wat bedoelde ze eigenlijk met 'een of twee antwoorden maar'? Hadden wij nu net afgesproken dat ik haar voortaan moest voorzeggen, bij iedere toets opnieuw?

# 4

Door de crisis van Tibby was ik Fred al bijna vergeten. Maar 's avonds klopte Pa op mijn deur. 'Annemarth, ik heb zojuist telefoon gehad van jouw school. Ik wil even met je praten.'

Nee hè, niet alweer, dacht ik. Ik zat net zo fijn te dromen over Easy. Mijn schrift stond vol met *Easy en Annemarth*, en *E* en *A*, ineengestrengeld in mooie, sierlijke letters. 'Moet dat nú?' verzuchtte ik.

Het moest nu. Pa en Ma kwamen samen op mijn bed zitten. Ze keken heel ernstig, alsof ik een halsmisdaad had begaan. 'Meneer Van Dijk heeft ons gebeld.'

Pff, dacht ik.

Alleen omdat die stomme Fred me eruit had getrapt en omdat ik geen briefje in JP's postvak had gelegd. Belachelijk. Ik ging toch niet mijn eigen doodsvonnis tekenen!

Pa was ontstemd (dat was Keurigs voor razend) en Ma was ook zoiets. Teleurgesteld of zo. Dat betekende: waar denk je dat jij mee bezig bent? Ze overwogen 'drastische maatregelen' als ik me niet 'kon beheersen' op school. Dat was vast onvervalst Keurigs voor 'nog één keer en je zoekt maar een baantje'. En toen kwam het: ze wilden niet eens horen wat er was gebeurd! Dat moest ik op school oplossen, maar hoe, dat vertelden ze er niet bij. Daar had het Keurigs natuurlijk geen woorden voor. Ik wel: die school is een dictatuur en hier thuis is het niet veel beter.

Ik dacht het alleen maar, maar ik geloof dat ze me toch verstonden, want ze gingen zo kwaad weg.

Sam kwam nog langs, om me te troosten, en natuurlijk ook omdat hij razend nieuwsgierig was.

'Morgen moet ik naar JP,' zei ik. Ik zat er best mee. 'Weet

je wat JP tegen Pa heeft gezegd? Dat hij overweegt om maatregelen te nemen. Hij vindt dat de grens bereikt is.'

'Hou dan ook een keer je mond dicht, zusje. Je hebt heus wel gelijk, die Fredje is een spetter.' Ik schoot in de lach. 'Ik snap je best, maar wat schiet je ermee op om alles zomaar te zeggen?'

Alsof ik niet uit alle macht probeerde om mijn mond te houden!

'Misschien valt het wel mee. JP is heus de kwaadste niet,' zei Sam.

Ik hoopte dat hij gelijk had. Sam had makkelijk praten. Hij had geen hoofd vol floepsels en hij kon met al die leraren goed opschieten. Ik snapte niet hoe hij dat deed. Door niks te zeggen? Ogen dicht, oren dicht, mondje dicht? Sam zat zo anders in elkaar dan ik.

Ik was er helemaal niet gerust op, dus sms'te ik Tibby en Elien voor steun.

> **Hey! Morgu moet ik toch nog op crisisgesprek bij JP. Als hij me maar niet van sgol trapt!**

Elien sms'te meteen terug.

> **Balen! Het valt vast mee! Suc6 ik duim voor je!**

Tibby sms'te ook terug.

> **Lat die lui tog met die zielige sgool. Jij bent een sgat en daarmee uit.**

Die steun was net wat ik nodig had, want ik was alleen met mijn gedachten. Het maalde maar door en door, mijn gedachten weefden het ene akelige spookbeeld na het andere. Ik zat zo klem als een mummie. Wat als ik echt van school werd getrapt? Wat moest ik dan?

# 5

Mijn hand trilde toen ik de volgende ochtend op de deur klopte. *Dr. J.P. van Dijk, rector*, stond er op het koperen bordje. Ik klopte nog een keer en hoorde een vaag 'Ja'.

Hij keek niet eens op van zijn papieren toen ik binnenkwam. Slecht teken.

'Zo, Annemarth,' zei hij. 'En wie heeft het ditmaal gedaan? Meneer Wilkes? Mevrouw Bonamour? Meneer Been misschien?'

Alsof die me naar JP zou sturen. Prikkebeen kon het zelf wel af.

'Meneer De Wit,' zei ik.

'Mis,' zei JP. Hij keek me aan en zette zijn bril af.

'Hoezo mis?' Ik wist toch zeker zelf wel uit welke klas ik was weggestuurd.

'Jij geeft meneer De Wit de schuld, maar jij hebt het zelf gedaan, meisje.'

Wat moest ik daar nu op zeggen? Wat een onzin!

JP zette zijn bril weer op en schreef onverstoorbaar verder. 'Vorig jaar ben je er tien keer uit gestuurd. Ik zou je van school kunnen sturen,' zei hij al schrijvend.

Ik schrok en ik haalde diep adem. 'Meneer, dat zou ik niet doen als ik u was. Mijn cijfers zijn erg goed voor het gemiddelde.'

'Maar niet goed voor mijn bloeddruk,' zei hij. 'Dus als je niets beters weet?'

Daar ga ik, dacht ik. En heel gek, plotseling schoot de opluchting door me heen als een feestelijke vuurpijl, als een rode fontein van vrolijkheid. Nooit meer dat ellendige wachten bij Frans en Duits, geen Latijn, geen dooic talen meer! Geen lange saaie uren in de muffe, zure zweetlucht van de gymzaal. Nooit meer naar school, hoera! Ik kon morgen met mijn reisbureau beginnen, met reizen naar Egypte.

'Vorig jaar heb je beterschap beloofd en nu sta je hier weer. Dit voorspelt weinig goeds, daar heb ik het met je ouders al over gehad.'

Op de een of andere manier leek hij een antwoord te verwachten. Was het gesprek dan nog niet voorbij? Als ik toch weg moest, had ik niets meer te verliezen. En als ik niets te verliezen had, dan kon ik eindelijk eens zeggen wat ik ervan vond.

'Ik ben bang dat het niet zal gaan, meneer. Om geschorst te worden, moet je iets dóén. En ik dóé niks. Ik steel niet, ik spijbel niet, ik heb geen mes bij me, ik deal geen drugs, ik bedreig geen leraren en ik schiet niemand neer in de kantine. Misschien stom van me, maar ja. Ieder zo zijn principes, hè.'

'Zo, noem jij dat principes? Wist je dat ik jouw leraren hier overstuur en zenuwtrekkend op mijn kantoor krijg? Kijk, dan gaan ze daar zitten, op die stoel waar jij nu naast staat. Intelligente, ontwikkelde mensen die niet meer uit hun woorden kunnen komen van de stress. Leraren zijn mensen, dat vergeten jullie soms. Vaak. Te vaak.' Hij zette zijn bril weer af en keek me indringend aan. 'Ik begin in te zien dat je op ons gymnasium niet op je plaats bent, Annemarth. Het zou een uitkomst zijn om jou weg te sturen. Scheelt me handenvol ziektegeld. Bovendien ben jij een slecht voorbeeld voor andere leerlingen. Als je werkelijk wilt blijven, zul je met iets beters moeten komen.'

Ik kreeg het benauwd, want opeens drong het tot me door dat ik nog maar vijftien was. Mijn mooie reisbureauplannen vervaagden. Pa en Ma zouden zuchten en met meterslange Goede Gesprekken komen. Zou ik naar een andere school moeten? Of nog erger, stom werk doen voor een baas? En hoe moest het dan met Tibby? Die zou het niet overleven als ik van school werd gestuurd!

JP keek me aan alsof ik een rat was in zijn experiment. Waar wachtte hij op, waar wilde hij heen? Had hij de knoop al doorgehakt? Werd ik er werkelijk uitgeschopt? Of had ik nog een kansje? Ja toch, please?

'Meneer,' begon ik. Mijn stem trilde. 'Ergens hebt u wel gelijk, denk ik. Maar ik heb een vriendin hier op school, Tibby, voor wie u die boeken had geregeld, u weet wel. Zij zit nogal in de put en ze heeft verder helemaal geen vrienden. Dus ik probeer haar te helpen, begrijpt u, want iemand moet een beetje voor haar zorgen. Als ik het verpest heb en u me wegstuurt, dan snap ik dat wel, maar hoe moet het dan met haar? Ik wil echt graag op school blijven, meneer. Als het niet voor mezelf kan, mag het dan misschien voor Tibby?'

JP zette zijn bril weer af en trok zijn wenkbrauwen op. 'Ga eens even zitten.'

Hij leek iets vriendelijker. Ik ging bibberend op het puntje van de stoel zitten, de stoel waar al mijn leraren altijd zaten te zenuwtrekken.

'Wat is er nu echt aan de hand?'

Ik slikte. Ik kon haast niet meer nadenken.

'Ik eh, ik verveel me zo, meneer. Ik verveel me te pletter in de klas,' flapte ik eruit. JP hoestte, maar gelukkig werd hij niet boos.

'Weet je, Annemarth, je moet niet denken dat ik er niets van begrijp. Toen ik zo oud was als jij, verveelde ik me ook te pletter op school, zoals je dat noemt. Ik was een stierlijk vervelend ventje en ik werd minstens twee keer per week de klas uitgetrapt.'

'Zo, dat is niet best. Waarom bent u dan rector geworden?'

'Dat zal ik je vertellen,' zei JP. 'Er is hier belangrijk werk te doen. Kijk, Annemarth, jij hebt een briljant verstand. Eén op de vijfhonderd kinderen komt hier het gymnasium bin-

nen met zo'n verstand. En wat doe je ermee? De les verstoren, je leraren ondermijnen, de clown uithangen. En wat levert het je op? Niets. Helemaal niets.'

'Nu vult u het voor mij in, meneer.'

'Goed, wat jij wilt. Wat levert het je op?'

'Ja, sorry meneer, maar dat vraag ik me ook af. Ik heb het
gevoel dat ik de hele schooldag zit te wachten. Als we per dag
één uur informatie krijgen, netto, dan is het veel. Wist u dat
Jean-François Champollion op mijn leeftijd al vijftien talen
kende? U weet wel, die de hiëroglifen heeft ontcijferd.'

JP knikte.

'Ik maak geen lawaai, ik neem iets rustigs mee om te
doen tijdens de les en nog word ik eruit getrapt. Ik wil heus
niet vervelend doen tegen de leraren, ik hou me reuze in,
echt waar, maar soms floept het er gewoon uit. Wat levert
die hele school me op? Goeie vraag.'

'Nee, Annemarth,' zei JP, 'je moet helder redeneren. De
vraag was wat jouw gedrag je opleverde. Niet wat de school
je opleverde.'

Wat? Ik begon vanbinnen te koken dus ik hield mijn
mond, voordat er weer allerlei floepsels kwamen.

'Weet je wat het is? De school is een gegeven. Er is leerplicht in dit land, daar doe je niets aan. Jouw gedrag is de
enige variabele die jij zelf in de hand hebt. Hoe jij op een
situatie reageert is altijd je eigen keus. Jij bent een uitzon-
derlijk begaafd meisje met volop mogelijkheden om iets
aan je gedrag te doen. Wat ik bedoel is dit: je moet je verstand gebruiken. Je moet betere manieren aanwenden.'

O, nu lag alles ineens aan mij. Lekker makkelijk. 'Hoe
hebt u dat zelf eigenlijk opgelost, meneer?'

'Als je het wilt weten, ik ging aan de speed en de xtc, ik
ging van school zonder examen te doen en ritselde een
baantje bij de Jaguardealer. Auto's oppoetsen, dure auto-
radio's verkopen, strak pak, leuk zakcentje, auto van de
zaak en in het weekeinde lekker feesten. Ik had het hele-

maal voor elkaar en ik vond de rest maar domme losers. Tot ik op een dag na een feestje een dure wagen van mijn baas in de prak reed en de laan uit vloog, regelrecht het ziekenhuis in. Tijdens mijn revalidatie had ik veel tijd om na te denken. Toen ik nog in de rolstoel zat ben ik gaan leren. Ik kon staatsexamen doen en toen ik redelijk genezen was, op mijn vierentwintigste, ben ik alsnog gaan studeren.'

Ik wist niet wat ik hoorde. 'Wat erg! Dus daarom loopt u zo moeilijk?'

JP knikte. 'Het had er nog heel anders uit kunnen zien.'

'Wist u dat daar hele weddenschappen over worden afgesloten in de brugklas? O, sorry!' Ik sloeg mijn hand voor mijn mond. Lompe oen die ik was!

Maar JP grinnikte en knikte. 'Die traditie is mij bekend.'

De lage novemberzon scheen door de vitrage naar binnen. Langzaam drong tot me door wat JP bedoelde. Zoveel keus had ik eigenlijk niet. Er was leerplicht en ik kon kiezen: of naar school, of iets ergs. Het was een keuze tussen naar school gaan, ziek worden, de jeugddetentie of zelfmoord plegen. En dat was het. Mijn reisbureau was voorlopig geen optie.

'U bedoelt dat ik hier min of meer gevangen zit, of niet soms? Dat ik geen keus heb?'

JP knikte. 'In zekere zin. Verzet als zodanig, daar schiet je niets mee op. Hersens heb je genoeg, dat is het probleem niet. Wat jij nodig hebt is creativiteit. Jij hebt een probleem en voor elk probleem bestaan altijd minstens vijf oplossingen. Verzin ze. Zoek je speelruimte. Bespreek het met je leerkrachten. Doe er iets mee. Bedenk waar je heen wilt, meid. Kijk hoe je dat het beste kunt bereiken. En hou dan vol totdat je er bent.'

JP keek me vriendelijk aan en ik moest lachen. Ga! Vecht! Win! En bel me als je terug bent, dacht ik. *Incredible.*

'Mijn deur staat voor je open. Kom gerust, ook als er iets is met je vriendin. Ik vind het mooi dat jij je haar lot zo aantrekt, dat meen ik echt. Maar ik heb liever niet dat je je nog eens door een leraar laat sturen. Oké?'

Hij zette zijn bril weer op en pakte zijn pen. De sessie was kennelijk afgelopen. Ik knikte beleefd en stond op.

'O, en Annemarth,' zei JP. 'Voor het geval je het wilt weten, Champollion kreeg privé-onderwijs van zijn oudere broer. Maar dat is voor jou misschien geen optie?'

# 6

Pa en Ma zaten me op de huid om te horen hoe het was gegaan, maar ik zei dat ik het op school had opgelost. Dat wilden ze toch zo graag? De rest ging hen niets aan.

Op school probeerde ik er iets van te maken. Ik hulde me tijdens de les in diepe stilte en legde mijn boeken extra onopvallend over mijn papieren want ik werkte nog steeds aan mijn hiërogliefen. Gaandeweg ontwikkelde ik een bruikbaar systeem dat deels bestond uit letters en deels uit symbolen.

Het was net of ik thuis was. Zwijgen, zwijgen, zwijgen tot je barst. Als wraak oefende ik allerlei rare zinnetjes zoals: Wilkes, wanneer word je wakker, je moet nodig naar de kapper. Hey Annechien, ik kan je niet meer zien. Ouwe Fred, retteketet, wanneer koop je een toupet? Ik probeerde ook bruikbare zinnen zoals: ga je mee ijs eten? Kun je me even terug sms'en?

Hopelijk kwamen die hiërogliefen ooit nog eens van pas. Voor ijs en sms had ik nieuwe hiërogliefjes ontworpen. Die Egyptenaren konden piramiden bouwen en beeldhouwen als goden, maar simpele dingen als ijsjes en mobieltjes kenden ze dan weer niet. Vreemde prioriteiten met zulke afstanden en zo'n klimaat!

Bedenk waar je heen wilt, had JP gezegd. Dagenlang borrelde die vraag bij me boven, op de meest vreemde momenten. Ik liet mijn gedachten als een zoeklicht over mijn toekomst gaan. Ik kon worden wat ik wilde. Rector of hartchirurg, ambassadeur, ondernemer, premier, directeur van het Rijksmuseum, spion of astronaut. Ik kon zelfs kunstenaar worden, maar dat was misschien zonde van mijn gymnasiumdiploma.

Bedenk waar je heen wilt. Hoe moest ik dat dan weten? Ik wist alleen wat ik níét wilde: niet in de verzekeringen en geen apotheek.

Ik wilde eigenlijk vooral dat Easy mij zag staan. Ik wilde vriendin nummer 1 zijn, niet vriendin 343, maar dat zat er niet in. Easy moest vrijdag prikken op het plein. Een vol uur liep hij daar, samen met nog een paar anderen en als ik eraan terugdacht, kreeg ik kromme tenen van mezelf. Ik was zo onopvallend mogelijk rond blijven hangen. Elke keer als hij bij me in de buurt kwam of toevallig naar me lachte, klapte ik dicht en kreeg ik een kleur als een kers.

Ik was een fiasco.

Bedenk wat je wilt – JP had makkelijk praten. Ik wilde dat Pa en Ma niet zo Keurig waren, een beetje gezelliger en wat minder druk. Ik wilde wel eens een keertje shoppen met Ma, of een spelletje doen. Was dat nu zoveel gevraagd?

Ik wilde naar Egypte, door de woestijn met een kameel en een lange jurk, muntthee drinken uit een klein kristallen glaasje bij de bedoeïenen.

Ik wilde een poes, liefst een rode kitten met witte pootjes. Of een met een glanzend zwarte vacht en groene ogen van smaragd of ogen van ambergoud.

En het liefst van alles wilde ik Tibby helpen, zodat ze weer gewoon gelukkig was, net als in de zomer. Ik wilde dat ze weer hartelijk lachte en voldoendes haalde en niet zo hoefde te tobben. Ik wilde dat heerlijke kamperfoeliegevoel weer terug. Maar het was november, de kamperfoelie was verdord en het leek wel alsof dat heerlijke gevoel tegelijk met de bloemen was verdwenen.

# Nee

'Wat ben jij saai en braaf geworden,' zei Tibby toen ik een week later bij haar op de oranje bank hing met Wodka op schoot. 'Waarom gaf je geen antwoord bij wiskunde? Ik vroeg gewoon even iets over die som.'

'Ik heb geen zin om van school gestuurd te worden. Of ben je dat al vergeten?'

'Voor één sommetje sturen ze je heus niet van school. Maandag hebben we een toets, dan help je me toch wel? Plies, alsjeblieft? Je laat me toch niet zakken?'

Ik had geen zin in die discussie. Ik kreeg er buikpijn van.

'Wat doe jij vanavond aan, naar Sisters?' vroeg ik. Het was vrijdag en ik had me hier al dagen op verheugd. 'Tarik komt ook.'

'O ja,' zei Tibby en ze gaapte, alsof ze geen zin had.

'Wat is er? Is er iets gebeurd, met Tarik?'

Tibby aarzelde. 'Vind jij Tarik leuk of vind je hem kinderachtig?' vroeg ze.

'Hij is wel grappig, hoezo?' zei ik.

Ze aarzelde en frunnikte aan haar haar, maar zei niets.

'Bovendien, het gaat erom wat jíj van hem vindt.' Ik wachtte geduldig en aaide Wodka over zijn zachte oortjes. Daar was hij niet van gediend. Hij sprong van mijn schoot en wandelde parmantig de keuken rond. Hij snuffelde aan de wasmachine, aan de tafelpoot en aan de computer. Toen tilde hij zijn staart recht overeind en pieste pardoes een dikke straal tegen de pc! Die gaf een dof gebrom en hield ermee op.

Tibby gilde en sprong eropaf. 'Ja hoor!' riep ze verontwaardigd. Ze gaf Wodka een rotschop.

Hij mauwde en schoot de gang in.

'Niet doen!' riep ik.

Ik greep de vaatdoek en de theedoek en probeerde de kattenpies op te dweilen. Tibby stond ernaast te flippen. 'Getver! Getverdegetver!' riep ze. 'Zag je dat? Zomaar tegen de computer, dat gore rotbeest!'

'Rustig nou.'

'Hallo, mijn hele werkstuk zat daarin!' jammerde ze. 'Mijn werkstuk voor aardrijkskunde! Nu kan ik alles opnieuw doen! Met de hand zeker.'

Ik probeerde de pc weer aan de praat te krijgen. Hij deed nog twee keer een poging en hield het toen voor gezien. Hij was dood en bleef dood. Ik spoelde de piesdoeken uit en waste mijn handen. Ik wist niet dat kattenpies zo kon stinken. Ik wist ook niet dat Tibby iemand was die haar poes trapte.

'Anne, wat moet ik nou?'

'Even kijken of je poes nog leeft?'

'Ach wat, poezen hebben negen levens. Nu nog acht,' zei ze bot.

Dus ze kon hem nog zeven keer verrot trappen? Dat zei ik maar niet.

'Leg het gewoon uit op school. Hier kan je toch niks aan doen?'

'Ja, daag. Straks zit ik weer bij JP,' jammerde ze. 'Dan moet ik allemaal gesprekken aanhoren en daarna schoppen ze me toch nog van school. Het gaat weer precies zoals de vorige keer.'

'De vorige keer? Ben je van je vorige school af getrapt?'

'Ja,' zei ze boos. 'Stelletje kakkers. Alleen omdat ik zwart ben. Ik wil het er niet over hebben.' Ze legde haar hoofd in haar handen.

'Alleen omdat je zwart was? Hoe ging dat dan?' vroeg ik, want ik kon me er niets bij voorstellen.

'Dat zei ik toch, allemaal leutergesprekken en daarna kon

ik gaan, zoek het maar uit. En nu gaat het weer net zo, let maar op.'

'Alleen door dat werkstuk? En die paar drieën? Ga er dan over praten,' zei ik. 'JP heeft je toch ook met die boeken geholpen? Hij is echt wel oké.'

'Wodka heeft over de pc gepiest? Hij ziet me aankomen.'

'Ik was er toch bij!'

'Ja, en jij bent zo'n heilig liefje, jou geloven ze meteen,' zei ze sarcastisch.

'Nou, bedankt,' zei ik.

'Sorry,' zei ze, net iets te snel, te automatisch.

'Doe niet zo moeilijk,' zei ik geïrriteerd. 'Ga naar de bieb en pluk desnoods iets van het internet.'

Ze keek me aan alsof ik lichtelijk achterliep. 'Duh.'

Mijn buik begon te kronkelen. Toen ze zo tekeerging dacht ik echt dat ze dat werkstuk zelf had gemaakt. Ik was een domme, saaie, keurige braverik.

'Doe jij nog wel eens wat zelf?' vroeg ik bot.

'Jij hebt makkelijk praten met al die tienen.'

Dat vond ik ontzettend flauw en ik werd boos. 'Nou?' vroeg ik. 'Geef dan antwoord?'

'Ik werk me rot, maar goed, wat weet jij daarvan. En ik kan niet mee naar Sisters vanavond. Ik moet naar de bieb. Ik moet nog een werkstuk maken. '

Ik pakte mijn spullen. 'Nou, succes, en geen dank voor het dweilen. Doei.'

In de gang zat Wodka in een hoekje onder de jassen. Hij mauwde klaaglijk maar toen ik te dichtbij kwam, haalde hij uit met zijn nagel. Ik had zin om terug te krabben. Stomme Tibby. Stom huis. Stomme kat.

Ik wilde zo graag naar Sisters. Easy had zelf gevraagd of ik kwam!

Thuis belde ik Elien. Ik belde Jeske en Lianne. Maar niemand kon en ik durfde niet alleen. Uiteindelijk belde ik Tibby maar weer op, of ze toch niet mee wilde gaan.

'Sorry van vanmiddag,' zei ik.

'Hoezo?' vroeg ze kortaf.

'Gewoon,' zei ik. 'Hey, je gaat toch wel mee vanavond? Ik kom je om negen uur ophalen, goed?'

'Sorry, ik zie het niet zitten,' zei ze. 'Ik moet dat werkstuk doen en ik moet nog koken en er is een kip kwijt. Jeff flipt als hij erachter komt. Hij is gek op die kippen.'

'Jemig, Tips, je bent Assepoester niet! Laat Jeff het lekker zelf uitzoeken met zijn kip, eet een boterham!' riep ik. 'Wij gaan vanavond dansen op het bal, met Prins Tarik en Prins Easy.'

Maar Tibby wilde niet. 'Ik zie er niet uit en ik heb niks om aan te trekken.'

'Als jij lacht, ben je prachtig, al draag je een ouwe spijker-broek,' zei ik, zoet als een brave, keurige fee.

Maar het hielp niet. Ze wou niet.


Ik zette een krabbel op de Hyves van Easy en daarna moest ik huilen want mijn krabbel stond tussen vijf flitsende krabbels van Danny, die blijkbaar heel dik met Easy was. Danny deed de belichting in de disco. Zij was er vanavond wel.

# 2

'Was het nog leuk bij Sisters?' vroeg Elien maandag in de pauze. 'Met Easy?' Ze knipoogde.

'Ik ben niet geweest. Niemand wilde mee.' Ik keek ons groepje rond en hoopte dat ze zich allemaal vreselijk schuldig zouden voelen.

Maar dat deden ze niet. 'O, wat jammer,' zei Elien. 'Als ik dat geweten had, was ik heus wel meegegaan.'

'Daar ben je een béétje te laat mee.'

Elien schoot in de lach. 'Niet boos zijn, hoor,' zei ze. 'Volgende keer gaan we allemaal mee, goed?'

Ze keek er zo grappig bij dat iedereen moest lachen. Iedereen, behalve Tibby, die voor zich uit staarde.

'Wat zit je toch steeds te tekenen in de les?' vroeg Jeske. 'Het is iets Egyptisch, hè?'

Ik knikte.

'Die Egyptenaren waren altijd maar bezig met de dood,' zei Elien. 'Best ranzig.'

'Ze hadden het gewoon goed begrepen,' zei Tibby plotseling.

'Wat?'

'Dat het leven niks is en dat je beter dood kunt zijn.'

'Nou ja!' Jeske zette grote ogen op.

'Ze waren gewoon niet bang voor de dood,' zei ik. 'Als ze doodgingen, kwam Anubis. Hij bracht hen veilig naar de volgende wereld, in een bootje over de rivier.'

'Lijkt me top, zo'n enkele reis met die Anubis,' zei Tibby.

'Waarom doe jij zo?' zei Lianne met een vies gezicht. 'Denk je soms dat dat grappig is?'

Of zou ze het echt menen? Dat schoot ineens door me heen.

Elien redde de situatie. 'Ik vind dat je helemaal gelijk hebt, Tibby. Een heerlijke cruise over de Nijl, dat lijkt me het einde! Egypte schijnt prachtig te zijn. En altijd lekker weer!'

Ik was er niet gerust op. Waarom deed Tibby zo? Moest ik het hier met JP over hebben? Hij had gezegd dat ik altijd mocht komen als er iets met Tibby was, maar het voelde zo stom om naar hem toe te gaan.

'Is je werkstuk nog gelukt?' vroeg ik.

'Ja, ik ben in de mediatheek gaan zitten. Kan ik het bij jou printen?'

'Tuurlijk,' zei ik.

Toen lachte ze weer.

Ik vond het leuk dat we na school nu eindelijk eens naar mijn huis fietsten.

In de gang rook ik een scherpe stank en heel even sloeg een belachelijke wilde hoop door me heen. Rook het naar kat? Hadden we een poes?

Nee, natuurlijk. Jana was een beetje uitgeschoten met de WC-EEND. De keuken glom en er stond een bordje op het aanrecht. Het knipoogde vaderlijk toen ik het in de afwasmachine schoof. Ik zag Tibby kijken.

'Is het altijd zo netjes hier?' fluisterde ze, terwijl er niemand thuis was.

'Jana is net geweest,' ze ik.

'O ja, daar hebben jullie iemand voor.' Ze zei het alsof ik een soort prinses was.

Ik startte mijn computer op en printte haar boekverslag uit. En haar werkstuk voor aardrijkskunde. En ik vulde het papier bij.

'Jemig,' zei Tibby. 'Jij hebt ook echt je eigen pc, hè. En alles doet het hier gewoon en je hebt genoeg papier.'

'Ja, natuurlijk,' zei ik verbaasd. 'Wat heb je aan een printer zonder papier?'

'Ja, natuurlijk,' echode ze. 'En je kunt ook alles vinden.'

Ik kon alles vinden, ja, dat leek me nogal logisch. Waar wilde ze heen? In haar stem hoorde ik iets wrangs, iets zuurs. En ook iets verlangends, iets wat ik juist voelde als ik bij háár was, waar alles zo lekker levend voelde, in plaats van doodgeorganiseerd zoals bij ons. Ik was best jaloers op haar.

Maar toen dacht ik aan de stapels troep boven op hun roestige hartjeswasmachine, aan hun pc, die waarschijnlijk nog maanden stuk zou blijven, net als haar fiets, en toen begon me iets te dagen.

# 3

Sinds ik Tibby had gezegd dat ze af en toe wel even mocht afkijken, deed ze niets anders meer. Ik had er een keer iets van gezegd, maar ze bleef het doen. Het hielp geweldig voor haar cijfers en de leraren werden een stuk vriendelijker tegen haar. Wilkes had haar zelfs geprezen!

Tibby vond het allemaal vanzelfsprekend. Vriendinnen hielpen elkaar, en zo. Bij iedere toets was het: 'Psst, Anne.'

Dat ging nu al twee weken zo en eigenlijk beviel het me niet. Ik werd er zenuwachtig van. Als iemand ons betrapte, was Tibby de klos, maar ik ook. Ik wilde haar dolgraag helpen, maar moest dat op deze manier? In de pauze begon ik erover.

'Tips, die toets van Frans van overmorgen...'

'Ja? Ik kom lekker naast je zitten.' Ze lachte de stralende Tibbylach waar ze zo mooi van werd.

Ik haalde diep adem. 'Tib, ik weet niet of het wel zo'n goed idee is, dat afkijken.'

'Juist wel! Heb je mijn cijfers gezien?' zei ze opgetogen.

'Maar het voelt gewoon niet goed.'

'O, heb je weer een braafheidsaanval?'

'Daar gaat het niet om! Straks worden we betrapt.'

Weg Tibbylach. Ze wreef over haar mond. 'Ja, nou ja, ik begrijp het. Je hoeft me niet te helpen als je niet wilt, of zo. Ik zie wel. Het zal wel weer halftwaalf worden. Misschien kan Jeff me overhoren.'

Jeff? Dan moet hij toch eerst zijn bed uit komen, dacht ik.

'Ik wil je best overhoren. Ik wil alleen niet dat je alles afkijkt.'

'Hoeft niet, jij hebt het al zo druk.'

'Ja, nou en.'

'Laat maar,' zei ze. 'Ik snap heus wel dat je mij een beetje zat wordt.'

'Tips, dat is het niet. Ik word jou niet zat. Ik word het afkijken zat.'

'Nou, sorry voor de overlast. Ik dacht dat wij een afspraak hadden, maar goed.'

Ze vroeg die middag niet of ik met haar meeging naar huis. En de volgende dag ook niet.

Ik voelde me afschuwelijk schuldig, maar ik wilde niet toegeven, ook al miste ik die middagjes bij haar. Ik miste de poezen en het geroer in de pannetjes. Onze nieuwste vinding was warm appelsap met kaneel, en thuis smaakte dat lang zo lekker niet.

Toen we twee dagen later de toets van Frans hadden, zat Tibby zo zielig te zuchten dat ik haar toch weer haar gang liet gaan. Ze was dolblij en knipoogde iedere keer en fluisterde: 'Anne, je bent de liefste vriendin ooit!'

Belle Bonamour zag niks en gek genoeg had ik daar toen ook weer een snertgevoel over.

Hoe moest dat straks, met die megatoets van Duits?

**4**

December begon grauw en regenachtig, maar er was één lichtpuntje. In de hal hing opeens een waanzinnig groot affiche.

---

## VRIJWILLIGERS GEVRAAGD!

De feestcommissie zoekt extra mensen om op vrijdag
10 februari een spetterend Kunstfestijn te organiseren.
Burgemeester, fanfare, feestelijke onthulling van het
Kunstwerk ter gelegenheid van het 101-jarig bestaan
van de school. Kunstzinnige hapjes, optredens,
discoavond! Meld je aan en help mee!
Eerste vergadering:
Donderdagmiddag om 15.30 in het Studiehol!

Jeske, Tobias, Klaar, Kader, Boris, Danny

---

Het honderdjarig bestaan van onze school was inmiddels een gevleugelde grap. Wekenlang wachtten we op het moment dat het Kunstwerk klaar was zodat we konden feesten. Het festijn werd twee keer uitgesteld en daarna bleef het stil. Inmiddels waren we bijna een jaar verder en de school gonsde van de grapjes:

Het kunstwerk is een tijdmachine en het komt expres te laat, zodat die kunstenaar kan demonstreren hoe het werkt.

De kunstenaar had aan het eind van zijn geld nog een heel stuk jaar over.

Die kunstenaar heeft een grote buik gemaakt, waar je van alles op kunt schrijven.

Hij heeft het vergeten jaar nul in ere hersteld bij de jaartelling!

Dat soort grapjes dus. De schoolkrant had elke week een nieuwe, soms leuk, soms flauw. Maar blijkbaar was het hem nu toch gelukt. Feest! Ik had me graag aangemeld om te helpen, als die stomme Danny niet in die commissie had gezeten.

Op een ochtend was ik laat, ik kon mijn regenbroek niet vinden en ik was al doorweekt voordat ik de straat uit was. Toen ging mijn mobiel. Ik stapte af om hem onder al die kleren vandaan te graven.

Het was Tibby.

**Kan je me plies straks nog één keer helpen met Duits?**
**Allerlaatste keer, plies plies plies je bent n sgat!!!**

Mijn buik kromp ineen bij het vooruitzicht. Fred kon mijn bloed wel drinken. Als hij me alleen al aankeek, begon hij al te spetteren. Als hij me betrapte met spieken zou hij een woedeaanval krijgen die iedere eerdere Fase IV ver overtrof, dat wist ik zeker. En als ik eruit vloog, was ik er geweest.

Ik doe het niet, dacht ik. Ik hoef het niet te doen!

Maar als ik Tibby niet hielp, wat dan? Whisky en Wodka spookten door mijn hoofd, samen zo lief ineengekruld op de broodplanktafel. Ik dacht aan kaneel en kamperfoelie en rozen en appelbollen, aan de geur van Tibby's huis, aan wild geluk. Tibby was mijn vriendin, ik kon haar toch niet laten zakken? Dan zou ze me nooit meer vertrouwen. Dan was ik alles kwijt, voorgoed.

Ik doe het niet, ik doe het niet, ik hoef het niet te doen! jammerde mijn buik. Denk aan Fase IV!

Hoe zou Sam dit aanpakken? Of Elien? Elien zou zeggen:

ach, als ze zakt, dan doet ze er een jaartje langer over, wat geeft dat nou? Elien begreep niet hoe bang ik was om Tibby kwijt te raken. Elien had een andere buik dan ik.

Ik doe het niet, ik doe het niet, ik hoef het niet te doen! De hele weg naar school dreunde het door mijn hoofd, tot ik er hoofdpijn van kreeg.

Langzaam begon ik mijn buik een beetje te geloven. Ik mocht zelf kiezen.

Tegen de tijd dat ik op school aankwam brak de zon door de wolken, stralend en net zo zeker als mijn beslissing. Tibby moest zelf maar naar JP gaan voor een oplossing! Ik hoefde niet alles maar goed te vinden! Ik mocht het helemaal zelf kiezen. Ik kon doen wat ik wilde.

De straat dampte. De zonnestralen streelden mijn gezicht. Ik stapte de school in, druipend, te laat, maar bruisend van goede moed.

Mijn oog viel op het affiche van het kunstfeest. Met grote letters had iemand *Vandaag = donderdag !!!!!* erbij geschreven en ineens leek het belachelijk om niet mee te doen, alleen vanwege die stomme Danny. Ik schreef mijn naam op de lijst en Tibby schreef ik erbij. Het zou haar goed doen om weer eens lekker te lachen.

Achter mij knarste een stem: 'Te laat en ook nog alle tijd nemen? Dat wordt prikken, mevrouwtje.'

Prikkebeen! 'Ja, meneer,' mompelde ik. Ja, Prikkebeen, goed, Prikkebeen, moet je daar zo misselijk bij lachen, Prikkebeen?

Hij schreef mijn naam op de priklijst. Morgen prikken. Ook dat nog.

# 5

Ik gaf Belle mijn telaatbriefje en schoof vlug naast Tibby in de bank. Ik had het steenkoud in die natte broek. Ik warmde mijn verkleumde handen bij de radiator en probeerde Belles boze blikken te negeren. Mijn goede humeur was verdwenen. Tibby hing lusteloos over haar tafel en staarde uit het raam. Ze zei niets.

De hele les piekerde ik erover, hoe ik het afkijken ter sprake kon brengen. In gedachten vermorzelde Tibby iedere poging om het erover te hebben.

Sorry, Tips, je mag niet afkijken.

Oké, zou ze antwoorden, ik begrijp het, en dan zou ze zwijgen op een nare, verwijtende manier.

O, zou ze zeggen. Goed, als je dat niet voor mij overhebt.

Ach ja, ik verpest nu eenmaal alles voor mezelf, zou ze zeggen. Sorry dat ik jou daarmee lastigval.

Nou ja, ik verdien ook gewoon een onvoldoende, je hebt wel gelijk. Laat mij maar.

Het gesprek maalde rond en rond in mijn hoofd. Ik leek wel zo'n held die een draak moest verslaan. Elke keer dat ik er een kop af sloeg, groeiden er meteen twee of drie nieuwe koppen aan.

Ook de hele les wiskunde hakte ik drakenkoppen af.

Ik snap het wel, wie wil er nu vrienden zijn met mij?

Ja tuurlijk, geeft niet. Misschien sturen ze me wel van school, nou ja, je zult me wel niet missen. Hak hak hak.

Groei groei groei.

Als held was ik een kansloze mislukkeling.

We hadden Latijn en nog altijd hakte ik drakenkoppen af, heldhaftig als Hercules zelf, maar het hielp niets. Die draak moest een stevige, definitieve doodsteek krijgen. Maar hoe?

Mijn buikpijn werd steeds erger. Ik wilde best iets voor Tibby overhebben, graag zelfs, maar ik wilde me niet laten gebruiken. Het voelde gewoon niet goed op deze manier.

Latijn was afgelopen en we dromden naar de gang. Het was nu of nooit.

'Tips, ik moet echt even met je praten.'

Hoorde ze me wel?

'Tips...'

Tibby lachte naar me, onverwacht warm. Ze sloeg een arm om me heen. 'Heb ik al gezegd hoe tof jij voor me bent? Jij bent er altijd voor me, ook als iedereen me laat zakken. Je bent echt mijn redding.' Ze gaf me een dikke knuffel en ze lachte zo warm en hartelijk. Eindelijk had ik de oude Tibby weer terug!

Alle dappere woorden die ik had bedacht hield ik in. De woorden protesteerden, ze gleden rond en rond in mijn buik tot ik ze veilig had bevroren. Zelfs mijn keel werd van ijs. Geen protest!

En toen begon de toets van Duits.


Fred zat al klaar met de papieren en zijn speciale toetsgezicht. We moesten de tafeltjes uit elkaar zetten en Tibby moest achter me gaan zitten. Gereduceerd spiekrisico, noemde Fred het.

Niet dat dat nodig was. Ondanks mijn ijsbuik was ik vastbesloten. Ik hoefde niets te doen wat ik niet wilde!

We kregen een Duitse tekst met vragen, de meeste in het Nederlands en een paar in het Duits. Multiple choice, lekker makkelijk.

Tibby zat achter me te zuchten en te kreunen. Na tien minuten begon het gesis. Heel zacht.

'Dertien?'

Nu even niet, zei ik tegen mezelf. Vriendschap is de vrijheid om nee te zeggen.

'Psst, dertien, toe?'

Ik deed alsof ik haar niet hoorde, ik keek hardnekkig uit het raam. Ik doe het niet, dacht ik. Gewoon NIET. Ik heb het niet eens gehoord.

Mijn ijsbuik begon pijn te doen.

'Anne!'

Arme Tibby. Ze moest zich wel wanhopig voelen.

Ik doe het niet, ik doe het niet, ik hoef het niet te doen.

'Dertien, *bitte*?' Smekend gesis achter me. Mijn hart kromp ineen. Straks wilde ze me nooit meer zien.

'Bitte?'

Ik doe het niet, ik hoef het niet te doen. Maar als ik haar nu één antwoord gaf, vrijwillig, alleen om haar over de eerste hobbel heen te helpen. Alleen maar eentje, dan was ze op weg, dan kon ze het verder zelf. Het hoefde niet, ik mocht het zelf weten.

Ik leunde achteruit op mijn stoel, iets dichter naar Tibby toe, en hield onopvallend drie vingers omhoog.

'En veertien?'

Nee!

Ik doe het niet, ik doe het niet, ik hoef het niet te doen! Mijn simpele fietsdeuntje zwol aan tot een schetterend orkest. Ik kon haast niet meer nadenken.

'Veertien, bitte?' Iets harder nu.

Ik kreeg zin om me om te draaien en Tibby af te snauwen, maar dat kon natuurlijk niet. Fred zou een woedeaanval krijgen en direct in Fase III schieten. Of zelfs in Fase IV! Ik schudde mijn hoofd, maar het gesis hield aan.

Fred keek. Fase 0. Maar toch.

'Anne, plies!'

Ai, dat ging als een mes door mijn ziel.

Ik loerde naar Fred. Hij zat in gedachten verzonken en plakte afwezig zijn grijze haren terug over de kale plek midden op zijn hoofd.

Twee vingers.

En nu was het genoeg.

Maar achter me smeekte Tibby onverminderd door. Gek werd ik ervan. Waarom hadden we geen signaal afgesproken voor Nee? Met een zucht schreef ik de antwoorden voor vraag vijftien tot twintig op een papieren zakdoekje. Dat irritante gesis moest afgelopen zijn, Tibby moest het zelf maar weten. Ik veegde zogenaamd wat haren uit mijn nek, lette goed op of Fred niet keek, leunde met mijn stoel zo ver mogelijk naar achteren en liet het zakdoekje op Tibby's tafel vallen.

Tenminste, dat was de bedoeling.

Jammer genoeg landde het op de grond. Tibby stommelde half onder haar bank om het op te rapen.

De ogen van Fred schoten als een havik onze kant op. 'Wat moet dat daar, *meine Damen?*' Hij trommelde op zijn bank. Fase II. Nu zou zo het oorwurmgezicht komen, en de boze belletjes en de rest, keurig op volgorde. Ik boog me nog iets dieper over mijn toets. Ondanks alles moest ik mijn best doen om niet te lachen, ook al was het niet grappig.

'Ik ben een beetje verkouden, meneer,' snufte Tibby. 'Sorry. Mijn zakdoek viel.'

Ik tuurde op mijn blaadje en weefde een dikke wolk van ik-heb-er-niks-mee-te-maken om me heen. Fred snoof als een bloedhond de geur op van bedrog.

'Ga eens zitten, jij,' spetterde hij met een rood hoofd.

Wat gebeurde er? Spetteren was Fase I maar een rood hoofd was Fase III! Waar bleef het trommelen? Er klopte iets niet. Hoe kwaad was hij nu eigenlijk? Viel het allemaal reuze mee, of was het al bijna Fase IV?

Tibby kroop terug in haar bank.

Fred stond op en kwam met grote stappen naar ons toe. Hij wurmde zich tussen onze banken in, om het zakdoekje op te rapen. Hij rook naar pepermunt en naar Axe for Men. Ik zette me schrap voor Fase IV.

Uit mijn ooghoek zag ik nog net hoe Tobias een briefje

doorschoof naar Tarik. Iedereen spiekte bij Fred, echt iedereen, en van de anderen had hij het nooit door. Waarom lette hij zo op ons?

'Denk maar niet dat jullie mij voor de gek kunnen houden!' blafte Fred. Maar tot mijn stomme verbazing gaf hij het zakdoekje aan Tibby. 'Hier, snuit je neus. En denk erom, nu geen gedonder meer.'

Weg was hij, naar zijn bureau, waar hij rustig ging zitten rondkijken, zonder belletjes, zonder getrommel. Hij peuterde een velletje uit zijn oor en bestudeerde het aandachtig. Even was ik bang dat hij het zou opeten, maar toen veegde hij het af aan zijn spijkerbroek. Ik voelde het rood naar mijn kaken kruipen. Dit was niet leuk meer. Zou hij soms een van die leraren zijn die daar zaten te zenuwtrekken op de stoel bij JP?

# 6

De bel.

Achter me hoorde ik een diepe zucht, gevolgd door binnensmonds gefoeter. Ondanks mijn hulp had Tibby het niet af.

Fred haalde de blaadjes op.

'Weet je hoe lang ik hieraan gezeten heb? Tot halftwaalf,' zei Tibby terwijl we onze spullen inpakten.

'Goh,' zei ik. 'En hoe laat was je begonnen, kwart over elf?' Het was een rotopmerking, ik geef het toe.

'Waarom gooide jij ook dat stomme zakdoekje op de grond?' zei ze.

'Duh, daar stonden de antwoorden op.'

'Lul niet,' zei ze.

Ik begreep niet wat ze bedoelde. Ze keek me vuil aan en schudde nijdig met haar vlechtjes. 'Bedankt, dit wordt weer een drie.'

Bedankt? Was ik verantwoordelijk voor haar drie? Opeens zag ik mijn kans! 'Dus je had niks aan mijn hulp? Weet je, Tib, ik heb erover nagedacht, over dat afkijken. Ik doe het niet meer. Ik wil je hartstikke graag helpen, met overhoren of uittreksels maken of samen leren, weet ik het, maar dit doe ik niet meer. Dit voelt echt niet goed.'

'Maar als jij me niet helpt...' begon ze en ze keek. O, wat kon ze toch kijken, met die kohlzwarte ogen, op honderd manieren kon ze kijken en alles wat ik dan wilde zeggen bleef plakken als een klont in mijn buik. Ik liep vlug weg, maar bij de deur hield Fred ons tegen.

'Heel even,' zei hij.

We wachtten tot iedereen weg was.

'Jongens, waarom doen jullie dat nou?' vroeg hij toen. 'We hebben het hier toch over gehad? Eerst kregen jullie een waarschuwing. Toen zette ik jullie apart. Ieder aan een eigen tafeltje. En nu dit.'

Hij keek ons vragend aan. Niet boos, niet rood, zelfs niet wrekend. Vragend.

Ik wist niks te zeggen.

'We deden niks!' zei Tibby kwaad. 'U kunt niks bewijzen.'

'Tibby, ho nou even,' zei Fred. 'Wat je al spiekend leert, vergeet je niet gauw meer. Daarom sta ik wel eens iets toe. Maar er zijn grenzen en die hebben jullie zojuist overschreden.'

Fred zuchtte en spreidde een verfrommeld papieren zakdoekje uit op zijn bureau. Op de rand, met potlood, stonden de antwoorden van vraag vijftien tot twintig. Hij had het omgewisseld! Dat was wel het laatste wat ik had verwacht.

'Dit kan dus niet. Ben ik duidelijk?'

Minutenlang was het helemaal stil. Tibby staarde naar haar schoenen.

Toen zei ik: 'Weet u wel hoe moeilijk zij het heeft, meneer? Hebt u enig idee?'

'Dat geloof ik meteen,' zei Fred. 'Maar dit kan niet. Tibby, jij moet het zelf doen.'

'Moet ik mijn vriendin dan maar laten zakken?' vroeg ik. 'Zij zit serieus tot halftwaalf te leren.'

'Werk jij er zo hard voor, meisje? Tot halftwaalf?' vroeg Fred aan Tibby. 'En is er niemand die jou eens helpt?' Zijn stem klonk zo vriendelijk, ik had nooit verwacht dat hij zo aardig kon zijn!

Maar Tibby viel woedend uit: 'Halftien, halfelf, halftwaalf, wat maakt het uit! Jullie geven me gewoon geen kans! Alleen omdat ik een buitenlander ben! Lekker makkelijk. Maar ik ben heus niet dom!'

Ze griste het zakdoekje van de tafel en snoot luidruchtig haar neus. Toen smeet ze het terug naar Fred. 'Hier, heb je je bewijs. Doe maar wat je wilt, trap me maar van school, net als die kansloze kaklui van vorig jaar.'

Waarom deed ze zo? Hij wilde haar toch helpen?

Fred wachtte. Tibby keek hem aan, eerst uitdagend, toen onzeker.

'Als het werk je zoveel moeite kost, dan moeten we daar eens over praten. Misschien kun je wat hulp gebruiken.'

'Ik ga echt niet allerlei gesprekken voeren,' zei Tibby kwaad. Er kwam rook uit haar neusgaten en haar ogen bliksemden twee stralen vuur. Ik zag het duidelijk, heel even, toen was het weer weg.

Fred bladerde onverstoorbaar in zijn agenda. 'Morgen in de kleine pauze, kom je dan even naar me toe? Ik meen het serieus. En wat vandaag betreft, jullie zijn te ver gegaan en dat accepteer ik niet. Jij hebt gespiekt, dus je moet de toets overdoen, in je eentje, en jullie gaan vrijdagmiddag prikken. Allebei. Hier heb je een briefje voor thuis. En met jou heb ik nog een ander appeltje te schillen.' Doordringend keek hij mij aan. 'Jij zit voortdurend te tekenen onder de les.'

Ik zei niets. Ik wachtte. Dat deed hij zelf net ook, dat vond ik wel een goeie truc.

'Hiëroglieffen zijn interessant, maar in mijn les moet je Duits leren. Geen Engels, geen Latijn en ook geen Egyptisch. Ben ik duidelijk?'

Ik haalde mijn schouders op. Leer ons dan ten minste iets, dacht ik. Ik verveel me dood.

'Pardon?'

Ai, hij had me verstaan! Hij keek me doordringend aan. 'Goed. Jij hoort hier nog van.'

'Ja meneer,' zei ik, maar het kwam mijn mond uit als 'kgra', want nu had ik het pas goed verpest. Dit werd een bezoek aan JP.

Het zweet brak me uit.

Fred gooide het papieren zakdoekje in de prullenbak. Toen verliet hij kalm en waardig het lokaal.

'Nou, daar zijn we goed mee weggekomen,' zei Tibby tevreden. 'Ik dacht even dat hij totaal zou flippen. Viel mee, hè. Een beetje prikken, klaar!'

'Een beetje prikken, klaar? Hoorde je niet wat hij tegen mij zei? *Jij hoort hier nog van.*'

'Ach joh.'

Kon het haar dan niks schelen? 'Hij holt natuurlijk meteen naar JP,' zei ik. 'Ik kan wel inpakken. Luister, Tibby, ik doe het echt niet meer.'

'Wat bedoel je, wat doe je niet meer?'

'Voorzeggen. Jou af laten kijken. Ik doe het niet meer. Maak je eigen toetsen maar. Ik wil je best helpen met leren, dat heb ik al gezegd, en als je dat niet wilt, ook goed. Dan doe je toch gewoon een jaartje over?'

Ze keek me met vuurspugende ogen aan.

Mijn buik kneep samen. 'Ik kom in de problemen, kan je dat dan niks schelen?'

Tibby snoof. 'Problemen? Jij haalt een negen en ik een drie. Wie komt hier nu in de problemen?'

'Straks word ik geschorst, ja?'

Ik schreeuwde en Tibby bevroor voor mijn ogen. Alle warmte verdween uit haar stem.

'Je hebt gelijk,' zei ze. 'Mijn fout. Ik was even vergeten dat je zo braaf en apothekerig was. Sorry. Ik zal je niet meer lastigvallen.' Ze draaide zich om en liep weg.

Ik zei niets.

De draak was verslagen, maar ik voelde me alsof ik zelf op het slagveld lag te bloeden.

Het blauwe boek ligt open voor me, zwijgend, de blaadjes leven-
loos als schubben van een dooie draak. Ik pak mijn pen om ze
weer tot leven te wekken met woorden, met hiëroglifen desnoods, maar voordat ik iets schrijf, beginnen die zachte, witte pa-
gina's toch tegen me te fluisteren. Ritselend en lispelend fluisteren
ze dingen die ik niet wil horen.

'Dat was niet best. Waarom maakte je het haar zo moeilijk?'
fluistert het boek.

'Moet je zien wat ervan kwam!'

Maar wat had ik dan moeten doen?

'Je had het heel anders moeten aanpakken,' fluisteren de dra-
kenschubben. 'Je was het zat, nietwaar? Je hebt haar laten zakken.'

Schuldgevoel vlamt door mijn buik, langs mijn hart. Ik heb zo
mijn best gedaan en toch was het altijd weer fout. Fout, fout, fout.

Ik smijt mijn pen met een klap neer op mijn bureau.

'Ja ja,' fluistert het boek. 'Zo veel moeite en zo weinig resultaat.
En jij dacht dat je briljant was? Allemaal verbeelding. Je bent een
mislukkeling. Je bent een machteloze nul. Dacht je nu heus dat jij
Tibby kon helpen?'

Dat dacht ik inderdaad. Dat stomme boek heeft gelijk, maar
daarom hoef ik er nog niet naar te luisteren. Machteloos klap ik
het dicht. Dit boek is een van Easy's minder geslaagde acties. En
het begon nog wel zo leuk, toen met die voorbereiding voor het
kunstfestijn.

# Decemberfeest

Na de preek van Fred slenterde ik in mijn eentje naar de hal. Op de inschrijflijst voor het feest stond al een flinke rij namen. Ik las ze en streepte mijn naam door. Ik had geen zin meer in een feest. Ik had het te druk en ik was braaf en apothekerig.

En Easy stond er toch niet bij.

Tibby liet ik staan.

Buiten scheen de zon door de zwarte regenwolken, een stralenkrans tussen de ontbladerde bomen. Het plein lag vol plassen die fel glansden van het licht. Een stukje verder op het plein stond Easy. Hij keek en hij zwaaide! Naar mij! De toestand met Tibby verdampte tot een klein onbetekenend wolkje, dat wegdreef aan de horizon.

Ik zwaaide terug.

'Naar wie zwaai je?' Het was Tibby. Was ze me gevolgd?

'Vrienden?' zei ze. 'Ik heb nog geld voor cola.' Het was een magere poging om weer een beetje normaal te doen.

'Nee, ik hoef niet,' zei ik.

'Ik moet nog huiswerk maken, zullen we dat samen doen? Please?'

Easy keek nog steeds naar me. Tibby, ga weg, dacht ik. Dan kan ik even naar hem toe en iets zeggen.

Iets doms.

Iets toevalligs.

Iets.

Maar Tibby ging niet weg. En Jeske kwam langs en riep: 'Tof dat jullie meedoen! We zitten zo meteen in het studiehol, over een kwartier.' Ze zwaaide vrolijk en liep verder.

'Waar heeft zij het over?' vroeg Tibby.

'Ik heb jou opgegeven voor die feestcommissie.'

'Tegen de tijd dat dat feest is, ben ik hier allang weg,' zei Tibby treurig. 'Het lukt me hier toch niet. Het lukt me nergens. Veel plezier.'

Ze liep weg zonder nog iets te zeggen.

Ik keek of Easy er nog stond, maar hij was al verdwenen.


Ik pakte mijn tas en zwiepte hem op mijn rug.

'Au!' klonk een diepe stem achter me.

Ik draaide me om en keek in de leukste groene ogen *ever*. Easy wreef over zijn hoofd en lachte.

'Oeps, so-sorry,' stotterde ik. 'Gaat-ie?'

'Ja, hoor,' zei hij. Zijn lach schoot als een bliksemflits door me heen en ik giechelde zenuwachtig. Dodelijk gênant, maar ik kon het niet tegenhouden. 'Sorry!'

'Al goed,' zei hij en hij glimlachte ontzettend lief, bijna van oor tot oor.

In mijn buik raasde iets gevaarlijk heerlijks. Iets wilds en roekeloos.

'Eigenlijk moet er wat ijs op die bult,' zei ik. 'Maar de ijsboer is er niet.' Bla bla bla.

'Vanille-ijs?' Hij lachte weer.

'Heet je echt Easy?' vroeg ik. 'Dat is zo'n aparte naam.'

Hij knikte. 'Voor vrienden wel.'

'En voor anderen?' vroeg ik.

'Jij hoort bij vrienden, toch?' *Big smile.* 'En jij? Heet jij echt Annemarth?'

'Ja, duh,' zei ik. '"Crisis" voor mijn vijanden. Dus kies maar. Of nee, doe ook maar niet.' Ik raaskal, dacht ik.

Maar hij lachte toch. 'Annemarth is mooi. Help je mee met het feest?'

'Jij stond er toch niet bij?' vroeg ik.

'Zeker stond ik erbij. Het wordt cool. Ik heb een hele serie discolampen geregeld.' Zijn glimlach was oogverblindend.

'Goed geregeld,' wist ik uit te brengen. Mijn mond was

droog, alsof ik een hap zaagsel had genomen, maar in mijn buik dansten honderden vlinders een tango. Waarom had ik mijn naam doorgestreept? Waarom had ik zijn naam niet zien staan?

'Kom jij nooit in Sisters?' vroeg hij. 'Laatst was je er niet.'

Hij had me gemist! Ik begon te zweven, een halve meter boven de grond. Hij had me echt gemist! 'Is dit een uitnodiging?' flapte ik eruit.

Hij lachte, maar hij zei niet ja.

EA. Spelletjes, schoot door me heen. 'Draai je er vaak?' probeerde ik.

Hij knikte. 'Meestal draai ik op feestjes, maar binnenkort nog een keer in Sisters. Met de kerstdisco, dan moet je echt komen!'

'Doe ik,' zei ik. 'Stond je echt op de lijst?'

'Ik stond echt op de lijst. Isi met een I.'

Ik begreep hem niet.

'Isi. Van Isidoor.' Hij lachte verontschuldigend.

Hij heette Isidoor! Het was te schattig voor woorden. 'Apart,' zei ik vertederd. 'Uniek hoor.'

Easy boog zich voorover. 'Jij bent ook uniek,' fluisterde hij in mijn oor. Ik rook zijn haren. En hoe hard mijn hoofd ook 'spelletjes' schreeuwde, mijn hart riep boinkerdebonkerde-boink en al die tangovlinders in mijn buik boinkten mee. De hockeytraining, de sintdrukte, zelfs de Tibbycrisis, alles smolt weg als vanille-ijs in de zomerzon. Er bestond nog maar één ding: Easy! En reken maar dat ik meedeed met de voorbereidingen voor het feest.

# 2

'Het studiehol' was een rare naam voor een plek waar zelden werd gestudeerd maar waar al honderden schoolfeesten waren georganiseerd. Het was groot genoeg voor de feestcommissie, maar met alle extra vrijwilligers was het overvol. Ik wurmde me door de deur naar binnen, Easy bleef vlak achter me staan. Ik kon hem voelen. Hij tintelde dwars door me heen. Nog twee mensen wilden naar binnen, maar ze konden er niet meer bij.

Ik schuifelde voorzichtig een stapje opzij. Iedereen stond hutjemutje op elkaar gepropt. Easy werd dicht tegen me aan geduwd. Mm.

In het midden, naast Jeske, stond Danny, dat discomaatje van Easy. Even dacht ik dat ze me een vuile blik toewierp, maar misschien was het verbeelding, omdat ze nogal veel make-up op had.

'Kom maar wat verder, hier is nog plek,' zei iemand. Jeske gebaarde dat ik verder moest lopen. Maar ik bleef lekker staan. Toen voelde ik Easy's arm die me zachtjes opzij duwde. Duwde hij me weg? Vond hij me een kleffe trut? Maar nee, hij schuifelde met me mee tot we iets meer ruimte hadden. Hij bleef heel dicht bij me staan.

Jeske nam het woord.

'Oké, tof dat iedereen mee komt helpen. We gaan er een knalfeest van maken! Weet iedereen het thema al? Het wordt Black and Blue.'

Geklap, gejoel. Iemand zei giechelend: 'Bont en blauw', en schoot in de lach.

Jeske ging verder, helemaal in haar element. 'Danny, Kader en ik hebben een inventarisatie gemaakt van alle taken.'

Jeske vertelde dat het kunstwerk binnenkort geplaatst zou worden en ze somde allerlei dingen op die geregeld moesten worden. Fanfare, feestverlichting, kaartjes, inkopen, hapjes, uitnodigingen, posters. Ik wist niet dat Jeske zo goed kon organiseren.

Easy stond zo dicht bij me, zijn adem in mijn hals.

'... en daarna houdt de burgemeester een openingsspeech, maar dat gedeelte regelt Annechien met de gemeente. Ik heb hier hun exacte tijdschema.'

Easy's arm raakte de mijne, ik tintelde van top tot teen. Af en toe ving ik iets op, de rest ging langs me heen totdat ik plotseling hoorde: 'Danny, kan jij wat vertellen over jouw gedeelte?'

Met een schok was mijn aandacht terug bij het feest.

Danny gooide haar lange haren naar achteren en stak haar mooie borsten naar voren. Ze begon een heel verhaal over aankleding en verlichting.

'En de lampen...' Danny keek de zaal zoekend rond en lachte toen lief mijn kant uit. Waarom smeerde ze zich toch zo vol? Ze was al zo mooi.

'Easy, wat sta jij weggekropen,' kirde ze. 'Had jij al iets afgesproken over die discolampen?'

Trut, dacht ik.

'Die, eh...' Zijn stem was schor, hij hoestte. 'Ik haal ze donderdag voor het feest op. Zal ik je helpen met ophangen?'

Een zelfvoldaan lachje gleed over Danny's gezicht. 'Dat is fijn, want ze zijn best zwaar.'

Ik voelde een koude steek in mijn buik. Waarom deed hij zo overdreven aardig tegen haar? Trut trut trut!

'Wij helpen ook wel mee!' riep Sarah en ze keek naar Sam, die knikte. De schatten.

'Nou, Saar, eigenlijk hadden we aan jou gedacht voor de financiën,' zei Jeske. 'Iemand moet het overzicht houden, en jij bent daar een kei in. Hebben we nu alles?'

'Nog even over de versiering,' zei ik. 'Het is toch een Kunstfeest, dan lijkt het me leuk om het ook in stijl te versieren. Met kunst.'

'En hoe wilde je daaraan komen?' sneerde Danny.

'Gewoon, ik bel de directeur van het Stedelijk Museum,' zei ik luchtig. 'Ik vraag wat uit het depot.'

'Hè? Kan dat zomaar? Ken jij die of zo?' flapte Danny eruit, voordat ze doorhad dat ik een dom grapje maakte. Iedereen begon te lachen en zij werd paars.

'Dan nu nog de mensen die na afloop alles weer opruimen,' zei Jeske.

Easy boog zich over me heen. 'Dat doe ik. Help je mee?' fluisterde hij en legde zacht zijn hand op mijn schouder. Alles tintelde en mijn schouder begon spontaan licht te geven. Ik durfde me niet te bewegen, uit angst dat hij zijn hand weg zou halen.

'Volgens mij hebben we nu alles. Veel succes. Als er iets is, kun je sms'en naar mij of naar Annechien, oké?'

'Geef je mobiel eens,' zei Easy. Hij raakte mijn vingers aan toen ik hem aangaf. Hij bekeek hem en probeerde van alles uit.

'Mooi dingetje,' zei hij vol bewondering. Was hij zo'n technofreak?

'Ja, pas nieuw. Je kunt me overal bellen en zelfs sms'en, handig hè?'

Hij had me door. 'Alleen als je het nummer weet,' zei hij.

'Hoe is je geheugen?' vroeg ik.

'Helemaal leeg,' zei hij. 'Vertel maar.' Ik fluisterde mijn nummer in zijn oor. Weer rook ik zijn haren. Sandelhout en zee.

Terwijl we ons het studiehol weer uit wurmden, keek Danny me heel vuil aan. Ze elleboogde zich langs de anderen naar Easy toe en voordat ik iets kon zeggen begon ze tegen hem te kletsen over lampen en filters en kleuren. Ze stak haar borsten nog eens extra naar voren en zwierde met haar haren en ze lachte verleidelijk. En plotseling was zijn speciale, warme lach voor haar!

Trut, dacht ik, half tegen mezelf en half tegen Danny. Trut, trut, trut!

Ik wachtte even totdat Danny klaar was, zodat ik nog iets tegen Easy kon zeggen. Maar het duurde zo lang en hij zag me niet meer staan. Ik had nog wel iets met hem willen afspreken, ik wist niet wat, ik wist alleen dat ik meer van die handen wilde voelen. Veel meer. Ik wilde die warme lach voor mij alleen.

Jeske trok me mee.

'Wat stond jij lekker dicht bij Easy daarnet! Hebben jullie wat samen?'

'Nou, ja, ikkeh...' Ik kwam zo snel niet uit mijn woorden, maar Jeske liet zich niet voor de gek houden.

'Ik weet niet of je het doorhebt, maar je ziet dus wel knalroze! Sta je op hem te wachten?'

'Neuh, ik, eh, hij was nog even bezig.'

'Pas maar op voor Danny!' zei Jeske. 'Ze is hard bezig om hem aan de haak te slaan.'

# 3

Ik hoopte zó op een sms'je, maar Easy liet niets van zich horen. Ik baalde ontzettend. Ik zweeg terug en probeerde mijn hart op slot te doen, wat niet erg lukte.

Ik piekerde over de dreigementen van Fred. Het spiek-incident hing als een zwaard boven mijn hoofd, klaar om te vallen, maar Fred deed net alsof hij het totaal vergeten was. Eén middagje prikken, meer was er niet gebeurd. 'Hier hoor jij nog van,' had hij gezegd. Maar ik hoorde niets. Misschien had JP hem afgepoeierd en hem uitgelegd dat Tibby nu eenmaal hulp nodig had. Misschien wachtte Fred zijn kans af om me totaal te verpletteren. *Die Endlösung.* Nee, zo erg zou het toch niet zijn? Hij deed best vriendelijk tegen me.

Gelukkig was het bijna pakjesavond, en thuis was het eindelijk weer eens gezellig. Pa toeterde dagenlang jazzy sintliedjes op zijn klarinet en wij brulden luidkeels mee. Sam sleepte met kippengaas en oude kranten en ik knutselde een laptop voor Pa, die ik vulde met enge torren. Ma maakte chocomel met een scheutje rum.

Sint had voor ons allemaal een chocoladeletter met een maf gedicht van Pa en verder was er alleen een klein pakje. *Voor allen*, stond erop.

'Wat is dit?' vroeg ik.

'Maak maar open,' zei Ma en ze lachte haar mooiste lach. Het viel me nu pas op dat ze de fluwelen jurk aanhad. De operajurk.

'Staat je mooi, Ma, die jurk,' zei ik. Ik scheurde het pakje open.

Het was een plaatje van een woestijn en een paar piramiden.

Ik viel haast van mijn stoel.

'Ja,' zei Pa, 'Ik zag aan mijn boekenkast dat iemand hier in huis veel belang stelt in Egypte.'

Ik vloog hem om de hals.

'Sorry, Pa, maar ik vond het zo mooi.'

'Ja, dat snap ik. Maar als je het nu eens gewoon zou vragen?'

'Ja, daag, dan zou je nee zeggen,' zei ik.

'*Try me*,' zei Pa.

'Wanneer gaan we weg?' vroeg Sam.

'De vierentwintigste, 's avonds laat.'

'Gezellig, met de kater van de kerstdisco in het vliegtuig,' zei Sam.

'Kerstdisco?' zei Ma. 'Dat lijkt me niet zo'n goed idee. Je moet niet zo uitgeput op reis gaan.'

Ik keek Sam nijdig aan. Hoe kon hij zo stom zijn om dat te zeggen? Als hij zijn mond had gehouden, was er niets aan de hand geweest!

Sam keek heel oenig. Gelukkig had Ma niet gezegd dat we niet mochten. Ze had alleen gezegd dat ze het niet zo'n goed idee vond.

# 4

Toen ik op school vertelde dat ik naar Egypte ging, zagen de anderen groen van jaloezie, terwijl ze zelf ook leuke dingen gingen doen. Elien ging opnieuw naar New York en Jeske en Lianne gingen naar familie in Frankrijk.

Tibby zei dat ze al een heerlijk vakantiegevoel kreeg als wij naar de kerstdisco zouden gaan. Dat vond ik zo lief, want verder had ze natuurlijk geen plannen. Ik hoopte vurig dat Tarik er zou zijn en dat ze de avond van haar leven zou hebben. Dat verdiende ze echt, vond ik. Ze deed al een poosje haar best om weer aan de slag te gaan en het leek wel alsof ze minder somber was. Maar op een ochtend kreeg ze toch ineens een vette onvoldoende terug van Frans.

'*Alors*, heb je ernaar gekeken?' vroeg Belle. 'Met het boek open, deze keer?'

'Ja, natuurlijk!' zei Tibby.

'Misschien moet je eens een dyslexietest doen, *ma chérie*,' zei Belle. Ik geloof niet eens dat ze het onvriendelijk bedoelde, maar het kwam behoorlijk bot over. Blijkbaar was ze aan vakantie toe.

Tibby legde haar hoofd op haar armen. Ik kon het niet zien, maar het leek wel alsof ze huilde.

'Balen van Frans,' zei ik in de pauze.

'Ach, wat maakt het uit. Ze zullen me binnenkort toch wel van school trappen.'

'Waarom denk je dat toch?'

'Zo ging het de vorige keer ook. Eerst zijn ze aardig en dan worden ze opeens heel streng en dan mag je vertrekken. En wat moet ik dan, Anne?' Ze begon te snikken, zomaar op het plein.

'Kom op, meid.' Ik veegde kordaat haar tranen weg. 'Wat jij nodig hebt, is een lekker avondje uit.'

'Denk je?'

'Ja, lekker swingen. Wij gaan samen naar de kerstdisco. Lekker optutten en daarna heerlijk swingen, daar knap jij helemaal van op.'

'Dat duurt nog vet lang.'

'Ik wed dat Tarik er ook is.'

'Denk je?' vroeg ze. Haar gezicht klaarde wat op.

Ik zwaaide naar Tarik, die vlakbij stond. 'Hé, Tarik, kom je ook naar de kerstdisco?'

'Als jij komt!' riep hij terug.

Tibby keek meteen weer somber. 'Zie je wel,' zei ze, 'hij kijkt alleen naar jou.'

'Echt niet!' zei ik. 'Tarik is gewoon een flirt. Je mag hem hebben.'

'Ik hoef hem niet, die kleuter!' zei ze boos. 'En ik moet nog huiswerk maken. Kijk, dit.' Ze pakte haar Franse boek en scheurde er demonstratief een blaadje uit, gooide het op de grond en stampte erop. 'En dit.' Nog een blaadje!

'Hallo, doe even normaal!' riep ik en ik trok het boek uit haar handen. 'Wat heb jij? Je gaat toch niet je spullen kapot maken?'

Als antwoord kiepte ze haar hele tas leeg op het plein. 'Het heeft toch allemaal geen zin,' riep ze overstuur. Ze griste het boek weer uit mijn handen en slingerde het in de prikkelbosjes. 'Ik ben zwart en dom en lelijk en iedereen vindt me stom!' Toen rende ze weg, naar de fietsenstalling.

Ik viste haar boek uit de bosjes en Tarik hielp me om haar tas weer in te pakken.

'Wat heeft zij?' vroeg hij.

'Ze denkt dat jij mij leuk vindt,' zei ik.

'Jou leuk?' zei Tarik. 'Ze is niet wijs.'

Zie je wel, dacht ik. Hij zag niks in mij. Die kleur op zijn gezicht was vast van de ergernis.

Hoopte ik.

# 5

's Avonds belde ik Tibby op.

'Hé, gaat het weer een beetje?'

'Gaat wel.' Wat klonk ze mat en onverschillig.

'Ik heb je tas hier.'

'O, tof. Bedankt.' Dat klonk al beter.

'Zal ik hem even komen brengen?'

'Nee, hoeft niet, morgen is goed. Neem je hem mee?'

Jammer, ik was al zo'n lange tijd niet bij haar geweest. Ik miste Whisky en Bacardi en Wodka. 'Is goed,' zei ik. 'Gaat het verder wel?'

'Ik was wel stom bezig, hè? Ik schaam me dood.'

'Ach ja. Soms doe je iets stoms,' zei ik. 'Morgen is iedereen het weer vergeten.'

'Denk je? Ik voel me zo waardeloos. Ik zie het helemaal niet meer zitten. Waren daar maar pillen voor, om niks meer te voelen.'

'Ga maar mee naar de kerstdisco,' zei ik. 'Dansen helpt vast ook.'

Ik vroeg aan Ma of dat soort pillen eigenlijk bestonden.

'Middelen tegen depressie?' vroeg Ma. 'Ja, die zijn er genoeg, maar het is steeds meer de vraag hoe goed die nu eigenlijk helpen. Sommige mensen worden suïcidaal van die middelen. Dat is wel het laatste wat je wilt!'

Suïcidaal, dat was heel erg. Dat betekende dat iemand niet meer wilde leven. 'Als een middel niet helpt, mag het toch niet worden voorgeschreven?'

'Het is niet helemaal zeker,' zei Ma. 'De eerste onderzoeken waren veelbelovend, maar een middel wordt echt niet verboden als er wat twijfel rijst. Daar zijn keiharde feiten voor nodig. Het gaat om veel geld.'

'Wat is veel geld?'

'Rond de honderdvijftig miljoen euro per jaar. Wereldwijd hebben we het over miljarden.'

'Miljarden? Een fabrikant die zoveel geld heeft, kan die ook invloed uitoefenen op het voorschrijfgedrag van artsen?' vroeg ik.

Ma knikte aarzelend. 'Waarom wil je dat allemaal weten?'

'Voor een werkstuk,' zei ik vlug. 'Wat deden ze eigenlijk vroeger, voordat die pillen bestonden?'

'Vroeger waren mensen niet depressief,' zei Ma.

Daar keek ik van op.

Ma lachte. 'Dat heette vroeger anders. Je zat in de put, je was wat down of melancholisch. Dat beschouwde niemand als een ziekte, dat hoorde bij het leven. Depressie als ziekte is pas goed omschreven ergens eind jaren tachtig. En weet je wat ik nu zo apart vind? Opeens was depressie een officiële ziekte en opeens waren er pillen voor. Heel toevallig. Precies tegelijk. Het begon met Prozac en toen kwamen er meer en meer middelen.'

'Jeetje, Ma, geniaal,' zei ik. 'Een ziekte verzinnen die bij je pillen past. Dat zou een gouden zet zijn!'

'Ja,' zei Ma droog. 'Een zet van een paar miljard euro. Ja, ik kan me vergissen, maar het geeft toch te denken.'

'Troost is veel goedkoper.'

'Troost?' zei Ma. 'Dat valt tegenwoordig onder de kwakzalverij. Het is niet bewezen werkzaam en het kost ontzettend veel geld om te onderzoeken of het echt werkt of niet. Daar maak je geen winst op.'

Ik hoorde aan haar stem dat ze het geen grapje vond.

'Vind jij winst op pillen dan verkeerd?' vroeg ik.

'Nee, lieverd. Winst is prima. Ik had een goed jaar in de apotheek, daar gaan wij fijn van naar Egypte. Maar winst is een gevolg, geen doel. Het doel is de zorg voor mijn patiënten. Als winst het doel wordt, verlies je je integriteit.'

Dus daarom zat ze tot 's avonds laat al die recepten na te kijken. Eindelijk begreep ik haar een beetje. En het drong tot me door dat dit de eerste keer sinds maanden was dat Ma en ik weer eens een normaal gesprek hadden. En hoe fijn dat eigenlijk was.

'Zeg Ma, over winst gesproken, zullen we weer eens naar Utrecht gaan? Gezellig samen shoppen?'

'En wat winst stukslaan?' Ma begon te lachen. 'Doen we. Goed plan. En waarom wilde je dit nou echt weten?'

'Voor Tibby,' zei ik. 'Ze zit vreselijk in de put en haar schoolwerk lukt ook al niet.'

'Zo,' zei Ma. 'Dat is zorgelijk. Misschien heeft ze wat hulp nodig.'

'Denk je dat ze naar de dokter moet?' vroeg ik.

'Misschien,' zei Ma. 'Je kunt het eens voorstellen. Tibby boft maar met zo'n vriendin.' Ze knuffelde me zo lief. Net als vroeger. Ik was opeens weer blij met haar.

# 6

Het regende en het waaide en Tibby en ik zaten in de hal op de verwarming. Gisteren was ik weer eens bij haar geweest om samen huiswerk te maken. Het kwam erop neer dat we aan de houten tafel zaten met boeken en schriften, terwijl ik sommen maakte en zij mopperde dat ze geen liniaal had en dat haar schrift kwijt was en dat er een fout in haar boek stond en dat Annechien het zo raar uitlegde.

Ik had haar alle sommen voorgedaan terwijl zij poppetjes tekende in haar schrift, maar toen ik weg moest, naar hockeytraining, had zij nog niet één som af. 'Ik ga er nu meteen aan verder,' zei ze, maar toen ik wegfietste en nog even omkeek, zag ik dat ze achter het huis liep, de groentetuin in.

Ze moest hulp hebben, echte hulp.

'Tips, ik vind echt dat je naar JP moet. Hij kan je vast helpen.'

Ze keek onrustig de gang rond. 'Daar ben ik allang geweest, hoor.'

'Hè? Daar weet ik niks van,' zei ik verrast. Ik vond dat ze dat wel even had kunnen vertellen.

'Nee, dat wist jij niet en hij vroeg ook niet naar een verwijsbriefje van jou,' zei ze.

Slik. Zat ik haar soms te veel op de huid?

'Wat zei hij?' vroeg ik na een poosje. 'Of wil je dat niet vertellen?'

Tibby hield haar hand voor haar mond, zodat ik haar nauwelijks kon verstaan.

En toen ging de bel.

Elien zwaaide naar me, maar ik ging naast Tibby zitten. Ik had het gevoel dat er iets was, maar ze zei weinig en kauwde vies op haar nagels tijdens de les.

'Wat is er toch?' vroeg ik.

Na wat gehakkel en geaarzel vertelde ze het toch. 'JP vindt dat ik naar de dokter moet. Maar ik ben niet ziek.'

'Weet je dat zeker? Je kunt haast niks onthouden, dat is niet normaal, hoor. Straks heb je suikerziekte of zoiets, dan komt alles daarvan. Zit je hier voor niks te tobben.'

Tibby kauwde op een vlechtje en zei niets meer. Ik liet haar maar even en ik droomde weg over Easy. Over zijn groene ogen, zoals niemand anders ze had. Ik wilde die ogen van dichtbij zien.

In de volgende pauze probeerde ik om onopvallend in de buurt van Easy te komen. Misschien kon ik iets tegen hem zeggen. Hoi Easy, of zo. En dan kijken wat er gebeurde. Ik kon natuurlijk wel iets mailen of krabbelen, maar dan stond ik daar tussen 342 anderen. Persoonlijk contact en een glimlach, dat leek me beter. Vooral de glimlach.

Maar het was lastig. Easy liep de hele tijd bij een stel anderen uit zijn klas, nota bene met Sam. Die twee waren echt dikke vriendjes aan het worden. Op zich niet verkeerd, maar niet handig voor een zogenaamd toevallige glimlach op het plein! Toen Sam eindelijk even weg was, schoof ik snel en onopvallend naar Easy toe.

Keek hij? Ja! Ik lachte. Maar toen riep iemand: 'Hé, Easy!' Het was Danny! Ze fladderde zo langs mij heen naar hem toe en begon te kletsen en te lachen en te flirten bij het leven.

Ik zocht Tibby, voor de troost, maar ze was nergens te vinden.

In de les droomde ik verder over Easy en ik piekerde over de kerstdisco. Danny ging vast met hem dansen en dan stond ik daar voor aap. De moed zakte me in de schoenen. Ik kon beter niet gaan.

Per ongeluk gaapte ik luid.

'Annemarth, *really!*'

'Wat?' vroeg ik duf.

Wilkes deed zijn handen open en dicht, achter elkaar. Hij had het zelf niet door, maar het was een typisch gebaar van hem als hij boos was.

'Opletten! Ik vroeg je iets. Waarom luistert hier niemand? Ik begin het meer dan zat te worden. Meer dan zat!'

'Nou, proost,' zei ik afwezig.

Dom.

Wilkes ontplofte. Open, dicht, open, dicht gingen zijn handen. 'En nu is het genoeg!' kefte hij. 'Ik ga jullie woest veel huiswerk geven. Allemaal. En jij, *young lady*, jij schrijft hoofdstuk drie over. Morgen inleveren, ondertekend door je ouders.'

De rotzak.


'Hoe kon je dat nou doen!' riep Tibby na de les. Haar ogen flitsten en vonkten. 'We zouden toch naar de kerstdisco? Als jij thuiskomt met dat strafwerk krijg je huisarrest! En dan?'

De kerstdisco kon me gestolen worden. Easy die met Danny danste, nee, dat hoefde ik echt niet te zien.

'Ik kan niet,' loog ik.

'Laat je me zomaar zitten? Tarik komt ook, ik heb net nog met hem gepraat. Ik zat me er zo op te verheugen, even alles los dansen, lekker los gaan!'

'Laatst vond je Tarik nog een kinderachtige kleuter. Dat heb je zelf gezegd.'

'Niet waar!' riep ze. 'Tarik is speels en levendig! Dat is wat anders!'

Tibby met Tarik en Sam met Sarah en Danny met Easy. En ik alleen? Nee, bedankt.

'Dan ga je toch met Tarik,' zei ik.

'Klets niet, wij gaan gezellig samen.'

Ik zwaaide moedeloos met het strafwerk van Wilkes. 'Ik mag toch niet.'

'Vertel mij wat,' zei ze. 'Jij mag echt geen drol. Het lijkt wel een militair regime bij jullie thuis. Verzin er maar iets op, daar was jij toch zo goed in?'

Daar was ik goed in, ja, maar nu wist ik even niks.

We liepen samen naar de fietsen.

'Kom nou eens voor jezelf op, mens,' riep Tibby. Haar ogen vonkten wakker en vol temperament. Nu ze kwaad was, kwam ze helemaal tot leven. Weg winterdip! Misschien waren pillen helemaal de verkeerde oplossing. Misschien moest ze vaker met Tarik praten. Misschien moest ik haar wat vaker kwaad maken.

'Jij mag niks van thuis, dat is niet normaal, hoor,' zei ze.

'Ik mag op hockey en op vioolles en op orkest en ik mag naar de disco wanneer ik maar wil.'

'Ja, en als je één keer wat strafwerk hebt, mag je meteen niks meer,' zei Tibby, 'dus dat ga je ze mooi niet vertellen! Zet er zelf maar een handtekening onder. Dat zien ze toch niet.'

'Ja, hoor eens,' zei ik. 'Ik maak zelf wel uit wat ik vertel en wat niet. Het zijn controlezieke apothekers bij mij thuis, weet je nog? Ze komen er altijd achter.'

'Ik zeg alleen: verzin vijf oplossingen. Maar goed, als jij je liever op de kop laat zitten, dan kom je niet,' zei Tibby boos. 'Doei.'

Ze pakte haar fiets uit het rek en reed weg. Ze liet me zomaar staan!

# 7

'Hé, Annemarth, ben jij hier nog?' zei iemand. Ik draaide me om.

Easy! Alleen, met een *big smile*! Ik kreeg een hoofd als een stoplicht.

'Hoi,' zei ik.

'Wat kijk je sip?'

'Tibby wil dat ik naar de kerstdisco kom in Sisters.'

'Ja, dat zou leuk zijn,' zei hij. 'Kan je niet?'

'Het ligt wat complex,' zei ik, nog zo diep in gedachten dat ik vanzelf overging op Keurigs. Pas toen ik zijn verbaasde blik zag schrok ik wakker.

Ik lachte. 'Heb je veel optredens in de vakantie?'

'Ja, ga je een keertje mee?' Heel casual, heel gewoontjes, ga een keer mee.

Ik haalde diep adem om niet te gillen en hem niet om de hals te vliegen en alles te verpesten. 'Nou, als je in Egypte draait, dan graag.'

'Ga je naar Egypte? Wauw, doe maar ruig. Leuk voor je. Daar ben ik best jaloers op.'

'In januari kan ik wel een keer,' zei ik voorzichtig.

'Nou, in januari is er niet zoveel te doen, eigenlijk.' Hij hoestte.

Ik wachtte af.

'Heb je het heel druk? Ik moet nog even naar het dorp, moet jij ook die kant op? We kunnen wel even wat drinken,' zei hij.

'Wat? Nu?'

Hij knikte en schuifelde met zijn voeten. 'Ja, gezellig, waarom niet?'

Kamperfoelie! Het hele fietsenhok was op slag overwoekerd, bedwelmend, betoverend lekker, midden in december.

'Is goed. Leuk,' wist ik uit te brengen.

Ik zweefde zwijmelend en verdwaasd met Easy mee naar het dorp, naar de Plaza. Hij kocht verse jus voor ons en we proostten op een leuke kerstvakantie.

'Met veel sneeuw,' zei hij.

'Echt niet! Met veel zon! Ik kom lekker bruingebakken terug. We gaan piramiden bekijken en dooie koningen in Luxor. En daarna gaan we duiken in de Rode Zee.'

'Dan zal je wel rood terugkomen,' zei hij. 'Wedden?'

'Wedden om wat?' zei ik.

'Wedden om een zoen?' Hij keek me uitdagend aan. Uitdagend en ook een beetje verlegen. Mijn huid tintelde over mijn hele lichaam. In mijn maag klotste de verse jus vrolijk rond.

'Win ik,' zei ik. 'Je moet vooruitbetalen.'

Ik lachte, maar hij boog zich over de tafel naar me toe. Ik rook zijn haren. Mm. En toen kuste hij me.

Op mijn wang.

Dat was eigenlijk niet wat ik bedoelde. Maar het was iets.

'Heb je het druk morgen?' vroeg hij. 'Ik ga lampen uitzoeken voor het schoolfeest.'

'Lampen? Ik dacht dat jij dat met Danny deed?'

'Dacht je dat ik het met Danny deed?' Plagerig lachje.

'Dat zei ik niet!' Ik voelde mijn wangen kleuren. Fleur de Feu, ik schaamde me dood.

'Grapje.'

'Goh.'

'Sorry.' Hield hij me nou voor de gek? Vond hij me nou leuk of niet? Of was ik een experimentje? Zat hij gewoon te testen hoe ver hij kon gaan met vriendinnetje 343?

'Je mag wel opschieten met die lampen. Het feest is al in februari,' zei ik.

En daar liet ik het bij.

Geen afspraakje voor januari, geen zoen, geen regenbogen. Toen ik naar huis reed, fietste mijn maag haast harder dan mijn benen. Had ik zojuist het prille begin van iets ontzettend leuks verpest? Moest ik nu toch proberen om naar die kerstdisco te gaan? Waarom waren jongens zo ingewikkeld?

's Avonds aan tafel probeerde ik onopvallend iets te regelen.

'Ik ga vrijdagavond even chillen bij Tibby en misschien nog even uit.'

'Chillen?' zei Pa. 'Neem een warme trui mee.'

Sam grinnikte en Ma glimlachte vriendelijk om dit domme grapje. Ik kreeg een ongemakkelijk gevoel in de buurt van mijn maag.

'Tibby vroeg of ik gezellig bleef slapen. Ik kom 's morgens vroeg weer thuis.'

'Goed,' zei Pa. 'Vrijdag bij Tibby slapen: ja. Uit of kerstdisco: nee.'

Dat hij dat nog wist, van die disco. Waarom had Sam dat ook doorgekwekt? Waarom was ik zo'n bange braverik die altijd netjes deed wat Pa en Ma zeiden? Vanmiddag hoorde ik mezelf per ongeluk Keurigs praten. Als ik niet snel iets deed, ging ik precies op Pa en Ma lijken.

Er zat maar één ding op. Ik glimlachte lief en braaf en gehoorzaam en na het eten rende ik meteen de trap op om Tibby te bellen dat ik toch meeging. Daarna zocht ik een goeie disco-outfit bij elkaar.

Terwijl ik over mijn spullen gebogen stond, zei ineens een strenge mannenstem: 'Wat ben jij aan het doen?'

Pa!

Mijn hart schoot in mijn keel Ik verslikte me, schoot overeind en begon al te hakkelen. Maar het was Pa niet. Het was Sam en hij lachte zich rot! Hij lachte zo hard, dat hij bijna omviel.

'Treiterkop!' riep ik. 'Als jij niet...' Ik kon niet schreeuwen, anders zouden Pa en Ma me horen. Ik probeerde te fluisteren, maar het werd een vinnig soort gesis. 'Als jij niet je stomme mond voorbij had gepraat, had ik nu niet zo stiekem hoeven doen,' siste ik hem toe.

'Zusje toch, welke woorden ontsnappen daar de haag van je tanden?' plaagde hij in het Keurigs. En weer begon hij te lachen.

'Hou je kop!'

'Meid, blijf toch lekker thuis, de dag na de disco gaan we op vakantie.'

'Betuttel me niet zo, opa. Ik kan heus wel voor mezelf zorgen,' zei ik bot. Sam knikte nog eens vaderlijk. 'Mooi zo. Dan hoop ik dat je gauw wat ruimte in je agenda kunt maken om mijn beker nu eindelijk eens te plakken.'

'Vanwaar die haast?' vroeg ik.

'O,' zei hij, 'je weet maar nooit. De muren hebben oren.'

Dat was een bedreiging, en wat voor een. Ik had de Beker met De Handtekening natuurlijk al veel eerder moeten plakken, maar toch. Dit was wel erg flauw. Het was pure chantage! Dat had ik niet van Sam verwacht.

# 8

De avond van de kerstdisco stapte ik na het eten op de fiets naar Tibby. 'Tot morgen, ik ben niet zo laat,' zei ik en ik keek Sam indringend aan. Hij was de hele week al in een opperbazige stemming. Ik had zijn beker netjes gelijmd, maar ik was er nog steeds een beetje pissig over. Met dodelijke blikken probeerde ik hem duidelijk te maken dat hij me beter niet kon verlinken. Anders gingen de Ajaxbeker en de Elmobeker er allebei aan.

Ik wist niet of Sam mijn blikken wel goed begreep, want hij gaf geen krimp. 'Veel plezier,' zei hij.

'Veel plezier bij Tibby,' zei Ma.

'Denk erom, ik vertrouw je,' zei Pa. 'Ik wil geen uitgeputte jeugd mee op reis.'

Oei. Met de bibberzenuwen in mijn knieën fietste ik naar Tibby. In mijn tas sidderden mijn nieuwe hippe laarsjes met me mee, samen met mijn discorokje, een slaapzak, toilettas en pyjama.

'Doe niet zo bang en bravig!' zei ik tegen mezelf. Toen belde ik Tibby dat ik eraan kwam.

Ik stapte door de achterdeur de retrokeuken binnen en struikelde bijna over Schnaps, die een muis achternazat. Bacardi sprong van Sharima's schoot toen ik binnenkwam.

'Hai, Annemarth, alles goed?' zei Sharima vriendelijk. Ze zag er weer geweldig uit, met een strakke spijkerbroek van zwartgeel denim, een bruin jasje, een felrode sjaal om haar zwarte haren, geweldige oorbellen en hippe knalgele schoenen met zulke hoge naaldhakken dat je er een trui mee kon breien. Ik gaf haar een hand en zei: 'Ja, best hoor.'

Sharima knikte en ik vroeg me af of ze iets wilde zeggen, maar toen gilde Tibby: 'Ik ben boven!' Ik stommelde de smalle kraaktrap op, langs de kleurige flessendoppenrand die we er deze zomer samen op hadden gespijkerd.

Tibby keek misprijzend naar mijn spijkerbroek en mijn fleecetrui. 'Ga je zó naar Sisters? Als vogelverschrikker?'

'Vind je het niet mooi?' zei ik, maar ze schudde haar hoofd.

'Grapje! Kom op, Tip, word eens wakker! Ik kan toch moeilijk in discokleren de deur uit gaan. Het militair regime, zoals jij hen noemt, heeft dat meteen door.'

'Wat een gedoe. Waar is je tas?'

Vergeten in mijn fietstas.

Toen ik weer binnenkwam met mijn tas zei Sharima: 'Annemarth, sweetie, kom eens hier.' Ze klopte naast zich op de bank met een tamelijk dwingend gebaar.

Ik plofte naast haar neer.

'Weet je, Annemarth, ik vind het tof dat je zo'n goede vriendin bent voor Tibby. Dat heeft ze nodig, weet je.'

'Ja?' zei ik.

'Kijk, ik heb iets voor jullie meegebracht.' Sharima lachte en haalde twee schattige hangertjes tevoorschijn, een lila en een groen. 'Het is eigenlijk voor aan je mobiel, maar je kunt het ook aan je tas hangen, of aan je etui. Een klein geintje.'

'Wat lief! Bedankt, Sharima!'

Sharima giechelde meisjesachtig. Ik wachtte, maar verder kwam er niets. Geen preek, geen goede raad, alleen dank je wel en iets hartelijks. Wauw. Ik huppelde naar boven.

Tibby zat op het bed haar nagels te vijlen. Ze had al een matras voor me klaargelegd en een kussen. Ik pakte mijn slaapzak uit.

'Kijk, van je moeder, jij mag kiezen.'

Tibby koos de groene. 'Goh,' zei ze koeltjes, 'waarom geeft ze dat aan jou en niet aan mij?'

'Weet ik het. Omdat ik toevallig langskwam? Of omdat ik zo'n trouwe vriendin ben. Dat zei ze.'

'En ik ben maar een dochter. Ach ja,' zei Tibby.

'Krijg jij verder nooit iets?' vroeg ik.

'Ja, sure. Een tweedehands jas van mijn tante in Milaan. Een oranje sjaaltje dat ik mooi moet vinden. Ik haat oranje. Sharima weet al eeuwen dat ik van blauw hou en wat brengt ze mee uit de winkel? Groen en roze. En dan moet ik blij zijn. Maar ik ben niet blij.'

'Lila,' zei ik. 'Het is toch een lief hangertje?'

'Het is een schattig hangertje, maar het is niet lief. Lief is als ze iets blauws voor me meebrengt. Lief is als ze weet welke kleur ik mooi vind. Ze weet amper hoe ik heet.'

Tibby griste nijdig het kussen van haar bed en smeet het keihard in de hoek van de kamer. Alles goed en wel met dat temperament, maar echt gezellig vond ik het niet. Ik had even geen zin om braaf en begrijpend haar hulpeloze geklaag aan te horen, als zij geen moeite deed om er iets aan te veranderen. Ik wilde gewoon een gezellige avond.

'Ga naar beneden en zeg het tegen haar. Of nog beter, zet je eroverheen,' zei ik. 'We gaan lekker uit! Hoe vind je mijn outfit?'

Ik trok mijn fleece uit. Eronder droeg ik een strak, glimmend topje met dunne wijde mouwen. 'Ik heb dat zwarte rokje bij me, je weet wel.'

'Cool,' zei Tibby. 'Ben je niet bang dat ze het ontdekken?'

Ik dacht aan Easy en die groene ogen en de geur van zijn haren.

'Ja, maar je had wel gelijk, ik ben veel te braaf. Bovendien, ik kan jou toch niet in de steek laten!' zei ik.

Tibby gaf me een knuffel. 'Oké, sorry dat ik zo pissig deed. Ik krijg gewoon een staart van Sharima. Ze luistert nooit naar me. Op jou kan ik tenminste rekenen. Ik zou me echt geen raad weten zonder jou, weet je dat? Ik zou het geloof ik niet redden.'

'Heus wel,' zei ik. 'Gekkie.' Ik voelde me gevleid, maar ook een beetje ongerust.

'Zal ik je leuk opmaken?' vroeg ze.

Ik kreeg eyeliner en extra veel mascara. 'Ultra long lash,' las Tibby.

'Extra lange zweepslag,' vertaalde ik. Toen moesten we weer lachen.

Ik mocht pas in de spiegel kijken toen het klaar was.

'Zeg eens wat! Vind je het mooi?'

Mooi? Ik was sprakeloos. Mijn ogen leken wel helder-blauwe sterren. Ik wist niet dat ik er zo mooi uit kon zien! 'Ik vind het super, Tips! Je moet in de visagie, echt waar. Maar ik lijk wel tien jaar ouder, kan dat?'

Tibby bekeek me van een afstandje. 'Je bent smashing. En die hunk van jou is toch een soort bejaarde. Ik zag hem laatst autorijden.'

Ik schoot in de lach. Een bejaarde, nou ja. 'Zal ik jou leuk opmaken?' vroeg ik.

'Ik niet zoveel mascara, hoor! Anders herkent Tarik me niet!' giechelde Tibby.

'Ik doe veel eyeliner, dan zie je er lekker zwoel uit.'

Toen we klaar waren, schonk Tibby nog wat cola in. 'Op de liefde dan maar!'

'Op de liefde,' zei ik.


Beneden had Sharima het zichzelf gezellig gemaakt voor de tv, met chips en een wijntje. 'Gaan jullie?'

'Ja, tot vanavond,' zei Tibby. Ze wilde al weggaan, maar Sharima hield haar tegen.

'Laat me eens kijken?' vroeg ze belangstellend.

Ik draaide meteen een rondje. Tibby fronste haar wenk-brauwen.

'Annemarth, jij bent de mooiste, meest sexy girl van de hele stad!' riep Sharima.

Ik voelde me geweldig! Het was alleen wel een beetje stom tegenover Tibby, die naast me stond en nijdig keek.

'Luister, schat, alleen die kousen, dat kan niet. Je moet

een fantasiepanty aan.' Ik had een dunne zwarte panty van Ma gepikt en Ma was niet zo van de fantasie. Sharima pakte iets uit een tas bij haar stoel. 'Hier, neem deze maar.'

Het was een splinternieuwe panty van mooie zwarte kant.

'Cool! Dank je! Ik ga hem meteen aandoen.'

'Laat me jou ook eens bekijken.' Sharima maakte Tibby's sjaaltje los. 'Dat moet je heel anders doen, kijk.' Ze knoopte het net iets anders om Tibby's haren. Toen viste ze een oranje armband uit haar tas. 'Hier, schat, leuk hè?'

'Ik hoef geen oranje, dank je.' Tibby gaf het terug, maar Sharima drong aan.

'Juist wel, dat geeft een leuk accent! Hier, neem nu maar!'

Tibby propte het armbandje in haar zak. 'Goed, ma, maar nu moeten we gaan! Bedankt hoor! Doei!'

'Doei! *Go give it to them! Have a good time!*' riep ze vrolijk. 'En niet te laat thuis zijn. Eén uur, Tiberia!'

'Ja, mama, nee, mama,' zei Tibby.

'Ja mama, nee mama,' zong Sharima. 'Denk erom, hoor! Ik ken alle trucjes! Ik was vroeger net zo! *Have fun!*'

Neuriënd liep ze weer naar de tv. De sjaal in haar zwarte haren fladderde als een vlag achter haar aan.

'En nu wegwezen, kom mee! Als ze terugkomt, ontplof ik!' fluisterde Tibby. 'Dan is mijn rokje opeens niet goed of mijn schoenen of mijn make-up. Er is nooit iets goed aan mij.'

Ik moest lachen. 'Ze bedoelt het toch goed. Kijk dan wat een leuke panty!'

Maar Tibby kon het niet waarderen. 'Ja, heel lief, en schiet nu maar op,' zei ze ongeduldig.

Ik trok de mooie panty aan terwijl Tibby met haar voeten wiebelde. 'Schiet nou op,' zei ze. 'Sharima doet het allemaal nog eens over als ze hier weer langskomt. Dan krijgen we de verhalen over oma en haar tante en dan moet ik een oranje topje aan. En dan denkt ze ook nog...'

Ik onderbrak haar gefoeter. 'Hoe staat het?'

'Heel sexy, en kom nu maar mee,' zei Tibby gehaast. Ze sleurde me mee naar de deur. Buiten smeet ze met een nijdig gebaar het oranje armbandje in de struiken.

Best flauw, vond ik. Sharima was wel een beetje opdringerig, maar ze bedoelde het toch goed? Zouden ze het daar nooit over hebben?

'Heb je nooit tegen je ma gezegd dat ze beter moet luisteren?' vroeg ik.

'Wat moet ik dan zeggen?'

'Gewoon: ma, ik vind blauw zo'n mooie kleur, breng je eens iets blauws voor me mee?

'Tss, en jij denkt dat ze dat hoort?' vroeg Tibby.

'Misschien niet, maar daarom kan je het nog wel zeggen. Ja, ma, ik weet dat jij oranje mooier vind, maar ik vind blauw zo mooi. Breng je toch een keer iets blauws voor me mee?'

Ik wilde nog wat zeggen, maar Tibby reed er opeens als een bezetene vandoor. Ik had moeite om haar bij te houden. Ze keek woest. Ik besloot erover op te houden.

# 9

Er stond een korte rij voor Sisters. Ik mocht zo doorlopen, maar Tibby moest haar ID-kaart laten zien.

Ze gaf de portier een vette knipoog. 'Hey, schatje,' zei ze. 'Zie ik er soms niet uit als veertien?'

De portier kon dat niet waarderen. 'Vlug een beetje, en anders wegwezen,' snauwde hij.

'Alleen omdat ik een buitenlander ben, zeker. Zal ik je aangeven, gastje?' zei Tibby uitdagend. 'Racisme mag niet, weet je!'

De portier bleef onverstoorbaar. 'ID of wegwezen. Zeg het maar.'

Ik kreeg een onrustig voorgevoel, alsof het inderdaad beter was om maar terug te gaan. Maar dat zou slap zijn. Slap en laf.

Ik gaf Tibby een duwtje. 'Toe nou maar,' zei ik.

Haastig toonde Tibby haar ID-kaart en ik trok haar mee naar binnen. 'Kalm aan, Tips, het is onbegonnen werk met dit soort gasten. Kom, je krijgt iets van me als troost. Cola, sjuutje, wat wil je?'

'Doe maar cola. Dat is ook bruin,' zei Tibby pruilend en toen moest ze om zichzelf lachen.

De tent hing vol lichtslingers en flitsende hertjes met kerstslee. Het leek net Stars Hollow, zo melig. De barman had een lichtgevende Santamuts op. Ik keek rond of ik Easy ergens zag. Ik zag hem nergens. Tibby en ik slenterden op ons gemak de hele tent rond om te zien of we nog meer bekenden zagen en om een beetje in de sfeer te komen.

Er waren maar een paar mensen van school en wat lui van hockey, meer niet. Niet veel. Danny was er ook, helaas.

Ze stond te kletsen bij de jongens van het licht. Ze droeg een strak zwart topje over cup XXL-borsten, die nog eens extra opvielen door een rij blikken kettingen. Ik negeerde haar zo goed als ik kon. Tibby en ik dansten wat en we dronken nog wat en we slenterden rond. En toen zag ik Easy! Hij was er toch, weggedoken achter een stapel apparaten. Mijn hart miste een paar slagen en ik zwaaide, maar Easy was druk in de weer met zijn spullen. Hij zag me niet eens.

'Hey, lekker muziekje!' tetterde opeens iemand in mijn oor. Tibby verslikte zich in haar cola en begon als een gek te hoesten en met haar ogen te rollen. Ik draaide me om. Het was Tarik, met een brede stralende lach.

'Hoi,' zei ik. Schreeuwde ik, eigenlijk.

Tibby draaide hoestend haar gezicht weg. Ik kon niet meer zien of ze lachte en bloosde, of zich ergerde en boos keek. Vond ze Tarik nou leuk of vond ze hem een etterige kleuter? Soms kon ik haar niet meer volgen.

'Gaan jullie niet dansen? Kom mee, joh, lekker dansen.' Tarik stak naar ieder van ons een hand uit.

'Ja, hallo. Zij heeft een hoestaanval,' schreeuwde ik. 'We komen zo, rustig maar. Ben jij er al lang?'

'Nee, net. Gaat het met haar?' zei Tarik. Hij klopte op Tibby's rug.

Het hoesten werd minder en er kon een klein waterig lachje af. Een lief lachje. Vond ze hem dan toch leuk?

Tarik pakte allebei onze handen vast en trok ons mee. 'Dansen, ladies!'

Die arme Tibby kreeg meteen de volgende hoestbui. Ze maakte vreemde maar dringende gebaren. 'Wacht even, Tarik,' zei ik. Hij hield me vast, dus ik trok mijn hand los. 'Gaat-ie, Tips?'

Tibby gebaarde nog heftiger dan eerst. Ik sloeg mijn arm om haar heen en wilde haar meenemen naar de wc's om wat water te drinken, maar ze duwde me weg en gebaarde opnieuw. Ik wist het niet zeker, maar het leek op 'ga weg en laat me maar even'. Wat moest ik nou doen? Bedoelde ze dat ik maar vast moest gaan dansen? Easy draaide super-lekkere muziek. En toen Tarik me gewoon meetrok en soepel begon te swingen, liet ik me maar meenemen in het wilde ritme.

Wat kon die kerel dansen. De muziek leek wel te leven, heerlijk ongedwongen en vrij, echt muziek om los op te gaan! Easy wist wel wat hij deed.

Al dansend keek ik nog even om, maar Tibby lette niet op ons. Iemand stond naast haar met een glas water, dat kwam wel goed. Ik probeerde met Tarik mee te bewegen, ik wilde het ritme voelen in mijn lichaam en danste erop los. Niet dat ik zo soepel ben, maar dat maakte niks uit. Tarik stak zijn duimen op. 'Gaat goed!' riep hij. Of zoiets. Ik haalde diep adem en danste en danste. Ontspan. Ontspan. Het lukte steeds beter en ik begon echt heerlijk te swingen. Dat hele stomme gedoe van school en strafwerk en stiekem ontsnappen danste ik eruit. De hele sombere winter danste ik weg. Alle zorgen over Tibby waren weg, ik vergat de tijd, ik vergat zelfs even dat ze langs de kant stond te hoesten. Er was alleen een swingend, extatisch nu. Er was fantastische muziek en ik deed waar ik zin in had, ik danste! We draaiden om elkaar heen, gleden langs andere dansende lui en hopsten als twee debielen de hele dansvloer over en over en nog eens over. Het was super. Het was geweldig. Het was extatisch.

We dansten langs Tibby. Ze dronk net wat en hoestte niet meer, maar ze kwam niet meedoen. Haar ogen stonden op onweer en ze maakte nog steeds gebaren. Wat bedoelde ze?

'Kom ook!' schreeuwde ik. Maar hoe vrolijk en uitbundig ik ook wenkte en zwaaide, Tibby vonkte en flitste met haar ogen en schudde haar hoofd. Misschien voelde ze nog een hoestbui aankomen, misschien was ze kwaad om iets, ik vond het allemaal prima, ik danste! Ik kon niet stoppen, ik wilde niet stoppen, en al helemaal niet als zij nukkig ging doen. Ik danste verder.

Tibby moest gewoon lekker mee komen dansen, dan kwam alles goed.

De muziek veranderde, werd langzamer. Ik kwam een beetje op adem.

Mensen dromden om ons heen, ik kon niet over hen heen kijken. Iemand duwde onhandig tegen me aan en er spetterde wat bier in mijn gezicht. Ik veegde het weg en struikelde. Tarik ving me op en legde een arm om me heen. Tibby was niet meer bij de bar. Kwam ze nu eindelijk dansen?

Tarik riep iets, maar de muziek daverde door de tent en ik kon hem niet verstaan. Ik moest moeite doen om zijn arm van me af te halen. En toen zag ik vlak naast me opeens een blonde jongen. Het was Easy, en wat keek hij onthutst! Mijn benen begonnen te wiebelen. Mijn buik ook, acuut. Hij zag dat ik keek en hij lachte verlegen. Verlegen? Onthutst? Door mij?

Mijn hart bonkte al van het dansen, maar toch bonkte het nu opeens anders. Mijn hoofd was al vuurrood natuurlijk. Dus dat scheelde.

'Ik ga Tibby zoeken.' Ik brulde het Tarik in zijn oor en liep weg. Tarik liep achter me aan, probeerde me tegen te houden, me vast te pakken. Had hij te veel op, of wat? En waar was Tibby?

Ik schudde Tarik van me af. Dit begon een beetje te veel op polonaise te lijken. 'Hé, was leuk, Tarik. Ik zie je,' zei ik. Tarik legde opnieuw zijn arm om me heen. Zat er lijm aan, of wat?

'Kappen, oké. Los! Af!' riep ik. Tarik lachte onnozel. Verstond hij me niet, of was hij me aan het stangen? Dan maar echt bot. Ik maakte een trompet van mijn handen. 'Bedankt en doei!' toeterde ik. Eindelijk liet hij los en vertrok. Ik haalde twee cola en zocht de hele disco door totdat ik Tibby vond, ergens achteraf in een hoekje bij de jassen. Ze staarde nors voor zich uit en keek nauwelijks op toen ik naast haar tegen de kapstok aan plofte. Toen ik haar een colaatje gaf, keek ze me met woedende, vuurspugende ogen aan.

'Als dit een grap moet zijn...,' verstond ik, '... gemene rotstreek... En als het echt is, dan kill ik je.'

Ik was verbijsterd, maar voordat ik wist wat ik moest zeggen, dook Tarik alweer op, ook met twee colaatjes. Die jongen leek wel een vlo! Hij lachte nog steeds en bood mij er een aan.

'Nee, sorry, nu even niet, bedankt,' zei ik. Ik liet hem staan en ik sleurde Tibby mee naar de wc, zodat we tenminste even rustig konden praten.

'Gaat-ie, Tips?' vroeg ik. 'Wat is er?'

'Gaat-ie, Tips? Hoezo "wat is er?"' zei Tibby schor. 'Omdat jij Tarik inpikt? Omdat je hem makkelijker kan krijgen dan die belegen bejaarde van jou? Voel je je schuldig? Hoeft niet, hoor, ik heb de avond van mijn leven. Bijna gestikt ook nog. Het kan niet op.'

'Hallo, ik dans gewoon een beetje.' zei ik. 'Waar bleef je? Ik dacht dat jij zei: ga maar dansen, ik kom zo. Ik maar zwaaien en zwaaien. Waarom kwam je niet meedoen? '

Tibby spoelde haar handen af onder de kraan en veegde haar gezicht af.

'Tuurlijk,' zei ze, 'ga vooral fijn dansen met mijn vriendje. Hou hem stevig vast, laat hem niet meer los, trek een tent vol bekijks met die capriolen van jullie en wiebel vooral nog wat met die sexy kont van je. Dat je me zoiets flikt, uitgerekend jij, mijn beste vriendin!' Ze trok haar sjaaltje los en schudde haar zwarte haren, als een dreigende donderwolk.

'Tarik wilde alleen... ik bedoel, Tarik...' Het duurde even voordat tot me doordrong wat Tibby bedoelde.

Haar vriendje? Wat een onzin! Of was er iets tussen hen wat ik niet wist? Tarik had tenslotte haar band erop gezet. Had hij haar soms gezoend? Ik wilde het vragen. 'Is Tarik...', maar één blik op Tibby en ik wist dat het geen zin had, wat ik ook zei. Ze was buiten zichzelf van woede. 'Wat sta je nou stom te stotteren, Tarik Tarik Tarik?' beet ze me toe.

Mijn mond viel droog, alsof ik zojuist een rol wc-papier had opgegeten. Ik snakte naar lucht, naar een beetje begrip, naar een vriendin die ook eens naar mij luisterde, die niet altijd overal een drama van maakte. Waarom was ik hier niet met Elien? Ach, ik wist het wel. Wouter Wouter Wouter. Ik was gewoon helemaal alleen.

'Hou nu even je mond en luister naar me. Waarom luister je niet?' vroeg ik bot.

'Omdat jij niks te melden hebt, duh.'

'Hallo, Tarik sleepte mij mee om te dansen, dat is alles. Ik hield hem even voor je bezig, ja, voordat hij weer weg-fladderde. Tarik is een losbol, die vindt alle mooie meiden leuk. Waar bleef je? Waarom maak je er zo'n scène over?'

Tibby zweeg. Ze stond daar dodelijk te kijken, maar ze zweeg tenminste. Misschien kwam ze eindelijk bij zinnen.

'Kom op, meid,' zei ik. 'Misverstand, kan gebeuren. We drinken een colaatje en dan gaan we lekker nog even swin-gen. Ga je mee?'

Fout. Helemaal fout. Tibby's ogen schoten bliksemstralen in het rond alsof ze de tegelmuren zwart wilde blakeren, en mij erbij.

'Hier ga jij zo'n spijt van krijgen!' siste ze.

Toen draaide ze zich om en liep weg.

# 10

'Tibby! Wacht nou!' riep ik. Ik wilde achter haar aan gaan, maar toen zag ik mezelf in de spiegel. Mijn gezicht was Ferrarirood en onder mijn ogen zaten idiote zwarte strepen. Ik leek wel een koortsige kleuter op een indianenfeest. Vlug pakte ik zo'n grauw papieren handdoekje en probeerde het zwart wat weg te poetsen. Het lukte niet fantastisch. De zwarte strepen werden smerige grijze vegen en mijn huid werd vlekkerig. Van indiaan veranderde ik in horrormonster, dat schoot niet op.

'Tibby!' riep ik nog een keer.

Maar Tibby was weg en in de deuropening stond Easy met een onbeschaamde grijns. 'Hai, Annemarth. Kan ik wat voor je doen?'

'Je hebt zeker geen make-upremover bij je?' flapte ik eruit.

'Nee,' grijnsde hij, weer met die superlach! 'Maar ik wil het er wel af zoenen.'

Wat bedoelde hij? Was dit nou echt of was het weer zo'n flirterig grapje?

'Alsjeblieft,' zei ik en toen stokte ik, want de helft van mij bedoelde: 'Alsjeblieft jaaaa!' maar de andere helft bedoelde: 'Alsjeblieft zeg, doe me een lol.' Ik wist het niet meer.

Vond hij me nou leuk of liep hij te *playen*? Van ellende vluchtte ik een wc-hokje in. Daar zat ik op de stinkende plee met mijn hoofd in mijn handen te wachten tot het gebonk in mijn hart ophield, mijn mond weer normaal voelde en mijn hoofd weer een beetje helder werd. Wat niet gebeurde. Er gebeurde helemaal niks. Het enige wat er gebeurde was dat die knoop in mijn buik steeds strakker trok.

Pas na een eeuwigheid durfde ik weer tevoorschijn te komen. Easy was weg en Tibby was niet teruggekomen.

Ik probeerde mijn make-up nog wat op te lappen, maar hoe meer ik poetste, hoe erger het werd. Volgens de spiegel leek ik op een kruising tussen een gothic en een stervende vampier.

Waar was Tibby? Waarom konden we dit niet gewoon even uitpraten en dan de rest van de avond lekker samen dansen? Wij samen, zonder jongens. Wij waren maatjes, toch?

Ik sjouwde de hele tent rond. Waar was ze? Mensen stompten tegen me aan, per ongeluk, ze maakten leuke opmerkingen. Het was mudjevol, maar ik kwam weinig bekenden tegen. Behalve Tarik kende ik eigenlijk alleen Easy.

Na drie rondjes werd ik ongerust. Waar hing Tibby toch uit?

Tarik danste nu met een ander meisje. Hij had dolle pret, zo te zien. Tarik was gewoon helemaal dansfreak. Het ging hem helemaal niet om mij, dat was toch zo duidelijk als wat.

Moedeloos sjokte ik rond, rondje nummer vier, over de dansvloer, de bar rond, het podium langs. De knoop in mijn buik begon op een zwart gat te lijken, waar al mijn zelfvertrouwen in verdween. Elke keer als ik langs Easy kwam werd mijn hoofd een vuurtje.

Na vijf rondjes kreeg ik een briljante ingeving. Ik kon Tibby wel sms'en! Briljant. Eén op de vijfhonderd mensen kwam de school binnen met zo'n verstand als ik, en dan kostte het mij een halfuur om dit te bedenken? Arme 499 anderen.

**Hoi tips, k hep egt nix met tarik!!!!! waar beje nou?**

Bijna meteen kwam er antwoord.

**ik ben thuis val dood**

Verbijsterd liep ik een lege gang in. De tranen kwamen vanzelf. Ongeduldig poetste ik ze weg.

Val dood.

'Hee, wat is dat nou?' hoorde ik naast me. 'Ga je nog meer vlekken maken?'

Het was Easy! Hij lachte, maar niet zo flirterig als anders. Heel aardig eigenlijk. 'Hé, sorry van daarnet. Dat was een grapje. Gaat het wel? Wil je toch niet iets drinken?' zei hij. Hij liep naar de hal en zwaaide naar de barman voor een colaatje. Toen leunde hij ontspannen tegen de bar terwijl ik de zenuwen uit mijn ogen veegde. Ze kwamen eruit als tranen.

'Gaat het?

'Nee, sorry, eh.' Ik zette mijn cola neer en trok hem mee naar de jassen, waar we elkaar tenminste een beetje konden verstaan. 'Sorry, ik moet naar huis, ik bedoel, Tibby is er zomaar vandoor. Ze was helemaal aan het flippen. Ik weet niet, er kan wel iets met haar gebeurd zijn!'

Easy knikte begrijpend. 'Tibby is toch dat donkere meisje?'

Ik knikte.

'Slecht nieuws?'

Ik gaf hem mijn mobiel en veegde nog een paar vervelende tranen weg.

Easy trok een zakdoek uit zijn zak. 'Hier, hij is redelijk schoon.' Zijn hand was warm en voelde veilig, vertrouwd, en alles begon te tintelen.

'Nou zeg,' zei hij. 'Niet zo leuk. Moet je haar niet even bellen?'

'Heb ik al geprobeerd, ze neemt niet op. Ik kan er beter even heen gaan. Hier is het toch niet leuk meer,' zei ik. Stom stom stom. 'Ik bedoel, jij moet zo weer draaien, zeker?'

Ik kon net zo goed meteen zeggen: kan je even ophoepelen?

'Effe pauze,' zei hij. 'Wil je je cola niet? Wil je liever water?'

'Dank je.' Ik gaf hem zijn zakdoek terug, vol zwarte strepen. Ik dronk wat en probeerde na te denken, iets te zeggen, iets aardigs over school of over zijn muziek, maar ik zag alleen die lieve begrijpende ogen. Ik sloeg blanco uit. Mijn benen bibberden.

'Vind je het verder wel leuk hier?' vroeg Easy. 'Je moet vaker komen.' Hij leunde gezellig tegen de bar en dronk zijn cola. 'Ik ben zo klaar met draaien. Ben je er dan nog? Of moet je naar je vriendin?'

Ik mompelde iets mwah-achtigs. Mijn hoofd tolde van de antwoorden, allemaal foute antwoorden, verwarrende antwoorden, eerlijke antwoorden, alles buitelde over elkaar heen. Nee ik kom hier zelden en ik vind er eigenlijk geen zak meer aan en ik wil nú naar huis maar ik vind het ook te gek om hier met jou te praten en ik wil je hand de rest van de avond wel vasthouden en met je dansen en ik snap niet waarom ik niks weet te zeggen en ik wil dus echt niet weg, maar Tibby... Mijn hart bonzerdebonsde als een hardloper om al die emoties bij te houden. Mijn keel werd een brok ijs, uit angst dat er iets stoms uit zou floepen wat alles zou verpesten. Ik lachte naar hem. Dat lukte nog net.

'Ken je hier veel mensen?' vroeg hij vriendelijk.

'Neuh, valt wel tegen,' kreeg ik eruit. 'Ik ken jou en Tarik. Ik dacht dat er meer mensen van school zouden zijn. Ken jij er veel?' Goed zo, een hele zin, zonder hakkelen.

'Een paar. Tarik is toch die jongen die met jou danste? Je vriendje?' Wat moest ik zeggen, Tarik is een dansverdwaasde vlo met lijm in zijn armen? Ik schudde mijn hoofd, maar hij keek net de andere kant op, waar Danny uitbundig stond te swingen. Ze had blauwe en rode dreadlocks in en terwijl ik keek, lachte ze naar Easy. Een brutale, uitdagende, sexy lach.

Stomme del.

'Ik moet weer draaien. Laatste rondje, ben je er zo nog?'

Laatste rondje? Was het al zo laat? Wat als ik op hem

wachtte? Nee, ik begon waanbeelden te zien. Ik was bekaf. Ik moest wel naar Tibby, ik kon niet eens naar huis.

'Ik, eh, ik moet ervandoor, of zo,' zei ik ongemakkelijk.

'Hé, succes met je vriendin, en fijne vakantie. Wanneer gaan jullie?'

Dat had hij onthouden.

'Morgenavond. Ik zal je een kaartje sturen. Mail je adres maar.'

'Zet 'm op, oké? Sterkte met de ruzie. Doei.' Met een knipoog en een vrolijke zwaai was hij weg.

Ik keek om en wilde zwaaien, maar hij was ineens druk in gesprek met Danny. Stomme flirt.

Teleurgesteld propte ik mijn mobieltje in mijn zak. Ik groef mijn jas op uit een grote zanderige berg jassen. Op weg naar de uitgang kwam ik langs een spiegel waarin een wit gezicht me aankeek. Een vampiergezicht met mascarastrepen en rode vlekken. Ik schaamde me dood. Wegwezen hier, en snel een beetje. Ik rende naar de uitgang. Ik voelde me de grootste sukkel van de wereld.

# 11

De nachtwind waaide een frisse motregen in mijn gezicht. Ik trapte op mijn fiets door de lege straten. Langzaam kwam ik weer een beetje tot mezelf.

Waar moest ik nu heen?

Naar Tibby om gezellig bij haar te logeren? Niet echt.

Naar Tibby om het weer goed te maken? Hoe meer de motregen mijn gezicht afkoelde, hoe minder zin ik daarin had na die stomme sms met 'val dood'. Ik mocht dan een vlekkerige sukkel zijn, maar er waren grenzen. Ik had Tibby niks misdaan. Dit was 100% onredelijk. Ik ging niet bij haar slijmen of ik please mocht blijven logeren. Dat stond mijn trots niet toe. En mijn eergevoel ook niet. Maar mijn trots en mijn eergevoel hoefden niet door de regen te fietsen, dus die hadden makkelijk praten.

Naar huis dan maar.

Moedeloos trapte ik door de straten. De regen werd steeds grimmiger en ik kreeg het steenkoud in mijn korte rokje. Het was zo'n leuke avond, en nu dit. Pa en Ma zouden me vermorzelen met onmenselijk zware straffen omdat ik toch naar de disco was gegaan. Misschien mocht ik niet eens mee naar Egypte. Misschien moest ik logeren bij een enge oudtante die alleen rauw voedsel at. Of nog erger, misschien werd ik in Egypte uitgehuwelijkt aan een ouwe sjeik met drie tanden en zeven onderkinnen. Of zoiets.

Na twintig minuten trappen door de kou reed ik onze straat in. De keurige huizen fluisterden zachtjes 'schande, schande', en ze keken me ijzig en afkeurend aan. Ik mompelde terug dat ze hun kop moesten houden.

Ik had mazzel: de lichten in ons huis waren uit. Misschien

kon ik heel zacht naar binnen sluipen en snel die smerige mascara eraf halen en stiekem de discogeur eraf douchen. Als iemand me zag, kon ik zeggen dat ik ruzie had met Tibby. Dat kon gebeuren. En als ze me onderschepten met mascara en in deze kleren, kon ik altijd zeggen dat we een optutavondje hielden.

Beetje dunne smoes, maar beter dan niks.

De schuur was nog open en zo zacht ik kon, zette ik mijn fiets weg. Met verkleumde vingers tastte ik in mijn zak naar de voordeursleutel.

En in mijn andere zak.

In mijn binnenzak.

Mijn vingers deden pijn van de kou. Ik voelde in het ski-pasvakje en het mobielvakje.

Niks!

Tegen beter weten in voelde ik aan de achterdeur.

Dicht natuurlijk.

Ik dacht na. Waar had ik mijn sleutel voor het laatst gezien? Bij Tibby, in mijn tas. Of toch niet? Ik begon te twijfelen. Ik had hem waarschijnlijk meegenomen en in mijn jaszak gestopt, en toen? In gedachten zag ik die zanderige berg jassen weer voor me. Zou hij daar liggen, bij Sisters in dat smerige gangetje? Aaarghh!

Ik zakte neer op de vensterbank. Hoofd koel houden. Nee, niet huilen. Nog even niet. Sterk en dapper zijn. Denk aan de vijf oplossingen. Zoek je speelruimte. Mijn hoofd zat opeens barstensvol wijze raad.

### Oplossing 1

Het leek zo eenvoudig: één belletje en Sam liet me binnen. Maar dat was vroeger, voordat Sam braaf en keurig was geworden. De brave borst had me om te beginnen al verlinkt door over de kerstdisco te beginnen waar Pa en Ma bij waren, en daarna had hij me gechanteerd om zijn beker te plakken. Als ik hem nu sms'te, kon ik maandenlang zijn werkjes opknappen: de was opvouwen en grasmaaien terwijl hij er fijn twee euro voor opstreek. Wekenlang zou ik moeten aanhoren wat een hulpeloos klein zusje ik was. Als wraak kon ik natuurlijk gaten in zijn onderbroeken knippen en de Elmobeker aan diggelen smijten, maar wat loste dat op? In het beste geval ging dit uitdraaien op een slepende loopgravenoorlog. Slecht plan.

### Oplossing 2

Boven stond een slaapkamerraam open. Als ik me even kwaad maakte, was dat een optie. Via het platte dak van de keuken, en als ik dan héél zacht deed... Maar het was wel het slaapkamerraam van Pa en Ma. Gevolg: onzeker, want behoorlijk hoog, zeker met mijn verkleumde handen. Als ik van de dakgoot omlaag pletterde had ik pas echt een probleem. Ergste risico: gebroken nek, gebroken benen, niet mee op vakantie, minstens een maand huisarrest bij terugkeer. Als ik onbeschadigd bovenkwam en ze werden wakker, kon ik rekenen op Goede Gesprekken of een opvoedingskamp. Ergste risico: nooit meer naar de disco en dus ook niet naar een optreden van Easy. Screaming slecht plan.

### Oplossing 3

Pa en Ma opbellen dat ik ergens gewond op straat lag, of ze mij please even op wilden halen. Ze zouden meteen komen, waarschijnlijk in hun pyjama. Hoe zieliger ik was, hoe minder boos zij zouden zijn. Gevolg: ik moest me ergens heel zielig aan verwonden en onbekende tijd bloedend op straat doorbrengen. Verder moest ik de rest van mijn leven dit bedrog als geheim met me meeslepen. Dat schijnt niet gezond te zijn. Ergste risico: gekweld geweten, longontsteking, vieze infecties, tetanus. Trouwens, ze zouden het vrijwel zeker ontdekken. Gevolg: drie maanden huis-arrest of uithuwelijking aan sjeik. Ultiem slecht plan.

## Oplossing 4

Gewoon hier blijven wachten in het schuurtje en proberen wat te slapen. Dan kon ik morgen zogenaamd fris thuisko-men van die gezellige logeerpartij. Gevolg: gegarandeerd een longontsteking, mogelijk zelfs dood door bevriezing. Ik had het nu al stervenskoud! Uitgesloten.

## Oplossing 5

Met hangende pootjes terug naar Tibby? Definitief uitge-sloten. Het vervelende was dat mijn tas daar nog lag, maar mijn eergevoel was onverbiddelijk. Ik was niet van plan om me nog verder te laten uitschelden.

De enige andere mogelijkheid die ik zo gauw kon bedenken was om terug te fietsen naar Sisters, mijn huissleutel op te halen en superzacht ons huis in te sluipen. Gevolg: een half-uur heen fietsen en een halfuur terug, door de kou en de regen, en bovendien het risico dat ik Easy tegen het lijf zou lopen met mijn woest doorgelopen mascara. Pijnlijk, alsof ik op hem had staan wachten in de regen. In het ergste geval trof ik hem in de armen van Danny.

Zeer matig plan, maar iets beters wist ik niet.

Zachtjes haalde ik mijn fiets weer uit de schuur. Ik zocht mijn regenbroek en ik vond ook nog een oude regenponcho en een stel verlepte tuinhandschoenen. Belachelijk, maar altijd nog beter dan een longontsteking en ach, niemand die me zou zien.

De hele weg zat ik in mezelf te foeteren. Waarom woonde ik niet op kamers? Waarom kon ik nergens heen? Waarom moesten mijn vriendinnen zo nodig op vakantie? Waarom woonde oma zo ver weg? Waarom waren Pa en Ma niet gewoon gescheiden, dan had ik twee huizen, twee sleutels, twee kansen.

Ik keek op mijn mobiel. Halftwee. Als ik doorreed, was ik nog makkelijk op tijd bij Sisters. Sleutel vinden, terugfietsen, sluipen, bedje, slapen. Mmm.

De regen was gestopt, maar de wind was er niet minder om en ik had hem pal tegen. Ik probeerde me warm te trappen, want ondanks mijn regenbroek had ik het ontzettend koud. Toen ik bij Sisters aankwam, was ik tot op het bot verkleumd.

Vreemd, dacht ik, wat is het hier rustig. Alle lichten waren uit. Ik klopte op de deur, maar die was dicht. Had ik me zo in de tijd vergist? Ik keek op mijn mobiel. Dood. Nat? Batterij leeg? Ik kon het niet zien. Ik schudde eraan maar hij gaf geen krimp. Wat nu?

Ik klopte nog eens op de deuren. Binnen murmureerden en ritselden zachte geluiden. Mensen? Mensen die bezig waren alles af te sluiten? Mensen die de laatste apparatuur wegsleepten? Mensen die open konden doen? Of muizen? Ik bonkte zo hard ik kon. De deur bleef dicht.

Daar stond ik dan. Mijn ogen prikten van de slaap en de narigheid. Ik haalde diep adem. Nu niet huilen. Kalm blijven. Nadenken.

Mijn hersens verzonnen een wilde kluwen van schrikbeelden.

Goed, dan maar niet nadenken. Dan maar iets doen op goed geluk, op intuïtie. Fietsen. Heel hard fietsen. Warm worden! Keihard trappen, weg, het kon me niet schelen waarheen. Naar huis, naar Tibby – al bedacht ik duizend oplossingen, in alle duizend oplossingen kreeg ik het zwaar voor mijn kiezen, dus wat maakte het uit.

Gelukkig had ik wind mee, dat was iets. Ik had het verschrikkelijk koud. Ik trapte zo hard ik kon om nog een beetje warm te worden. Het hielp niet veel. Morgen zouden ze me wel ergens vinden, uitgeput en zwaar onderkoeld, met een dubbele longontsteking. Morgen mocht ik in aluminium-folie en in de ziekenwagen en dan legden ze me in zo'n lek-ker warm ziekenhuisbed met een zachtgeel wafeldekentje. Daar mocht ik dan zes weken blijven, in dat bed, tot het eer-ste levensgevaar was geweken. Zes weken slapen, zes we-ken niet naar school en het beste: zes weken geen gedoe met Tibby. Alleen maar aardig bezoek dat naar mij luister-de. En ook geen straf, want daar was ik dan te zielig voor.

Ik trapte en trapte en trapte, zomaar in het wilde weg. Ik had me nog nooit zo machteloos gevoeld.

Nu zie ik het. Die avond, dat was het moment. Dit was de avond dat het definitief misging, terwijl ik er niets meer aan kon doen. Ik was machteloos. Ik had het veel te ver laten komen.

'Zes weken geen gedoe met Tibby.' Als je dat soort dingen gaat denken, moeten er grote alarmbellen gaan rinkelen, daar heb ik geen Fluisterboek voor nodig.

Ik speel met de kaft, blader toch wat in het boek, machteloos, omdat ik besef dat er geen antwoorden zijn.

En toch lijkt het alsof het boek iets wil zeggen. Misschien weten die romige bladzijden iets wat ik nog niet weet. Ik laat ze door mijn vingers ritselen, blanco, onbeschreven, wit en onschuldig, net als altijd. Zie ik iets over het hoofd?

Nee.

Hoor ik bijzondere gedachten, ergens in mijn achterhoofd?

Nee.

De bladzijden ritselen leeg voor zich uit. Ze zeggen niets. Niets, zeggen ze. Niets. Helemaal niets.

Het niets zwelt aan, als een zwarte lawine die alles opslokt. Ik voel me helemaal leeggezogen.

Er blijft niets meer van me over. Ik word bang. Dit wil ik niet, zo wil ik me niet voelen! Ik sla het lege Fluisterboek dicht, ik leg het weg, maar ik voel het Niets naar me graaien met zwarte tentakels waarin alles oplost en verdwijnt. Ik ben niet alleen maar machteloos, ik ben helemaal niets meer. Niets!

Weg met dat boek! Weg!

Ik duw het boek van me af, maar het nietsgevoel wordt sterker en sterker, of ik het boek nu wegduw of niet. De lege bladzijden schreeuwen, zwart besluipen ze me, ze slaan vanuit het lege niets hun verslindende klauwen naar me uit. Ik word bang. Ze achtervolgen me, wat ik ook doe.

Het komt. Het komt.

# 12

Iemand schreeuwde iets, ergens achter me. Ik schrok en keek om. Ik trapte wat harder. Het was tenslotte midden in de nacht. Ik keek nog een keer om en zag toen dat er iemand achter me fietste.

Geen paniek. Dat kon gebeuren. Ik trapte nog wat harder maar de fietser haalde me langzaam in. Mijn hart bonsde en mijn mond was droog, maar dat kwam gewoon van het fietsen. Ik was niet bang of zo. Niets aan de hand. Iedereen mocht hier fietsen, op de openbare weg.

'Hé!' Het was een mannenstem. Ik trapte nog harder en toen nog wat harder en toen kon ik niet harder. Beetje bij beetje haalde hij me in.

'Hé! Stop nou!' riep de fietser. Hij had het tegen mij! Ik kreeg het warm.

'Wacht!' brulde die kerel. Ik wilde om hulp gillen, maar mijn mond was zo droog. Ik scheurde een klein straatje in en meteen weer de bocht om, de andere kant op, om die engerd van me af te schudden.

'Hé!'

Daar was hij weer! 'Hé! Apart! Stop nou!' Ik kon hem bijna niet verstaan. Wat brulde hij nou? Ik kreeg de rillingen! Wat dacht die engerd wel niet, dat ik zou stoppen om me even apart te laten nemen, om me willoos te laten verkrachten? Die was niet wijs!

Ik racete de bocht om, de straat uit, als een bezetene. Eindelijk werd het stil. Ik keek om, de weg was leeg. Ik had hem afgeschud. Yes! Goed werk, Annemarth! Ik keek nog een keer om.

Hij was echt weg.

Ik was kapot. Waar moest ik heen? Naar huis was te ver, maar Tibby woonde hier vlakbij. Ik ging op de trappers staan en scheurde er als een Tour-de-France-winnaar vandoor.

Tibby's huis! Ik was gered. Hier was het warm. Hier was ik veilig. Hier waren Whisky en Wodka en Bacardi en Schnaps. Hier was mijn tas, mijn warme zachte pyjama, mijn slaapzak. Ik begon vanzelf te huilen. Tranen liepen over mijn wangen, samen met de regen. Ik schramde mijn armen open aan de rozen, voelde er haast niets van. Ik smeet mijn fiets in de kale kamperfoelieslierten en duwde tegen de deur.

Hij klemde.

Ik duwde en schopte ertegen, rechtsonderin. Hij klemde heel erg. Ik drukte als een gek op de bel. 'Tibby!' riep ik. 'Help! Laat me erin!'

Geen antwoord.

Met mijn vuisten bonkte ik op de deur. Waarom deed er niemand open? Ik rukte aan de deurklink. 'Tibby! Help!' schreeuwde ik.

Achter me ritselde de rozenhaag. Die engerd was me gevolgd!

Ik trapte tegen de deur, keihard, en nog een keer, rechtsonderin, waar je moest trappen als hij klemde. Splinters, gekraak, gescheur, een snerpende pijn in mijn been.

Precies op dat moment ging boven me het dakraam open en Tibby brulde: 'Hou je gemak, idioot, er slapen hier mensen!' Mijn tas vloog met een grote boog de rozenstruiken in.

Toen grepen twee handen me vast. Die kerel trok me naar achteren en schudde me door elkaar. 'Annemarth! Kappen, jij idioot!'

Ik keek om.

'Sam?'

'Ja, malloot. Ik schreeuw de longen uit mijn lijf. Hoorde je me niet? Wat bezielt jou?'

Ik zei niets. Ik verwelkte ter plekke, als een slappe plant.

'Laat je been eens zien?'

Er stak een grote splinter uit de regenbroek, meer kon ik niet zien in het kale lamplicht. Ik werd misselijk en draaierig en dat was het laatste wat ik zag.

Toen ik weer bijkwam stonden er twee dokters met witte jassen naast me met een brancard, waar ze me op wilden hijsen. Ik wilde dat niet. Ik probeerde op te staan en uit te leggen dat ik best zelf kon lopen, maar ze bleven maar rondjes draaien tot ik er duizelig en misselijk van werd. Toen ik weer wakker werd lag ik achter in een auto met een heleboel slangetjes en lampjes en een prikding in mijn arm.

'Waar is Sam?' vroeg ik.

'Je vriend? Die zit voorin. We zijn er zo.'

'Mijn broer. En ik wil dat ding niet in mijn arm.'

'Dat had je een uurtje eerder moeten bedenken, meid,' zei de dokter met de witte jas. 'Voordat je die deur intrapte.'

Daar zat iets in. Het bracht me weer even terug in het hier en nu. Ik had zo gauw geen antwoord klaar, maar mijn hoofd werd weer helder. Dit was geen dokter, besefte ik. Dokters zeiden niet dat je een stommerd was die beter had moeten nadenken. Dokters zeiden: het komt allemaal goed, maak je geen zorgen. Dat was dokterstaal voor: hou je mond en val me niet lastig, want ik weet het ook niet en ik zat net zo lekker te kaarten toen mijn pieper ging.

Dat wist ik van Ma.

Maar een uurtje geleden was ik juist gestopt met denken om te kunnen overleven. Denken en overleven gaan niet samen.

Waarom had Tibby niet opengedaan?

De ziekenwagen scheurde door de lege straten alsof ik levensgevaarlijk gewond was. Maar toen we eenmaal in het ziekenhuis waren, had iedereen opeens alle tijd. Sam en ik werden naar een kamertje gebracht. Niks lekker warm ziekenhuisbed met een zachtgeel wafeldekentje, maar een plank-achtig ding van groen kunstleer met een soort keukenrol erop. De verpleger trok royaal een nieuw stuk papier over de bank, zodat ik schoon en fris en goedkoop kon liggen. Sam kreeg een stoel en daar zaten we dan. Ik was dankbaar dat hij niet tegen me begon te preken of vaderlijk ging doen. Mijn been prikte gemeen. Ik was misselijk. We zeiden weinig. Ik gleed elke keer in slaap. Na een hele tijd werd er een röntgenfoto gemaakt van mijn been, dwars door de regenbroek heen. Weer wachten en toen kwam een zuster die de regenbroek los knipte en naar mijn been keek, en een andere zuster die de splinters eruit trok en zei dat het allemaal nogal meeviel en dat ik me geen zorgen hoefde te maken.

Geen zorgen maken? Dat klonk als zuivere dokterstaal, dus dit was geen zuster. En ik maakte me juist woest veel zorgen. Het was een Helly Hansen-regenbroek die een kapitaal had gekost, en bovendien was de hak van mijn mooie laarsje weg. Wat had Sam toch bezield om mij zo de stuipen op het lijf te jagen midden in de nacht? Waarom lag die jongen niet gewoon in bed?

Opeens stonden Pa en Ma voor onze neus en ze namen ons mee naar huis. Dit was de eerste keer in mijn leven dat ik blij was dat zij Keurigs spraken en me niet de huid vol scholden. Het was ook de eerste keer in mijn leven dat ik wenste dat ik ook Keurigs kon, omdat ik in de normale taal niets, maar dan ook niets wist uit te brengen.

Ik hoopte vurig dat ik te zielig was voor straf. Maar iets vertelde me dat ik daar niet op hoefde te rekenen.

Egypte, vaarwel.

# 13

Ik werd pas zaterdagmiddag wakker. Volgens mijn klok was het halftwee. Het regende nog steeds en het was schemerig buiten. Vanbinnen voelde ik me ook erg schemerig. Mijn been prikte en jeukte. Als ik eraan dacht hoe erg alles uit de hand was gelopen, wilde ik het liefst weer verder slapen.

Maar dat lukte niet meer.

Over een paar uur zouden we vertrekken naar Egypte. Ik moest alles nog inpakken. Of zouden ze me thuislaten, voor straf? Misschien mocht ik mee met een ijzeren bol om mijn been, zo eentje van zeventig kilo, net als in de middeleeuwen. Nou ja, dat hoefde niet eens. Ik kon toch niet hard lopen.

Ik probeerde na te denken, maar mijn hoofd kon me niet troosten en mijn buik wilde alleen maar huilen en diep onder de dekens kruipen. Tibby had niet gebeld. Tibby had mijn tas in de bosjes gesmeten. Tibby's voordeur lag aan splinters.

Net goed.

Nee, dat dacht ik niet. Dat was iemand anders. Ik niet.

Ik snakte naar wat vriendinnentroost, desnoods peptalk, maar iedereen was weg. En toen dacht ik aan Easy.

Easy had me heel lief een drankje aangeboden, ook al zag ik eruit als een zieke vampier. Hij had me in paniek gezien en in tranen. Bij Easy had ik niets meer te verliezen. Ik stuurde hem een krabbel.

```
Hey Easy ik vond het fijn om je te
spreken gisteren al leek dat misschien
niet zo.
Bedankt, Annemarth.
```

Hij reageerde meteen.

> Hey Annemarth, ik hoorde net van Sam dat
> alles een beetje misliep, sorry dat had
> ik niet zo bedoeld.

Sam! Alsof het niet genoeg was om me te achtervolgen, moest hij ook nog zo nodig mijn geblunder doorvertellen! En uitgerekend aan Easy! Hoe kon hij! Bloed vloog naar mijn kaken van woede, en onversneden moordlust welde op in mijn buik.

'Wat bedoel je?' schreef ik. 'Wat heeft Sam je allemaal verteld?'

'Nou, ik had je nogal vreemd zien rondfietsen. Ik was je achternagereden en...' schreef Easy.

Maar toen klopten Pa en Ma op mijn deur. 'We willen even met je praten.'

Ze kwamen binnen met bezorgde gezichten, een beker thee en twee boterhammen met hagelslag. Ik sloot de chat met Easy af met: 'Sorry voor de chaos, moet gaan, ik ga je missen, veel plezier met optreden. xx Annemarth.'

Toen hadden we een moeizaam, Keurig gesprek.

'Nadenken over wat je aanricht,' zei Pa.

'Goedmaken wat je hebt beschadigd,' zei Ma.

Ik dacht dat ze het over de deur van Tibby hadden. 'Kon ik toch ook niet weten, dat die deur vermolmd was,' mopperde ik. Wat dachten Pa en Ma eigenlijk, dat ik een nieuwe hobby had, deurtje trap? Die deur klemde nou eenmaal. Tibby trapte er ook altijd tegenaan. Rechtsonderin.

Maar Pa en Ma zeiden dat ze dat helemaal niet bedoelden. Die deur was maar materiële schade, maar ik had het vertrouwen beschadigd. Dat was veel erger.

Verder hadden ze niet veel te melden. Het Keurigs was uitstekend geschikt voor dit soort crisissituaties, ze waren zo klaar. Ik mocht gelukkig mee naar Egypte. Als we weer thuiskwamen, zouden ze wel verder zien.

Het scheelde waarschijnlijk ook dat ik mijn mond hield en jaaa knikte en schuldbewust keek en aan Easy zat te denken. Dat hij zo aardig kon zijn. En zo gewoon. Dat hij me achterna was gereden. En dat hij zulke mooie groene ogen had. En dat hij me zo lief een drankje had aangeboden. Ik werd mild en zacht vanbinnen. Misschien oordeelde ik wel te hard over Sam. Hij was speciaal zijn warme bed uit gekomen om mij te helpen. Waarom? Hoe wist hij dat?

Nu tot me doordringt dat Sam mij echt hielp, ebt het nietsgevoel weg. Ik ben er weer. Ik kan weer ademhalen. Ik kan weer nadenken.

En dan zit ik toch ineens met die grote vraag: had ik echt niets kunnen doen om dit drama te voorkomen?

Dat kan ik niet accepteren.

### 1. Had ik niet uit moeten gaan?

Vast, maar als ik mijn hele leven veilig thuis moet blijven met mijn kop onder de dekens, kan ik net zo goed meteen in mijn kist gaan liggen. Wat maakt het nu uit of ik bij Tibby tot halftwee zit te kletsen of in de disco tot halftwee loop te dansen? Onredelijke verboden moet je uitpraten, maar uitpraten veronderstelt luisteren en daar zijn Pa en Ma niet zo bedreven in.

### 2. Had ik niet met Tarik moeten dansen?

Tibby had toch gezegd dat ze hem maar een kleuter vond. Ik liet me nogal meeslepen door die dansgekte van Tarik, dat wel, maar hij danst super en waarvoor ga je anders naar de disco? Ik had gewoon lol. Ja, dat was het natuurlijk! Helemaal fout. Oeps, sorry, ik had lol. Fouterdefout. Wie gaat er nu uit om lol te hebben en te dansen? Hoe haalde ik het in mijn hoofd!

### 3. Had ik me beter moeten voorbereiden?

Het was wel slim geweest als ik een reservesleutel bij me had gehad. En een veiligheidsspeld om hem aan mijn kleren vast te maken. Wat make-upremover was ook wel handig geweest. En tissues natuurlijk, en een klein spiegeltje. En de oplader van mijn mobiel. En een plastic regenhoesje voor mijn mobiel. En een haarborstel, deodorant, een camouflagestift voor vlekken en puisten. Paracetamol, een pincet, reservenagels voor als er eentje brak. Hakkenlijm voor mijn hoge hakjes, pepperspray voor onderweg, naald en draad in diverse kleuren, misschien een paar extra knopen, een adressenboek voor onvoorziene rampen, mijn verzekeringspasje en het pasje van de apotheek, een klein brandblussertje misschien, en niet te vergeten een muts en een das, laarzen tegen de regen en handenwarmertjes voor als ik het koud kreeg, en een slaapzak, tandpasta en tandenborstel. En een beautycase om alles in mee te slepen, maat xxxxxL, op wieltjes. O, en nog een klein EHBO-koffertje.

Ja, dat was veel beter geweest.

## Conclusie:

Zie je wel. Ik had het makkelijk kunnen voorkomen. Als ik als een zombie met een theemuts op mijn hoofd hormoonloos onder de lakens was blijven liggen, braaf aan de leiband van Pa, Ma, school en alle anderen die vonden dat ze het recht hadden om mijn leven in te vullen, dan was er niets gebeurd. Als ik had besloten om niet meer mee te doen, geen lol te maken als iemand me zag, alleen nog bescheiden te lachen. Als ik nooit meer iets nieuws probeerde, nooit fouten maakte, zorgde dat alles veilig was, alles zeker, ja, dan was er niets aan de hand geweest. Er zijn landen vol met vrouwen die de hele dag onder de lakens wonen, precies exact op deze manier.

Daar is mijn antwoord.

Nou, bekijk het maar! Ik ga nog liever gewoon dood!

Daarom begrijp ik het niet, van Tibby. Tibby was verwaarloosd en zielig, ze had niks aan haar ouders, maar ondertussen kon ze doen wat ze wilde!

Dat is toch geweldig?

En wat deed ze? Ze gooide alles weg!

Toch maar goed dat ik niet voorbereid was. Arme Sam als ik pepperspray had gebruikt. Wat bezielde hem toch, zo midden in de nacht op straat?

# Anubis

Iemand klopte.

'Laat me met rust,' zei ik. 'Ga weg.'

Er werd opnieuw geklopt. 'An, mag ik binnenkomen?'

Het was Sam. Hij zette thee voor me neer. Nog meer thee.

'Ik kom even kijken. Moet je niet inpakken? Hoe is het met je been?'

'Gaat wel,' zei ik. Ik had wat shirtjes bij elkaar gezocht, maar veel verder was ik nog niet gekomen. Ik voelde me waardeloos. Mijn been deed pijn, maar iets anders deed veel meer pijn, ergens diep vanbinnen. Het voelde als de splinters van mijn eigen leven.

Sam ging lekker op het bed zitten en scheurde een chocoladereep open. Melk met hazelnoot. Hij gaf mij de helft en stouwde de rest in zijn mond.

'Wat gebeurde daar nou, bij Tibby?' vroeg hij al kauwend.

'Dat kan ik beter aan jou vragen! Hoe kwam je daar? Waarom achtervolgde je me?'

'Easy belde me dat hij jou doelloos en verkleumd door het dorp had zien fietsen. Hij had je gebeld, maar je mobiel deed het niet. Hij vroeg mij of je al thuis was.'

'O.'

Dus Sam kwam omdat Easy mij had zien tobben?

Vet lief. Van allebei trouwens. Ik ontspande me.

'En waarom fietste jij rond in een regenpak met tuinhandschoenen aan, midden in de nacht? Je zou toch bij Tibby logeren?' vroeg Sam met volle mond.

'Ik had het steenkoud! En ik kon er niet in thuis, alles was dicht.' Ik vertelde hem hoe kwaad Tibby was geworden om

Tarik, en over haar sms'je met 'val dood'. 'En toen werd ik ook nog achtervolgd.'

'Klopt, dat was ik.'

'Dat wist ik toch niet! Waarom belde Easy jou? Waarom stopte hij zelf niet?'

'Hij zat met een auto vol spullen en je was ineens weg. Ik werd hartstikke ongerust! Waarom heb je mij niet gebeld? Je kunt me altijd bellen, dat weet je toch?'

'Ik heb eraan gedacht. Stel je voor, ik bel jou op: "Sam, help, laat me erin."

"Tuurlijk," zeg jij, en je laat me erin. Daarna kan je mij toch chanteren bij het leven! "Toe, Annemarth, wil jij nu even de was opvouwen, anders vertel ik het aan Pa en Ma. Wil jij even het gras voor me maaien, Anne, alsjeblieft, anders vertel ik het aan Pa en Ma." Nou, daar had ik dus geen zin in. En toen ik later wilde bellen, deed mijn mobiel het niet meer.'

Sam ging rechtop zitten. 'Nou ja! Wat denk je wel van me!' Hij staarde me aan.

'Met die beker deed je dat toch ook?' zei ik. '"Als je hem nu niet plakt, zeg ik tegen Pa en Ma dat je stiekem naar de disco gaat."'

Sam leunde weer achterover en peuterde stukjes hazelnoot uit zijn kiezen. 'Hallo, die beker lag al maanden op je bureau en je deed er niks aan,' zei hij.

'Je had het gewoon kunnen vragen zonder me zo onder druk te zetten.'

'Ja, had ook gekund.' Hij haalde zijn schouders op, half onverschillig, half schuldbewust. 'Denk je serieus dat ik je nu zomaar met alles ga chanteren?'

'Nee,' zei ik. Ik glimlachte en voelde me ineens onnozel. 'Ik wilde het gewoon zelf oplossen. Het hielp ook niet echt, hè, die hulp van jou. Alles werd er alleen maar erger van.'

Toen was het Sams beurt om onnozel te glimlachen. 'Waarom trapte je ook zo stom tegen die deur?'

'Dat moet, bij die deur, anders gaat hij niet open. Ik was doodsbang! Wist ik veel dat ik er zo makkelijk doorheen zou trappen. Enfin, de rest weet je.'

'Waarom ging Tibby er nou vandoor, en waarom deed ze niet open?' vroeg hij. 'Jullie waren toch samen uit? Dat is toch raar?'

'Tibby is niet raar!' riep ik. 'Alleen omdat ze zwart is, is ze nog niet raar!'

'Doe normaal, joh, dáár gaat het niet om. Al was ze paars! Waar het om gaat, is dat ze jou gebruikt. Zie je dat dan niet? Jij moet haar altijd helpen. Met wiskunde, met Duits, met schoffelen, weet ik het. En nu had jij haar een keer nodig, één enkele keer sta je doodsbang op haar stoep, en dan laat ze je staan, midden in de nacht. Zoiets doen vrienden niet.'

'We hadden ruzie.'

'Dat doen vrienden niet,' herhaalde Sam. 'Zelfs niet met ruzie.'

'Maar ze heeft het zo moeilijk. Wij gaan lekker naar Egypte en zij zit de hele vakantie thuis.'

'Het was toch zo leuk daar?' zei Sam. 'Jij was zowat verliefd op dat huis.'

'Ja, in de zomer. Maar nu is de tuin kaal en het huis tocht. Haar pa zit te zingen naast de whisky en de koelkast is leeg.'

Sam sloeg een arm om me heen. 'En wil jij dat allemaal oplossen, zusje?'

Hij zei het zo lief. Toen huilde ik pas echt. Ik huilde om dingen die geen woorden hadden, maar wel tranen. Sam aaide onhandig met zijn hand over mijn haren. Onhandig, maar wel heel lief.

Na een tijdje waren de tranen op. Sam stond op. 'Nou, sterkte, ik zal wel zien of ik Pa een beetje kan bewerken, oké?'

Ik knikte.

Maar toen ik iets wilde zeggen, zat er een klont in mijn keel. Wel wist ik ineens nog twee oplossingen.

4. Chocola kopen voor Sam. Veel chocola.

5. Meer dingen doen met mijn andere vriendinnen.

Maar hoe pakte ik dat aan? Met Tibby was het makkelijk, die had altijd tijd voor me, zij had me nodig. Maar die anderen hadden het allemaal zo druk.

# 2

Egypte, daar hoort maar één woord bij: verlangen. Egypte was zó overdonderend mooi. Die piramiden, die onvoorstelbaar reusachtige piramiden, van immense stenen die zo strak tegen elkaar aan zaten dat niemand zoiets ooit na heeft kunnen bouwen. Die prachtige tempels met machtige beelden van roze graniet en statige zuilen vol hiëroglicfen die ik soms kon lezen, maar meestal niet. Het kruidige eten. Roze karkadeh van hibiscusbloesem. Gek genoeg smaakte het daar als een godendrank en hier als een wrange, zurige thee. Daarom wil ik terug.

Het Egyptisch Museum vol mummies en schatten van lapis lazuli en van goud, meer dan tweeduizend jaren oud. Ik zocht er naar de steen van Rosetta, die steen die de sleutel vormde tot de hiërogliefen en door Champollion was ontcijferd. Helaas, hij was ingepikt door de Engelsen. Nu ligt hij in het British Museum. *London, here I come!*

En dan die beeldschone tempelkatten, zwart met gouden oorringen.

De Egyptenaren waren de eersten die tamme katten hielden. Ze bewaakten hun graanvoorraden tegen de muizen en werden aanbeden als levenbrengende goden. Ik heb eindelijk een kat, een replica van zwarte steen. Ik heb hem gekocht in de soek, dat was een soort kruising tussen Hoog Catharijne en de Fata Morgana van de Efteling. Ik heb Tibby en Sharima een kaart van zo'n kat gestuurd, want een lijn met kattenbijoux en modieuze poezenpiercings, dat leek me net iets voor Kraaltjes en Sjaaltjes.

Die hele reis voelde ik me een prinses, zo luxe en verwend vergeleken bij veel kinderen daar. Ik hoefde niet voor zeven kleine broertjes en zusjes te zorgen. Ik hoefde ook niet de hele dag op een veel te laag houten bankje tapijten te knopen, zoals de kinderen daar. 's Morgens weefles en 's middags les in de Koran en dat heette dan school.

Zelfs Tibby zou hier schatrijk zijn. Ik kocht een prachtig Anubisbeeldje voor haar. Had ze toch haar herdershond. Voor de anderen kocht ik een paar leuke armbandjes met blauwe katten en scarabeeën van steen. Ik kocht ook een grappig shakertje, gemaakt van platgeslagen flessendoppen. Voor Easy. Ik moest steeds aan hem denken en ondanks alles, ondanks de sprookjesvissen in de Rode Zee, verlangde ik ook wel weer naar huis.

# 3

Onze straat was netter en saaier dan ooit en het plensde. Ik verlangde terug naar Egypte, naar die romantische wuivende palmen en die bijzondere mensen, die kronkelende straatjes en magere rode katten die 's ochtends vroeg uit de vuilniszakken zaten te snacken.

Wie van de Nijl drinkt keert ooit terug, dat is de legende. Ik had natuurlijk niet van dat vieze water gedronken, maar het leek wel alsof de Nijl door mijn aderen stroomde, zo erg verlangde ik terug.

Mijn straf maakte het niet beter. Ik moest Pa helpen om de schuur op te ruimen, wat een ramp was, want die man is een perfectionist. Toen ook het laatste schroefje op maat gesorteerd in het juiste doosje lag, moest ik Ma helpen om het zilver te poetsen, en dan bedoel ik ál het zilver, ook dingen die we zelden of nooit gebruiken zoals het visbestek, de kandelaars, de vaasjes, de rammelaar van Pa en het babybekertje van Ma. Al moet ik toegeven dat het best gezellig werd, want Ma begon te vertellen over vroeger, toen zij zelf een keer een hele nacht was weggebleven van huis, en een andere keer, toen ze was meegelift met een wildvreemde vrachtwagen, helemaal naar Antwerpen, omdat ze wilde reizen en de wereld wilde zien. Toen ik zei dat ze griezelig was veranderd sindsdien, werd ze niet eens boos. Ze lachte, zoals alleen Ma dat kan.

In mijn mailbox zaten een stuk of tien sorry-mails van Tibby. Blijkbaar deed haar pc het weer en haar geweten ook. Dat was fijn. Ik had ook twee aardige mailtjes van Easy! Ik mailde hem meteen terug, dat de Rode Zee blauw was en vol sprookjesvissen zat. En dat ik een verrassing voor hem had. Het shakertje legde ik in mijn la, totdat ik een goed moment vond om het aan hem te geven.

Toen ik mijn Egyptische kat in de boekenkast zette, glinsterde haar oorring en het leek wel alsof ze begon te spinnen. In mijn gedachten kwamen opeens beelden en flarden boven van het verhaal van Osiris, die Egyptische koning die door zijn eigen broer Set werd opgesloten in een doodskist, en de Nijl af dobberde, levend en wel. Zijn geliefde Isis was ontroostbaar. Ze zocht de hele wereld af om Osiris te vinden, met de hulp van zijn zoon, Anubis. 'Anubis was een meester in het troosten,' fluisterde de kat, en even straalde er een warme, gouden gloed uit het foeilelijke doosje op mijn bureau, waarin Tibby's Anubis was ingepakt.

Zou Tibby er blij mee zijn, vroeg ik me af. Of zou ze het niks vinden, vanwege het groezelige doosje? Voor de zekerheid haalde ik Anubis eruit. Hij was zo mooi dat ik hem zelf wel wilde houden. Ik rolde hem in wit vloeipapier, als een minimummie. Toen aarzelde ik opnieuw. Zou Tibby begrijpen dat het een mummie voorstelde? Of zou ze alleen dat verfrommelde vloeipapier zien en denken dat ik haar afscheepte met een prul? Voor de zekerheid zocht ik naar blauw papier, waar ik de mummie inwikkelde. Nu was het een echt Tibby-pakje. Chic gouden lint erom, helemaal goed. Of was het nu te luxe?

Ik merkte dat er iets was geknapt, de sorry-mails hielpen niet. Er was iets onherstelbaar veranderd. Ik wist gewoon niet meer hoe ik Tibby een plezier kon doen. En ik wist zelfs niet meer zeker of ik dat wel wilde.

# 4

Alsof vroeg opstaan nog niet erg genoeg was, regende het pijpenstelen toen we weer naar school moesten en ik had geen regenbroek meer. Die hadden ze in het ziekenhuis kapotgeknipt. Ik kwam kletsnat op school, nog net voor de bel.

We hadden Frans. Tibby was laat. Ik ging naast Elien zitten en gaf haar het Egyptische armbandje. Ze deed het meteen om en bewonderde het van alle kanten. Ik vertelde over de soek waar ik het had gekocht. Zij wilde alles weten over de piramiden en over de Nijl en of die nog steeds overstroomde en hoe die arme mensen dat dan overleefden. Ik vertelde dat de Nijl al sinds 1970 was ingedamd bij Aswan. Het was weer vanouds gezellig en het duurde dan ook niet lang voordat Belle ontplofte.

'Twee weken vakantie, *mes dames*, twee weken heeft u kunnen kakelen en nu is het stil, *compris?*'

Op dat moment kwam Tibby binnenstommelen. Belle viel stevig tegen haar uit en ging toen verder met de les. Ze zwamde over *la viande* en *la boucherie* op een toon die onthulde dat ze geen leuke vakantie had gehad.

Tibby zakte neer bij het raam, vlak voor ons. Haar broek was doorweekt en haar vlechtjes dropen. Ik wilde Belle en haar rothumeur niet uitdagen en probeerde in gebarentaal Tibby's aandacht te trekken. Maar ze ving mijn signalen niet op, zelfs niet toen ik fluisterde. Dus probeerde ik het met een briefje, compleet met hiërogliefen.

Ik schreef: wat ben je laat, alles oké? Daaronder schreef ik dezelfde tekst in hiërogliefen, net als op de steen van Rosetta.

Tibby keek even om met een glazige blik. Ze trok haar wenkbrauwen op en veegde met haar mouw wat druppels uit haar haar. De rest van de les staarde ze uit het raam. Ze schreef niets over van het bord, ze schreef het huiswerk niet op, ze deed helemaal niks. Ze schreef me niet eens terug! Ze zat daar gewoon maar een beetje, een vol uur lang. Ik kreeg er kromme tenen van.

Ik schreef Elien ook een hiërogliefenbriefje: jij bent echt mijn beste vriendin.

Elien keek verbaasd, lachte toen en puzzelde een poosje. Toen kreeg ik een briefje terug, met een paar hiërogliefen tussen de woorden.

*En jij van mij!*

Alles ging zoveel makkelijker met Elien. Het stomme was alleen dat ik van Tibby zoveel nieuwe dingen kon leren. Ze had me geleerd hoe je spaghettisaus moest koken, dat je bloot kon zwemmen, dat je kon praten over wat je voelde, en wie mijn beste vriendin was. Maar nu zat Tibby glazig naar buiten te staren. Ik herkende haar nauwelijks terug.

In de pauze plensde het nog steeds, dus hingen we in de hal. Het was er vol en de zwart-witte tegeltjes waren nat en glad. Tibby stond weggedoken in een hoekje. Ze knikte vaag toen ik bij haar kwam staan. Eigenlijk popelde ik om haar haar pakje te geven. Dan kon ze zien dat er heus wel iemand was die om haar gaf. Maar tegelijk was ik bang dat ze Anubis maar stom zou vinden.

'Hoe was jouw vakantie?' vroeg ik, om het gesprek een beetje op gang te brengen.

Ze hadden vast de tv gezellig naar de keuken gesleept. Whisky en Wodka op schoot, lekker relaxed op de oranje bank, Bacardi in de vensterbank, Schnaps ergens op zolder op muizenjacht. Wijntje voor Sharima, als ze thuis was tenminste. Colaatje erbij, chipjes erbij, jointje voor Jeff, als hij thuis was tenminste. Lekkere roti met kip als kerstdiner.

Niks hoeven, uitslapen zo lang en zoveel ze wilde, filmpje kijken. Leek me heerlijk!

'Tja,' zei ze.

'Was het niet leuk?' vroeg ik.

Ze schudde haar hoofd. Ik probeerde het nog een keer. 'Heb je nog mooie films gezien?'

'Ja, een stuk of vijfentwintig.' Op een toon van: duh, wat moet je anders met kerst.

'Niet dan?' vroeg ik. 'Was het een beetje gezellig?'

'In mijn uppie? Nou, nee. Sharima moest werken, natuurlijk.'

'En Jeff dan?'

'Ach, je kent Jeff.' Aarzelend. Als ze op die toon begon, dan was Jeff vast aangeschoten geweest, of stoned. Of allebei. Dat zei ik maar niet.

'En de kachel ging een beetje stuk.'

Dat leuke potkacheltje waarin we appels hadden gepoft? 'Balen! Kon Jeff hem niet maken?' vroeg ik.

'Ja, dat heeft hij geprobeerd, maar er was iets met koolmonoxidegevaar en nu mag hij niet meer aan.'

'En nu?'

'O, Sharima zou nog iemand bellen,' zei ze ontwijkend. Dus ze had de halve vakantie in de kou gezeten. Niet leuk. Ik wist niet wat ik moest zeggen. Tibby vroeg niets over mijn reis. Het leek opeens zo stom om zelf over Egypte te beginnen. Zelfs de urenlange vertragingen op saaie vliegvelden leken opeens woeste luxe, tussen winkels waar ze zonnebrillen verkochten voor een bedrag waar een heel gezin een maand van kon leven.

'Ik heb een klein stukje Egypte voor je meegebracht,' zei ik maar. 'Ik hoop dat je het mooi vindt.' Ik haalde het pakje tevoorschijn.

Tibby keek alsof ze een opmerking wilde maken over onderdrukking of discriminatie. 'Het is natuurlijk wel met kinderarbeid gemaakt,' zei ik snel, om haar voor te zijn. 'En die kinderen krijgen wel met de zweep en daar krijgen ze dan weer zweren van, maar dat geeft niet. Daar hebben ze vet goeie zalf voor.'

Tibby werd eindelijk een beetje wakker. Ze keek me stomverbaasd aan. Ik knikte nog eens vol overtuiging. 'Ja, echt. Gesmolten nijlpaardenvet.'

Gelukkig, ze lachte! Opeens was de oude Tibby er weer, die warme, vrolijke meid die ik zo miste. Ze gaf me een knuffel en pakte blij haar cadeau uit. Vlak bij ons liep Tarik wild te dollen in de gang en ik zag alweer een ontevreden blik over haar gezicht glijden. Ze draaide zich om en beet hem toe: 'Doe even normaal, je lijkt wel een kleuter.' Maar terwijl ze zich omdraaide verloor ze haar evenwicht en ze gleed uit. Het pakje kletterde met een klap op de tegels.

'O, sorry schatje,' zei Tarik luchtig, maar toen Tibby het pakje openmaakte werd hij vuurrood en hij herhaalde het een keer of tien.

Het mooie beeldje van Anubis lag aan stukken.

Tibby beet verslagen op haar lip. Ze deed niets, zei niets, ze stond daar maar.

Tarik raapte een stuk op en gaf het aan mij. 'Sorry, echt niet expres!' zei hij nog een keer. Toen maakte hij zich uit de voeten. Ik gaf hem geen ongelijk.

Ik pakte de brokken van Anubis van Tibby af en deed ze voorzichtig weer in het papier. 'Ik zal het voor je plakken,' beloofde ik. 'Heus, het wordt zo goed als nieuw.'

Tibby knikte vaag, alsof ze me nauwelijks hoorde. Al het stralende was verdwenen. Er kon niet eens een glimlachje af.

# 5

'Je gaat toch wel even mee?' vroeg Tibby 's middags.

'Ik weet niet,' zei ik. Nu lachte ze vrolijk, maar het kon best zijn dat ze straks zomaar weer uitviel, om niets. Ik moest Anubis nog lijmen en ik wilde even internetten. Misschien had Easy me iets gekrabbeld, of konden we even chatten. Ik had hem al drie keer zien lachen in de gang, maar twee keer hing Danny bij hem in de buurt en de derde keer, toen hij alleen was, kreeg ik een kop als een tomaat. Ik durfde niet eens naar hem te zwaaien.

'We kunnen popcorn bakken en warme chocomel maken. Ga je mee?' vroeg Tibby.

Ik aarzelde. Popcorn bakken en chocomel maken leek me wel leuk. Zulke dingen deden we ook in onze zomer. Maar ik had niet zo'n zin om in de kou te gaan zitten.

'Durf jij iemand voor de kachel te bellen?' vroeg Tibby.

Ik wist niemand en eigenlijk vond ik dat Jeff dat maar moest regelen, of Sharima. 'Waarom ga je niet met mij mee? Bij ons is het lekker warm,' stelde ik voor. 'Misschien mag je wel blijven logeren, tot jullie kachel het weer doet. Dat is gezellig.'

'Nee, joh, dat hoeft echt niet. Ik steek gewoon het gas aan, dat gaat prima,' zei ze stoer.

Toen kreeg ik medelijden en fietste ik toch maar mee.

Haar huis lag er troosteloos bij. De spikkelkippen zaten op een rommelige berg pallets en de schuurdeur bungelde scheef in de scharnieren. Op de voordeur was een bobbelig plaatje triplex gespijkerd waar ik er met mijn voet doorheen was gegaan. De deur klemde nog erger dan eerst.

Binnen was het koud en alles was klam. Van Jeff geen

teken. Tibby sleepte een rammelend straalkacheltje de keuken in en stak het fornuis aan. Heel langzaam warmde het wat op. Een dekentje en een poes op schoot hielp ook.

Er was geen popcorn en ook geen chocomel. 'Ik heb nog lekkere gemberthee,' zei ze. 'Of wil je limoen?' Ze zette een bobbelig fluitketeltje op het gas.

Gember? Limoen? 'Nou nee, bedankt.'

'Wie moeten we bellen voor de verwarming? Zet je pc even aan, of heb je een telefoonboek?'

'Nee, hoeft toch niet, Sharima wist iemand, ze belt vanmiddag wel.'

Dan niet. Ik wilde al gaan, maar Tibby zette de tv aan en stopte een oude video van Jeff in de videorecorder. 'Wacht nog even, dit is zo gaaf! Dit moet je echt horen!' zei ze.

De video was een grote verrassing. Jeff was twintig jaar jonger en best knap om te zien. En die liedjes, die stem...

'Dit was in de begintijd van MaiZZ,' zei Tibby dromerig.

Het was prachtig! Hoe kon iemand zo veranderen?

Tibby spoelde een stukje terug. 'Moet je horen! Goed hè?' Ze keek bijna verliefd naar die video. 'Vind je het niet cool?'

Ik vond het eerder pijnlijk dan cool. De Jeff van nu stak schril af bij de Jeff van toen. Zag ze dat dan niet? Hield ze zichzelf voor de gek of had ze het echt niet door?

Ondanks het gasfornuis en het straalkacheltje bleef het ijskoud in de keuken.

We maakten wat huiswerk en Tibby begon weer te mopperen. 'Waarom moeten wij weten wat "slager" is in het Frans? Denkt Belle soms dat we het kookboek op onze lijst zetten?'

'La boucherie,' zei ik. 'De slager is la boucherie.'

'Dat weet jij ook echt.'

'Stond in het boek,' zei ik bits. 'Hallo, nu heb je eindelijk boeken, kijk er dan ook in! Of heb je die bladzijde er soms uit gescheurd?'

Ik dacht aan Sam, die zei dat ik me niet moest laten

gebruiken, en ineens begreep ik wat hij bedoelde. 'Jij staart de hele les uit het raam, je scheurt je boeken stuk. Wat verwacht je nou eigenlijk?'

'Ik verwacht niks van je, hoor. Sorry dat ik het vroeg.'

'Wanneer word jij een keer wakker? Ga iets doen!' riep ik.

'Tja,' zei ze, 'ik was wel niet op Nijlcruise of naar Thailand of Mexico, maar ik had even vakantie. Het valt niet mee, hoor, hier.' Er zat een krak in haar stem, alsof ze elk moment in huilen kon uitbarsten. Ik voelde mijn medelijden alweer opwellen.

'Je had ten minste een paar Franse films kunnen kijken,' zei ik.

'Alsof ik die versta.' Tibby frunnikte aan haar pen en kloof op een vlechtje. Ze huiverde en keek zo zielig, dat mijn hart ineenkromp. De kou kwelde me met klamme vingers om mijn handen, mijn hals, mijn benen. Ik wilde haar best helpen, maar eigenlijk wilde ik hier weg.

'Kom op, Tipsy,' zei ik, 'je hebt gelijk, het is geen doen hier. Kom, we gaan gezellig naar mijn huis. We maken chocomel en popcorn en dan kan je even bijkomen en dan lukt het huiswerk maken ook veel beter. Als je niet wilt logeren, blijf dan tenminste lekker eten.'

Tibby wimpelde het af. 'Nee bedankt, die kille kazerne bij jullie zie ik even niet zitten.'

Ik haalde diep adem. 'Wat bedoel je, kille kazerne?' vroeg ik. 'Bedoel je die kille kazerne waar het netjes en schoon en opgeruimd is en heerlijk warm, waar de haard brandt en waar echte popcorn is en echte chocomel, waar een echte printer is die jouw werkstuk echt kan printen? Alleen omdat mijn huis een beetje netjes is noem je het een kille kazerne?'

Ik slikte de rest in. Het had gewoon geen zin met haar. Ik wilde haar dolgraag helpen, met alles, maar het had gewoon geen zin. Hoe kon ze hier nu iets leren, in deze koude, tochtige keet? Waarom wilde ze niet mee?

In de winter had je toch veel meer aan een kachel in een kille kazerne dan aan warme woorden en mooie muziek in een kille keuken? Tibby moest gewoon lekker warm worden, die kachel moest gerepareerd, zo kon ze niet leren.

Maar ze wilde niet. Ik zei niets meer.

'Annemarth?' vroeg Tibby na een poosje.

'Ja?'

'Sorry. Help je me nog? Please?'

'Ja, ik help je heel graag, dat weet je toch,' zei ik. Ik pakte mijn tas. 'Zullen we gaan?'

'Nee, sorry, ik bedoel met meetkunde, daar snap ik niks van,' zei ze. 'Jij wel natuurlijk.'

'Ja, ik snap het helemaal,' zei ik. 'Als je hulp wilt, kom je maar mee. Ik blijf hier niet in de kou zitten.'

Was dat een eerlijke keuze of was het chantage? Ik raakte in de war.

'Hallo, ik kan hier toch niet weg!' zei Tibby. 'Als ik die kachel uitdoe, is het ijskoud als ik thuiskom. Toe nou, het zijn maar twee sommen!'

Ik wreef mijn handen warm en legde haar de sommen uit. Ze waren doodsimpel, maar ze snapte er niks van. Na een halfuur was mijn geduld op. Ik was verkleumd. Ik wilde weg.

Ineens was het heel eenvoudig. Een smoes. 'Hé, ik moet gaan,' zei ik. 'Ik moet nog trainen.'

Toen ik de deur achter me dichttrok, had ik het gevoel dat ik iets achter me liet, voorgoed.

Thuis pakte ik mijn tas uit. Ik vond Anubis in een paar stukken en voor ik het wist lag ik op mijn bed te huilen. Ik huilde en huilde en het voelde alsof er veel meer kapot was dan alleen een beeldje. Maar ik wist niet precies wat.

's Avonds aan tafel vroeg Pa: 'Heb je gehuild, meisje? Wat is er aan de hand?'

Zijn stem klonk zo lief, dat ik alweer begon. Ik wilde wel

vertellen over Tibby, maar ik kon er geen woorden voor vinden. Ik vond alleen tranen en daaronder zat iets anders, iets wat leek op brokken, op klonterige brokken verdriet over iets wat ooit heel mooi was en nu niet meer.

Sam knipoogde naar me. 'Liefdesverdriet?' vroeg hij. 'Balen.'

Ik schudde mijn hoofd, maar misschien had hij toch gelijk. Want ik miste de oude Tibby zo. Ik had het zo fijn gehad in dat huisje. En nu was alles zo anders.

Na het eten liet ik Anubis zien aan Pa.

'O, nu begrijp ik het,' zei Pa. 'Kom maar even mee.' Hij liep naar zijn bureau en trok met een geheimzinnig gezicht een laatje open. Van diep achterin viste hij een tube op. 'Ruimtevaartlijm,' zei hij met een knipoog. 'Hier kan je letterlijk alles mee lijmen. Zelfs gebroken harten.'

Hij keek zo lief, dat ik opeens weer dingen wist.

Ik wist dat Tibby's kachel stuk was en ik aarzelde of ik het tegen Pa zou zeggen.

De kachel van Tib Tib Tibby Lib Liblib Libby?

Nee, ik zei het toch maar niet.

# 6

De volgende dag was Tibby niet op school. Ik sms'te haar, maar ik kreeg geen antwoord. Dat vond ik vreemd. Ze sms'te altijd terug, behalve die ene keer toen ze kwaad op me was. Maar waarom zou ze kwaad op me zijn?

Elien leidde me af. 'Ruik eens?' zei ze en ze spoot iets op mijn arm. Het rook mierzoet, maar wel lekker, naar aardbei en suikerspin en rozen.

'Wat is het?' vroeg ik.

'Het is een nieuw parfum. Exquise Moi,' fluisterde ze. 'Het is hier nog niet eens verkrijgbaar. Ik heb het van mijn nichtje uit Parijs.'

Heerlijk. Dit was weer honderd procent Elien.

'Is Tibby ziek?' vroeg ze.

'Ik moet haar nog bellen,' zei ik. Maar eigenlijk had ik niet zo'n zin om achter Tibby aan te bellen. Zij kon zelf toch wel iets laten horen.

's Middags na school was ik lang bezig om Anubis in elkaar te puzzelen. Ik schilderde voorzichtig alle witte scheurtjes zwart, de ogen goud. Het was lastig. Toen ik even niet oplette bij het linkeroog droop er opeens een gouden traan langs zijn wang.

Tibby bleef dagenlang thuis van school en ze liet niets horen. Dat vond ik niet aardig van haar. Ik voelde me knap afgewezen.

Zelfs Jeske vroeg ernaar, toen we de volgende dag na school naar de fietsenstalling liepen. 'Hoe is het toch met Tibby?' vroeg ze. 'Ze is best al lang weg, hè, is ze erg ziek?'

Ik haalde mijn schouders op.

'Heb je haar niet gebeld? Hebben jullie soms ruzie of zo?'

'Nee hoor,' zei ik. Dat smultoontje, daar had ik geen zin in. Ik besloot mijn trots opzij te zetten en toch maar even bij Tibby langs te gaan.

'Zeg, hoe gaat het eigenlijk met het Kunstfeest?' vroeg ik. 'Wanneer is de volgende vergadering?'

Ik hoopte dat ik Easy dan even zou zien. Iedere ochtend nam ik me voor om nu echt met hem te praten. Maar ik durfde niet. En Danny hing steeds bij hem in de buurt.

Jeske vertelde honderduit, ze was er bijna elke dag mee bezig en het werd een geweldige happening. Het was heerlijk om naar haar enthousiaste verhalen te luisteren, en voor ik het wist liepen we samen door het dorp, ieder met een Turkse pizza. De winterzon scheen fris en stralend en ik voelde me dik tevreden. Meer tijd maken voor mijn vriendinnen, zo werkte dat dus. Heel eenvoudig, eigenlijk. Gewoon dóén.

'Hallo, waar zit jij met je gedachten?' vroeg Jeske na een tijdje.

'Sorry,' zei ik. 'Ik dacht even...'

'Aan die nieuwe jongen?' vroeg ze nieuwsgierig. 'Easy?'

Ik proefde zijn naam in mijn mond en ik kreeg het acuut warm. Het was een wild soort warm met vlagen kamperfoeliegevoel.

'Ja, ik zie het, je wordt rood!' Jeske glunderde nieuwsgierig.

Ik vertelde haar over die rare weddenschap, waarvan ik niet zeker wist of het nu echt een weddenschap was, en over zijn zoen op mijn wang. En over Sisters. 'Denk je dat hij me leuk vindt?' vroeg ik.

'Leuk, leuk? Mens, hij vindt je super! Zie je dan niet hoe hij naar je kijkt? Wanneer word jij een keer wakker?'

'Hij hangt steeds rond met die Danny,' zei ik.

'Nee, dat zie je helemaal verkeerd,' zei Jeske stellig. 'Danny hangt steeds rond bij hem. Dat is iets heel anders.'

's Avonds bedacht ik dat ik niet meer langs Tibby was ge-
fietst. Ik belde haar toch maar even op.

'Helllllooo?'

Wat klonk dat vreemd, wat een vreemd accent. 'Jeff?'
vroeg ik. Waarom pakte hij Tibby's mobiel op?

'Hi, I said Helllooooo! Helllooooo!' brulde hij door de telefoon.

Wat deed hij bezopen! 'Hoi Jeff, is Tibby er?'

'Hi, Annemarth. Helllo. Tibby's sleeping, I guess. Ze slaapt
of zo, weet je wel.'

Hij herhaalde het een keer of vier met dubbele tong. Hij
was katjelam! Ik geneerde me dood. En ik begon te begrijpen waarom Tibby niet naar school kwam. Als mijn pa
ladderzat op de bank hing, zou ik ook geen zin hebben in
indringende vragen. Ik zou niemand onder ogen durven
komen!

Niemand, behalve mijn beste vriendin.

'Mooie boel,' mompelde ik. 'Wat vind jij ervan, Anubis?'

Ach, stuur gewoon nog een sms, zei Anubis.

Dus dat deed ik.

**Hoi Tips,**
**Red je t een beetje? Waarom nam Jeff je telefoon op? Hij was**
**katjelam!!! Waarom geef je nooit antwoord? Ben je ziek? Is**
**jullie kachel al gemaakt? xxxxxxxxx mis je AM**

## 7

De volgende avond had Tibby op mijn Hyves gekrabbeld!

```
Ey Anne, zit maar niet in over Jeff,
ik ben een beetje gammel. Kom maar niet
langs want vet besmettelijk, zie je
zoen. Tibby.
```

Ik was ontzettend opgelucht. Toch gewoon een griepje.
Dacht ik. Achteraf had ik beter na moeten denken. Ik had moeten weten dat Tibby soms niet alles zei. Maar ik dacht niet na, want vlak erna kreeg ik een krabbel van Easy. Yesss!

```
Eey Annemarth, kreeg net je kaart uit
Egypte, tanx!
```

Ik chatte meteen terug.

```
Nu pas! Lekr laat. Ey, bedankt dat je
Sam hebt ge-sms't toen met die disco, al
hielp het niet veel, haha, dat heb je
ckerwel gehoord. Ik schaam me dood.
```

Easy antwoordde:

```
Ik zat in de auto dus kon je niet
achterna fietsen en ineens zag ik je
niet meer.
```

```
Vnd je dat jammer? vroeg ik.
```

Flirt flirt, dacht ik.

**Ja cker. Wat was nou die verrassing die je had?**

Ik schreef:

**Ben je lekkr nieuwsgierig?**

Hij schreef echt direct terug.

**Ja, super nieuwsgierig.**

**Ik heb het hier, kom maar kijken,** schreef ik. Grapje.

**Sgoed tot zo.**

En toen was hij weg! Ik werd gek. Kwam hij echt hierheen? Nu? Nee!

Ik rende naar de spiegel. Ik maakte mijn staart los en weer vast. En weer los. Ik borstelde mijn haar heel lang, tot het glansde. Door het borstelen zat het ineens vol schilfertjes van de roos. Ik deed er maar een sjaaltje om, een blauw sjaaltje, dat mooi kleurde bij mijn ogen. Toen probeerde ik al mijn oorbellen. Ik werkte mijn mascara bij en mijn oogschaduw. Er zat een puistje op mijn kin en ook een op mijn voorhoofd.

En toen ging de bel.

Nee!

De vlekken op mijn gezicht vielen niet meer op, zo rood werd ik. Fleur de Feu was er niets bij. Ik depte mijn wangen met een nat washandje en loerde langs de trap naar beneden.

Easy stond al in de hal! Yessss! Yesserdeyesss!

Hij begroette Pa en Ma heel charmant en informeerde vriendelijk hoe ze het hadden gehad in Egypte, hoe het was bij de Rode Zee, vertelde iets over muziek en het kunstfeest en de commissie en dat hij en ik daar samen nog iets voor moesten doen.

Pa keek naar boven. Zijn ogen twinkelden en ik rende vlug de trap af.

'Hey, Annemarth!' zei Easy met een grote glimlach.

'Hoi,' zei ik met een rode boei.

Ma moest opeens weg, naar een bestuur, Pa verdween gelukkig naar boven om de torren in zijn pc te verdelgen. En gelukkig, gelukkig, Sam was naar volleybal.

Daar zat ik dan met Easy op de bank, met mijn buik vol vlinders. Ik frunnikte aan de kussens. Ik kon van de zenuwen niet eens stil blijven zitten.

'Wil je wat drinken?' vroeg ik.

'Ja, lekker,' zei hij. Hij klonk zo relaxed, hoe deed hij dat toch? Was het voor hem een geintje? Of was hij zo zeker van zijn zaak?

Ik knoeide cola op mijn broek.

'Ik heb wat cd'tjes bij me,' zei hij. 'Kunnen we iets uitzoeken voor het feest.'

Hij kiepte zijn rugzak leeg en liet me allerlei mooie en grappige muziekjes horen.

Langzaam ontspande ik een beetje. 'Hoe weet je nou wat je door elkaar kunt mixen?' vroeg ik.

'Gewoon heel goed luisteren,' zei hij. 'Welk ritme, welke beat, welke instrumenten. Het moet natuurlijk niet al te verschillend zijn. De beat moet aansluiten, dat is het belangrijkste.'

'Hoor je dat allemaal? En onthou je dat ook?'

'Ja, dat gaat vanzelf,' zei hij. 'Ik zit altijd naar muziek te luisteren. Ik geloof dat ergens achter in mijn hoofd een soort computertje zit dat alles analyseert.'

'Hoe werkt dat dan, met dat mixen en zo?' vroeg ik.

'Wil je het een keer zien? Dan moet je een keertje langskomen, ik heb thuis een goeie mixer, de G8 van BB en twee goeie cd-spelers van Klinky en...' Hij begon een technische opsomming met allemaal rare merken waar ik nog nooit van gehoord had, zoals A16 en Klinky Klonky en Zoem en Blitzbo. Ik kon er niets aan doen dat ik gaapte. Zat ik hier naar rare merken te luisteren, terwijl ik alleen maar oog had voor die handen, die zo leuk de cd'tjes in de speler deden, en dacht hoe het zou zijn om mijn handen door die ruige haren te halen.

'O, sorry,' zei hij. 'Jij kent al die merken natuurlijk niet.'

'Wel hoor, ik ken merken genoeg. Apple, Fruity Cutey, Magic Mud, Dolce & Gabbana, en natuurlijk Miss Helen voor de mascara. Je moet wel waterproof nemen, anders loopt het afschuwelijk uit,' zei ik. Toen moest hij lachen en ik ook.

We zaten dicht naast elkaar en hij kletste maar door, eerst over zijn muziekspullen, maar gaandeweg begon hij te vertellen over zichzelf. Hij kwam uit Den Haag en zijn ouders waren pas gescheiden. Toen was hij met zijn moeder en zijn broertje hierheen verhuisd, naar een flat. Onder het luisteren liet hij voorzichtig zijn arm om me heen glijden. Hij was zo heerlijk dichtbij dat ik overal kriebels voelde, alsof de kamperfoelieslierten over mijn hele lichaam kronkelden. Hij keek zo lief dat ik hem wel wilde zoenen. In plaats daarvan zei ik: 'Ik heb iets voor je. Wil je het zien?'

Hij knikte en ik rende de trap op om het shakertje te halen.

'Ik zag dit in de soek en toen dacht ik aan jou.'

Hij pakte het uit. Hij schudde ermee, strak en ritmisch, en toen lachte hij naar me en rammelde hij een paar keer langs mijn hoofd, even links, even rechts. Zijn gezicht kwam steeds dichterbij en hij keek zo lief. 'Mooi,' zei hij. 'Dank je wel.' Zijn gezicht vlak bij het mijne, zijn ogen vlak bij de mijne, groen met gouden spikkels.

'Dank je wel,' fluisterde hij nog een keer. Zijn lange haren roken zo opwindend en ze vielen zo zacht langs zijn wang dat ik ze voorzichtig aanraakte en opzij veegde. Ze voelden als zijde en mijn vingers tintelden toen ik even zijn gezicht aanraakte. Easy glimlachte verlegen. En net toen ik voelde dat hij me ging kussen, hoorde ik gestommel bij de voordeur. Het was Sam!

Easy schoot meteen recht overeind.

'Eey, man, jij hier?' zei Sam en hij stak zijn duim op. Ik kreeg de indruk dat hij hier meer van wist. 'Nou, ik zal jullie getortel niet verstoren. Ik ga douchen, doei.' En weg was hij, de trap op.

Easy lachte naar me, maar het moment was voorbij. Elke keer als we elkaar aanraakten en onze gezichten dicht bij elkaar kwamen, hoorden we wel een of ander geluid en dan schrokken we.

'Wil je mijn kamer even zien?' vroeg ik. Briljant, Annemarth! Briljant! Rust! Privacy!

Maar toen we op het bed zaten, hoorden we nog meer gestommel dan eerst. Sam kwam uit de douche en Pa liep te fluiten op de gang, dus echt relaxed was dat ook niet. Die bijzondere, innige sfeer van daarnet was helemaal weg.

Ik probeerde het gesprek weer wat persoonlijker te maken. 'Mis je je oude vrienden niet?' vroeg ik.

'Ja, wel een beetje, maar we zien elkaar nog op Hyves en zo.'

En je vader? wilde ik vragen, maar dat slikte ik weg. Ik had het gevoel dat hij zijn vader afschuwelijk miste, ook al had hij daar nog niets over gezegd. 'Je maakt hier zo weer nieuwe vrienden,' zei ik. 'Net als ik. Ik moet meer aandacht aan mijn vriendinnen besteden van Sam. Hij vindt dat ik te veel aan Tibby vastgeplakt zit. Eén vriendin is te weinig.'

Easy lachte. 'Ik zou wel genoeg hebben aan één vriendin,' zei hij. Toen keek hij naar de grond en frummelde verlegen aan de flessendoppen van het shakertje. 'Kom je gauw een keer luisteren?'

Kreeg ik het toch weer warm. 'Goed,' zei ik.

Toen hij wegging, liep ik mee naar de voordeur. 'Tot gauw dan,' zei hij en hij glimlachte. Ik aarzelde even en trok toen zijn hoofd iets dichter naar me toe en kuste hem zachtjes op zijn mond. De gelukkige glimlach die over zijn gezicht gleed terwijl hij wegliep, zal ik nooit vergeten.

's Avonds in bed ging ik in gedachten de heerlijke avond nog een keer langs, van de gelukkige glimlach en de kus helemaal terug tot dat eerste krabbeltje. Mijn buik bibberde vol blije kriebels. Ik kon niet slapen. Ik móést het aan iemand vertellen. Het was al laat, maar Tibby was vast nog op, ziek of niet. Misschien nam ze nu eindelijk op.

Maar ik kreeg haar voicemail, voor de zoveelste keer.

Dan niet. Elien nam ook al niet op. Wat had ik aan zulke vriendinnen? Ik draaide het nummer van Jeske.

'Hé, Anne! Wat leuk,' zei Jeske. 'Lekker laat, is er iets?'

'Jaaaa,' zei ik. 'Heb je even? Dit móét ik gewoon even kwijt!'

'Spannend! Vertel op!' Jeske luisterde vol belangstelling naar het hele verhaal over Easy. 'Aaah, zo romantisch! Zoent hij lekker?'

'Dat weet ik nog niet,' zei ik, anders wist morgen de hele school het.

'Komt nog wel. Hij vindt je geweldig!' zei ze.

Ze zat zich te verkneukelen.

'Ja, hè?' zei ik.

'Zeker weten,' zei ze. 'Liefde op het eerste gezicht, wat superromantisch! Hé, droom lekker!'

Op het eerste gezicht? Ik vond hem al maanden leuk, maar goed. Ik was toch blij dat ik Jeske had gebeld. Hoe lang geleden was het dat ik samen met Tibby zo lekker gekletst had?

Heel lang. Veel te lang.

# 8

Vrijdag was Tibby nog steeds niet op school. Ik was een beetje ongerust, maar veel tijd om erbij stil te staan had ik niet, want ook Elien wilde alles weten over Easy!

'Dat hij zomaar op je stoep stond!' zei ze giechelend. 'Ik zou gek worden!'

Ze vroeg naar ieder detail, hoe hij keek, hoe Pa en Ma reageerden en wat Sam zei. Wilkes keek een paar keer onze kant op, dus we fluisterden zo zacht we konden en vulden de rest aan met hiërogliefen. Elien vertelde op haar beurt over Wouter, dat ze samen uit waren geweest en wat hij aanhad en wat hij zei, en we hadden dikke lol. Ik verheugde me erop om samen naar orkest te fietsen na school. Het was zo lekker vertrouwd met Elien, zo heerlijk als vanouds. Ze luisterde zelfs toen ik vertelde hoe dubbel en verward ik me voelde over Tibby. Ik vertelde over de kachel.

'Ze is ziek en nu zit ze daar in de kou.'

'Die kachel zal nu toch wel gemaakt zijn!' zei Elien.

'Ja, dat zal wel. Het voelt zo stom. De laatste keer dat ik bij haar was, ben ik min of meer met ruzie weggegaan.' Ik vertelde van die toestand van voor de vakantie, van de sorry-mails maar dat er eigenlijk niets was veranderd. 'Ze doet zo stom, ze zit echt in de puree maar ze wil geen hulp. En ze laat niks horen. Ik baal echt ontzettend, maar ik begin ook een beetje ongerust te worden.'

'Stuur je haar toch gewoon een sms,' zei Elien.

'Hallo, zij kan toch zelf ook wel een keer iets laten horen! Ik kreeg alleen één stom krabbeltje op Hyves.'

'Misschien is haar beltegoed op. Maak je niet zo druk, meis. Als er echt iets was, hadden we het allang gehoord.'

'Maar ze mailt ook niet meer,' zei ik. 'Straks is er iets ergs! Straks ligt ze met longontsteking in het ziekenhuis!'

'Nou ja, dan klopt het toch dat je niks hoort? Toen jij zo ziek was, liet je ook niks horen. Zullen we er anders even langsfietsen vanmiddag?'

Dat vond ik superlief van Elien.

's Middags kochten we een pak roze koeken en even later liepen we samen door de kale rozenhaag het erf van Tibby's huis op.

'Het ziet er wel heel anders uit hè, in de winter,' zei Elien.

Dat was nog zacht uitgedrukt. De winter had het sprook-jeshuis veranderd in een treurige bouwval, naakt en rillend in de bladderende verf.

'Gek hè, in de zomer is het hier net een sprookje,' zei ik. 'Dan bloeit er een waterval van rozen en de kamperfoelie ruikt betoverend, dat kun je je niet voorstellen.'

'Nee, inderdaad,' zei Elien. 'Moet je zien.' Ze wees naar de scheuren in de gevel.

De deur was op slot en ik klopte aan.

Tibby deed open. 'Hoi,' zei ze mat. 'Kom binnen.' Ze slof-te voor ons uit de keuken in. Het was er niet meer zo koud, maar een dikke walm sloeg ons tegemoet. Een walm van aangebrand eten vermengd met wiet. Elien trok haar neus op.

Ik gaf Tibby de roze koeken.

'Lekker, bedankt.' Ze legde het pak naast zich neer. Nor-maal zou ze het pak meteen openmaken en dan zouden we ze samen opeten.

'Willen jullie wat drinken?' vroeg ze machinaal, alsof het antwoord haar niets kon schelen.

'Nee bedankt, we moeten zo naar orkest,' zei Elien. 'Hoe is het met je? Ben je al wat beter?'

'Mwah,' zei Tibby. Haar stem klonk zo vlak dat ik er krom-me tenen van kreeg. Zo zonder uitdrukking, 'toonloos' zouden ze in een boek zeggen, ook al is toonloos spreken fysiek onmogelijk. Maar als er al een toon was, was het een grijze, grauwe, beige toon. De toon van smog in de woestijn.

'Heb je het nieuws al gehoord, van Annemarth en Easy?'

'Ik weet nergens van.'

'Wel, dat heb ik je uitgebreid gemaild, mens!' zei ik en ik begon te vertellen. 'Ik zat met hem te chatten en hij vroeg wat ik voor verrassing voor hem had, en voor de grap zei ik: "Kom maar kijken."'

'En toen kwam hij meteen!' Elien viel me in de rede met glinsterende ogen. 'Romantisch, hè! Ik vind het zo romantisch!'

Tibby zei niks.

'En hoe is het met jou en Tarik?' vroeg Elien.

'Tss, Tarik.' Tibby zei het op een toon alsof het over Prikkebeen ging.

'O, sorry, heb ik iets verkeerds gezegd?' vroeg Elien. 'Nou, doet er niet toe, hoor, er zijn meer leuke jongens.'

'Spaar me,' zei Tibby. Ze tilde Whisky op schoot.

Misschien hielp een grapje. 'Wat ruik ik toch?' vroeg ik. 'Ben jij nu ook al aan de wiet?'

'Nee, en waar bemoei jij je mee?' zei Tibby bits.

'O, sorry, grapje. Fout grapje, sorry. Hé, Tipsy, gaat het allemaal wel? Je belde steeds niet terug en je mailt niet.'

'O, sorry. Mijn beltegoed is op.' Weer die vlakke toon.

'Ik maak me zorgen om je, Tips. Wil je soms mijn oude mobiel hebben? Er zit nog wat beltegoed op en je kunt er foto's mee maken.'

'Hoeft niet hoor.'

'Bedoel je: ik hoef je ouwe mobiel niet, of bedoel je: maak je geen zorgen?' vroeg ik.

'Ja,' zei Tibby.

Toen wist ik het niet meer. Ik had er genoeg van. Ik kreeg akelige gedachten, zoals: stik maar met je zielige gedoe. Zo wilde ik niet denken, maar ik dacht het toch.

Ik zei niks.

'Kom je maandag weer naar school?' vroeg Elien.

'Ja, maandag denk ik,' zei Tibby.

Elien stond op. 'Hé, we moeten gaan. Sterkte hoor, met alles,' zei ze. 'Knap lekker op.'

We fietsten naar orkest. 'Nou, dat viel toch allemaal reuze mee,' zei Elien.

'Vond je? Zag je niet hoe apathisch ze deed?'

'Dat is normaal na een flinke griep. Toen jij net beter was, liep je ook als een halve zombie door de school. Weet je nog, jij zei "proost" tegen Wilkes toen hij mopperde dat hij het zat was!'

Dat ze dat nog wist!

Misschien had ze gelijk, misschien moest Tibby nog bijkomen van de griep.

En tegelijk voelde ik me ongerust. Die onverschillige blik maakte me bang. Ik moest haar helpen, ik moest het aan iemand vertellen! Aan Pa en Ma? Of aan JP misschien?

Maar eigenlijk wist ik niet of het veel zin had. Was het eigenlijk wel helpen, wat ik deed? Of was het bemoeien?

's Avonds belde ik Tibby nog even op.

'Ja?' Heel kortaf.

'Hoi, met Annemarth.'

'O, hoi.' Maar meer zei ze niet.

'Gaat het wel?' vroeg ik. 'Ik maak me ongerust.'

'Gaat wel, hoor.'

Wat deed ze stom! Wat moest ik nu zeggen? 'Kom je maandag weer op school?'

'Ja, ik zie wel,' zei ze.

'Doe maar. Ik mis je.'

Ze bleef stil.

'Het is lekker warm op school.'

'Ach ja,' zei ze. 'Hé, ik zal je niet langer ophouden. Jij hebt het druk.'

'O, oké.'

'Doei.'

Ik staarde een beetje dommig naar de telefoon die tuut tuut tuutte in mijn hand. Wat moest ik hier nog mee? Dit was toch hopeloos niet in orde!

Ik nam een besluit. Als ze er maandag nog niet zou zijn, ging ik naar JP.

# 9

Uitgerekend dit weekeinde, nu ik tijd had om naar Easy's muziek te luisteren, nu ik tijd had om uit te gaan, uitgerekend nu zat Easy in Den Haag bij zijn pa. Terwijl hij heerlijk langs het strand rende en friet ging eten samen met zijn broertje en computerspelletjes speelde zonder tijdslimiet, moest ik mezelf in leven zien te houden met een paar sms'jes en één mailtje. Het weekeinde duurde eindeloos. Zondagnacht kon ik bijna niet slapen.

Ik ging maandag extra vroeg naar school, zodat ik hem nog voor de lessen even kon zien en kon knuffelen. Ik wachtte in het fietsenhok en ik zocht in de gangen, maar toen de laatste bel ging, was hij er nog niet.

Tibby was er ook niet. Nou ja, dacht ik, Tibby moest het maar uitzoeken.

Maar in mijn buik kronkelde de ongerustheid. Het voelde niet goed en uiteindelijk hield ik het niet meer uit. Ik sms'te haar stiekem tijdens Duits.

Tipsy kom nou op school, er is heuz wel hulp voor je!
Spijbelen geeft vette problemen. Bel me of stuur een postduif, DOE iets! Kmis je x AM

'En nu maar wachten op een antwoord,' zei een stem achter me.

Ik schrok me rot. Het was Fred. 'Eigenlijk moet ik nu je mobiel innemen.'

'Nee toch!' riep ik.

'Ja toch. Maar dat vind ik een lage straf. Zet dat ding uit

244

en stop hem weg en kijk wat ik hier voor je heb. Extra opgaven.'

Hij haalde een groot, zwaar boek uit zijn tas, vol schitterende foto's van de schatten van Toetankhamon en Hatsjepsoet en Ramses en Akhnaton. Helemaal in het Duits!

'Egyptologie is in Duitsland een belangrijke tak van wetenschap,' zei hij. 'Er is veel literatuur in het Duits, dus als toekomstig egyptoloog doe je er goed aan grondig kennis te nemen van de Duitse taal. Als je je gewone werk af hebt, mag je tijdens mijn lessen uit dit boek werken. Stukken vertalen, zinnen ontleden, dat soort dingen. Als je wilt, kun je wat hiëroglifen in het Duits vertalen.'

'Hè? Is dat voor mij? Maar...' Ik was verbluft.

Fred knikte met een glimlach op zijn gezicht. 'Je hoeft je niet meer te vervelen onder mijn les.'

'Tjonge, bedankt, meneer. Toen u zei: "Jij hoort hier nog van", toen met die toets, toen dacht ik dat ik vreselijke straf zou krijgen!'

'Ja, dat heb ik inderdaad overwogen,' zei Fred, 'maar dit leek me een betere oplossing.' Hij grijnsde vrolijk en leek zomaar tien jaar jonger. 'Ik had het je al eerder willen geven, maar ik zat thuis in de verbouwing en alle boeken zaten in dozen. *Also, jetzt geht's los!* Aan de slag, *Fräulein Champollion!*'

'Mag ik zomaar vertalen wat ik wil? Mag ik het woordenboek gebruiken?'

Fred knikte en grijnsde een duivelse glimlach. 'Zeker. Dan kun je opzoeken wat "toupet" is in het Duits.'

Toupet? Het bloed schoot naar mijn wangen. Hij had mijn hiëroglifen gelezen! Kon hij dat? Kon ik hier ergens onder een tafel kruipen?

'Ik vond Egyptologie een bijzonder interessant bijvak. Bijna nog interessanter dan Arabisch, ik raad het je van harte aan. Maar niet in plááts van Duits. De normale toetsen moet je gewoon met de klas mee maken. En je mag er geen nagellak op knoeien.'

Ik knikte, dodelijk gegeneerd. Ik dacht dat Elien en ik heel onopvallend hadden gedaan!

De teksten in het boek waren hartstikke lastig. De zinnen waren belachelijk lang, maar de foto's maakten alles goed. Ik probeerde de bijschriften te lezen en met het woordenboek kwam ik best een eind. In de randen van mijn schrift schreef ik overal 'Easy', in hiërogliefen. Het werd de leukste Duitse les van mijn leven!

Tibby sms'te niet terug. Elien had door dat ik een sms verwachtte. 'Easy?' vroeg ze.

'Nee, Tibby,' zei ik.

'Laat toch gaan,' zei ze. 'Tibby komt heus wel weer terug. Ze heeft gewoon een dipje.'

'Dipje?' zei ik, 'Eerder een krater. Het voelt gewoon niet goed. Ik ga naar JP. Ga je mee?'

'Naar JP? Ben je niet lekker? Hier ga je JP toch niet mee lastigvallen!'

'Je hebt toch gezien hoe ze daar woont? In de smeerboel, in de kou!'

'Maar ze wonen daar toch al jaren? Je bent overbezorgd. Hartstikke lief, natuurlijk, maar je moet het even loslaten. Ga je vanmiddag lekker mee shoppen?'

'Nee, sorry,' zei ik. 'Daar staat mijn hoofd nu niet naar. Ik ga echt liever even naar JP. Gewoon voor de zekerheid.'

'O, sterkte dan maar,' zei Elien hartelijk.

Ergens had ik toch gehoopt dat ze mee zou gaan.

Het koperen bordje knipoogde me vaderlijk toe. Maar JP was de hele dag in overleg. Ik legde een briefje in zijn postvak. En ik keek of ik Easy ergens zag. Waar zat die jongen toch?

Het kostte me moeite om mijn aandacht bij de les te houden. Was ik nu echt zo'n overbezorgde bangerik? Elien was altijd zo makkelijk. Maak je niet druk, trek het je niet aan, lak je nagels nog een keer, de zon schijnt, het valt allemaal reuze mee. Ik wou dat ik zo kon relativeren, maar het lukte me niet. Zelfs in de pauze spookte Tibby door mijn hoofd.

'Hé, wat loop jij in gedachten?' Ik draaide me om en keek in twee lachende, plagende, groene ogen. Easy!

'Hey, hoi. Ik, eh, ik...' Toen raapte ik mezelf bij elkaar. 'Was het leuk in Den Haag?'

Hij knikte. 'Heb je vanmiddag tijd?'

Ik moest naar hockeytraining en ik moest nog boodschappen doen en wat lachte hij hemels. Heerlijke rillingen kropen over mijn rug. 'Een uurtje heb ik wel.'

De gouden spikkels in zijn ogen lichtten op. 'Oké, kom mee. Dan kan je mijn nieuwe mengpaneel zien!' Hij greep mijn hand. Tintel de tintel.

Zijn nieuwe mengpaneel, *whatever!* Ik was reuze benieuwd naar zijn huis. En naar zijn kamer.

En naar zijn armen.


Easy woonde in de galerijflat op de negende verdieping. Beneden was het een kale boel, maar boven had je een fantastisch uitzicht met voor en achter bos. Het was een gezellig huis met rietmatten op de vloer, stoelen en boekenkasten van knoestig hout en een vrolijke rode leren bank. Op tafel stond een bos rode anemonen. Het was geen artistieke chaos zoals bij Tibby, maar het was wel een warm, vrolijk huis waar ik me welkom voelde.

Easy maakte thee.

Terwijl hij bezig was, keek ik op mijn mobiel. Tibby had niets laten horen. Zou JP haar nog niet gesproken hebben? Of was ze echt kwaad op me? Jammer dan. Ik dacht aan Elien en duwde mijn slechte gevoel diep weg. Allemaal zorgen voor niets.

Easy kwam uit de keuken met passievruchtenthee. Was dat een hint of vond hij dat gewoon lekker? Hij liet me al zijn spullen zien. Twee cd-spelers, versterker, boxen. En het Nieuwe Mengpaneel.

Hij had ook een toren grote, zwarte koffers. 'Wat zijn dat?' vroeg ik. 'Ga je op reis?'

'Dat, schoonheid, zijn *flightcases.*'

'Een soort beautycases voor je spullen?' raadde ik. 'Mooie kisten in elk geval.'

Raak. Hij had ze zelf getimmerd en werd aandoenlijk blij van mijn complimentje.

'Hoe werkt dit nou?' vroeg ik en ik wees zomaar iets aan omdat ik het zo leuk vond om hem met die knopjes te zien spelen.

'Let op.' Hij zette al zijn apparaten aan, op zich al een hele onderneming met al die snoeren en knoppen. Toen ging hij aan de gang met het Nieuwe Mengpaneel. Hij trok een schattig serieus gezicht. In elke cd-speler deed hij een cd'tje en toen begon hij aan de knoppen te draaien en te schuiven. 'Ik begin met nummers die een beetje eendere beat hebben.'

Ik kreeg een hele demonstratie.

Gek genoeg had het wel iets om hem bezig te zien met al die schuifjes en knopjes. Het voelde alsof hij me inwijdde in een geheim, dat zonder zijn uitleg eeuwig een mysterie zou blijven.

'Als ik deze een beetje langzamer zet, vallen deze twee goed samen, hoor maar. En hiermee kan ik de beat synchroniseren tot beide nummers precies gelijk lopen.'

Hij zette een koptelefoon op en draaide geroutineerd aan al die knoppen en schuifjes. Het zag er woest professioneel uit, maar het duurde wel lang. Iedere keer legde hij uit wat dat voor knop was en waarom die zo bijzonder was en dan zei hij: 'Zie je wel?' en dan knikte ik. Want ik zag het natuurlijk wel. Hij draaide aan de knop linksboven. En hij schoof met het tweede schuifje rechts. Het duurde erg lang. Vraag nooit aan een dj hoe zijn spullen werken. Niet doen.

'Vind je het leuk?' vroeg hij.

Ik knikte. 'Kan je hem niet aanzetten?'

'O, ja, natuurlijk! Sorry, jij hoort natuurlijk niks. Sorry!'

Héél schattig: hij kreeg een kleur. Ik smolt totaal, compleet, voor honderd procent. Hij zette de boxen open en daarna werd het echt leuk.

'Deze heeft wel een lekker ritme, hoor je wel? En deze heeft hier een solo met een leuk trompetje. Straks komt er nog een saxofoon bij en dan een marimbasolo. Deze heeft een stevige bas, die draai ik eerst open en dan mix ik dat andere nummer erin, hoor je wel? Hoe vind je het klinken?'

Ik begon meteen te dansen.

'Klinkt lekker, hè?'

Lekker? Het klonk fantastisch! *Never mind* welke knoppen hij nodig had.

De hele middag zat hij muziek te mixen en ik luisterde en danste. Ik danste alles eruit. Mijn hele lichaam werd muziek en ritme en beweging en al mijn zorgen en ergernissen over Tibby stroomden weg.

'Wil jij ook eens mixen?' vroeg hij, toen we even zaten uit te puffen met een beker passievruchtenthee.

Ik knikte.

Ik kreeg de vrije hand en schoof wat met die knoppen, de ene knop omhoog, de andere knop omlaag. Ik deed natuurlijk maar wat en het klonk voor geen meter. Ik had duidelijk niet zo'n computertje achter in mijn hoofd. 'Hoe moet dat eigenlijk?' vroeg ik.

'Wacht, ik help je,' zei hij. Hij kwam vlak achter me staan. Ik voelde zijn warmte door mijn kleren heen. Mijn hele rug begon te tintelen en te sprankelen. Easy legde zacht zijn handen over mijn handen. Het voelde alsof er elektriciteit door ons heen stroomde. Ik zuchtte. Hij bewoog mijn hand over de knoppen. 'Hoor je wel?' fluisterde hij in mijn oor. De muziek veranderde iets, maar ik lette er niet meer op. Ik lette alleen op zijn handen op mijn handen, mijn handen, zijn handen. Zijn gezicht was nu vlak naast mijn gezicht.

'Kijk, zo,' fluisterde hij en hij bewoog mijn andere hand. Zijn haar viel over mijn wang, zijn gezicht raakte het mijne, zijn schouder tegen me aan. Hij kneep even in mijn hand. Ik werd helemaal zacht vanbinnen en mijn rug tintelde zo verrukkelijk. Ik leunde voorzichtig een millimeter achteruit, nog een, totdat ik zijn borst raakte met mijn schouders. Vonken, vuurwerk! Hij kneep nog steviger in mijn hand en legde toen zijn arm om mij heen. Hij trok me dicht tegen zich aan. 'Annemarth,' fluisterde hij in mijn oor.

Ik sloot mijn ogen, voelde zijn adem, zijn hart, zijn lichaam. En toen draaide hij me om, twee armen om me heen, en trok me stevig tegen zich aan. Ik voelde zijn mond, zijn haren over mijn gezicht, zijn lippen, zijn tong, zo teder en warm en zoet en onstuimig.

We ademden samen, we dronken elkaar in.

Ik vergat de tijd.

Ik vergat alles.

Ik vergat zelfs Tibby.

Het was allemaal zo vanzelfsprekend. Wij mixten fantastisch, Easy en ik. We waren helemaal in de wolken, samen op de negende verdieping.

# 10

De liefde was een ramp voor mijn concentratie. Ik deed de hele nacht geen oog dicht, omdat de vlinders in mijn buik een wild feestje bouwden. Op school hield ik mijn hoofd er niet meer bij. Dat Tibby er nog steeds niet was en ook niets had laten horen, drong niet meer tot me door. Ik kon alleen maar aan Easy denken. Ik wilde alleen maar aan Easy denken. Ik voelde steeds opnieuw zijn handen op mijn handen, zijn haren tegen mijn wang, zijn lippen, zijn kussen, zacht, wild, verlangend. In gedachten proefde ik zijn kauwgom, ik rook de geur van zijn huid, zijn haren, zijn adem. Het lukte me niet om op te letten bij Engels, hoe mooi en poëtisch die taal ook was. *I love you*, zachte fluwelen woorden, net zo zacht als ik mezelf vanbinnen voelde als ik aan Easy dacht.

Ik schrok dus ontzettend toen er halverwege de les ineens een woest kabaal klonk dat mijn droom versplinterde. Een enorme gele hijskraan rolde ratelend het plein op, op de voet gevolgd door Prikkebeen, die met koninklijke gebaren allerlei aanwijzingen gaf aan een groep mannen in blauwe werkkleding. Aan de kraan bungelde een wanstaltig kronkelding met veel roest en beton.

Snel schreef ik een briefje aan Elien, in het Engels, vanwege de norse blikken van Wilkes.

What is THAT?

Elien schreef terug:

Looks like Art to me.

Art? Kunst? Hoezo, waar dan? Of bedoelde ze soms een van die kerels? Was het uit met Wouter, had ze nu ineens een oogje op een of andere Art? Ik zag alleen maar uitpuilende kerels met spaarpotjes. Welke was Art en waarom wist ik daar niks van?

*Who the bleep is Art? Is he in your heart? Tell me!!!!!!!!*

Elien schoot verschrikkelijk in de lach en Wilkes keek nijdig onze kant op.

'Nee, suffie! Art betekent kunst,' siste ze. 'Dit is het Kunstwerk!'

Wat? Mijn liefdesdronken hersens konden het zo snel niet bijbenen. Was dít het Kunstwerk?

Elien knikte vol overtuiging.

Dus dit lelijke wanstaltige ding moest echt ons Kunstwerk voorstellen? Moesten we hier een heel feest voor organiseren? Moest de fanfare komen opdraven voor dit kronkelmonster van roest en beton? Als dit wanstaltige ding een uitdrukking was van onze beschaving, dan was het serieus crisis. Die prehistorische farao's deden dat heel wat beter.

Ik was verschrikkelijk teleurgesteld. De arme kunstenaar had vast een dipje gehad. Een dipje van een jaar. Wat een gemiste kans.

Voor hetzelfde geld had hij iets heel moois kunnen maken.

Een coole muurschildering in de kale witte hal.

Of iets grappigs. Bijvoorbeeld een installatie die krijtjes uit een raam smeet op onvoorspelbare tijden, die in de loop der jaren een hoge berg zouden vormen op het schoolplein. Wit op gewone dagen, rood met kerst en oranje met Koninginnedag en bij belangrijke voetbalwedstrijden.

Of een mooi beeld van een echt mens. Een strak mannelijk naakt, natuurlijk.

Of een nieuwe vloer in de hal, felgekleurde tegeltjes met een spannend mozaïek.

Als dit kunst was, dan kon ik ook wel kunstenaar worden. Dan kon ik meteen mooi op studiereis naar Egypte voor mijn werk. Samen met Easy, mmm.

'Ahum!'

Het hinderlijke let-u-even-op-kuchje van Wilkes. Met een zucht probeerde ik op te letten, maar het lukte niet. Ik liep in gedachten al samen met Easy onder de palmbomen in de tempel van Hathor, de Egyptische godin van de liefde.

# 11

Ik had eigenlijk gehoopt dat Tibby snel weer in de klas zou zitten nadat ik dat briefje in JP's postvak had gelegd. Maar na een paar dagen was ze er nog niet en ik ging in de pauze maar eens bij hem langs.

JP zette zijn bril af en keek me vriendelijk aan.

'Goedemorgen, meneer,' zei ik in het Keurigs.

'Zo, Annemarth? Ik heb je briefje gelezen.'

'Ja?'

'Ik heb uitgebreid met Tibby's ouders gesproken en ik heb het een en ander in gang gezet,' zei hij geheimzinnig.

'Maar ze komt nog niet?'

'We zijn er druk mee bezig. Het is belangrijk om contact met haar te houden. Denk je dat je dat kunt opbrengen?'

Nou, niet echt. 'Ik wil het wel proberen, meneer, maar het heeft niet zoveel zin.' Ik dacht aan die honderd onbeantwoorde sms'jes. 'Ze reageert nergens op, ze wil me niet spreken, ze wil geloof ik niks meer met me te maken hebben. En ik maak me ongerust. Dus ik dacht...'

Ik hield snel mijn mond.

'Ja, het ligt heel moeilijk, dat begrijp ik wel. Maar het zou haar erg helpen.'

'Echt?'

Hij knikte.

'Dus u vindt dat ik gewoon moet blijven sms'en, ook al geeft ze geen antwoord?'

'Bel haar, als je dat kunt opbrengen,' zei hij. 'En anders is een sms ook goed. Ieder antwoord is meegenomen, maar reken er niet op.' Hij lachte me bemoedigend toe. 'Dat zou zeker helpen.'

'Nou ja, ik kan het proberen,' zei ik aarzelend. 'Maar wat vonden haar ouders dan? Was haar moeder kwaad dat u belde?'

'Dat is iets tussen hen en mij.' JP kende ook Keurigs. Hij zette zijn bril weer op.

Einde gesprek.

Het viel me zwaar tegen. Ik had echt gedacht dat JP dit kon oplossen.

Eerst probeerde ik contact te houden door Tibby op te bellen. Dat was best eng. Elke keer was ik als de dood dat ik die dronken Jeff nog eens aan de lijn zou krijgen, maar meestal werd er niet opgenomen en als ik Tibby aan de lijn kreeg, kapte ze het gesprek af. Ik stapte snel weer over op sms en stuurde haar allerlei onnozele, vrolijke nieuwtjes. Over de nieuwe nagellak van Elien, parelmoer met blauwe glitters, en of zij misschien ook zo'n flesje wilde.

Geen reactie.

Ik sms'te dat er een wanstaltig kronkelding op het plein stond dat wel een galg leek en dat kunst voor moest stellen en dat Prikkebeen iedereen liep te koeioneren en rond te commanderen als een sergeant-majoor.

Geen reactie.

Ik sms'te dat er blauwe topjes in de aanbieding waren bij de H&M, voor héél weinig geld. Ik kreeg een sms terug over snertkwaliteit en kinderarbeid.

Ik sms'te dat ik haar miste en of ze weer op school kwam.

'Ja, maandag of zo,' sms'te ze terug.

Maar ze kwam niet.

Ik wist niet meer wat ik moest doen. Moest ik haar vertellen over mij en Easy? De vorige keer reageerde ze zo onverschillig. Misschien was het juist stom om te sms'en hoe happy ik was?

Ik wist het niet en ik werd er moedeloos van. Nu zat ik toch al tien jaar op school. Wat leerden ze ons hier eigenlijk? Ik wist hoe je een denkbeeldige driehoek doormidden kon snijden zonder mes. Hiep hoi. Maar hoe ik mijn vriendin kon helpen, geen idee. Als ik buikkriebels had, dan wist ik dat dat kwam doordat de alvleesklier en de twaalfvingerige darm zich samen verkronkelden. Maar ik had geen flauw idee waarom ze altijd begonnen te dansen zodra ik Easy zag. Mijn ogen zaten echt niet in mijn buik.

Tien jaar op school, en al tien jaar diende mijn hoofd als een soort vuilnisbak voor nutteloze nieuwtjes. Tibby had groot gelijk dat ze niet meer kwam.

Ik deed wat iedereen deed, namelijk er niet meer aan denken. Ik zwijmelde over Easy. Ik deed druk mee met de allerlaatste voorbereidingen voor vrijdag, want dan was het Kunstfestijn. We leefden ons uit op het thema Black and Blue. We maakten lange blauwe slingers. Sarah had een lading zwarte en blauwe ballonnen besteld en Jeske had ergens een gasfles met helium geregeld, voor een echte infantiele ballonnenwedstrijd. Ik hielp Easy met het ophangen van heftige discolampen. Iemand had vlaggen geknutseld en er was zelfs een belachelijk blauw baldakijn waar de Kunstenaar, de Burgemeester en JP onder moesten staan. Ongetwijfeld zou Prikkebeen zich bij hen voegen alsof hij zelf de koning was en zij zijn lakeien. We verkneukelden ons al bij voorbaat.

Jeske vond dat we als Kunstcommissie steeds aanspreekbaar moesten zijn. We moesten iets speciaals aanhebben. Na veel gegeit over kokardes en koeiententoonstellingen en hoedjes en strikken waren we eruit: wij moesten blauwe stropdassen om. Op subtiele wijze geheel in stijl met het kronkelige kunstwerk, want het leek net een galg, ook al zei niemand dat hardop.

Het was een melige bende en ik genoot. Ik sms'te Tibby dat het Kunstwerk klaar was voor de onthulling. Geen reactie. Ik sms'te haar dat het Kunstfeest superleuk werd. Ik sms'te zelfs of ze ook kwam.

**Je moet echt komen! Het is te geestig! Als je ziek bent slik je maar een paar pillen, maar zorg dat je er bent!**

Nog voordat de vergadering was afgelopen, sms'te ze zomaar terug! Eindelijk!

**Sure, ik zal ze allemaal versteld laten staan.**

Hoop, blije hoop vlamde door me heen. Eindelijk kwam ze wat tot leven!

Natuurlijk, ik wist heus wel dat ze vaak zomaar wat riep, gewoon om me af te poeieren, maar deze keer was het anders, ik voelde dat het anders was. Ik voelde echt dat ze het meende. Ik werd zo ontzettend blij!

'Wat straal je!' fluisterde Easy. 'Je ogen lijken wel sterren!'

Toen werd ik nog tien keer zo blij.

Na de vergadering hield Easy me nog even tegen terwijl de anderen doorliepen. Ik ving een nijdige blik van Danny op, maar ik trok me er niets van aan en Easy zag haar niet eens. 'Ik heb een plan. Doe je mee?' Hij fluisterde het zachtjes in mijn oor.

'Je bent gestoord!' zei ik. 'Dat doe je echt niet!'

'Juist lachen. Doe je mee? Ik haal je vrijdag om halfzes op. Zorg dat je klaarstaat.'

'Tuurlijk!'

Het leek me geweldig. Wat een plan. Het was bijna een Daad van Kunst.

# 12

Donderdag begon grauw en bewolkt en tegen de middag viel er een zeurderige, koude motregen die hardnekkige trekjes vertoonde. Ik baalde, want ik had nog steeds geen nieuwe regenbroek en ik maakte me zorgen voor het feest. Er konden niet zo heel veel mensen onder ons baldakijn.

In de grote pauze kwam Tarik naar me toe. Hij had kennelijk kou gevat want hij hoestte als de malle.

'Ey, Anne, isseh... is Tibby eigenlijk erg ziek?'

'Hoezo?' vroeg ik.

'Jullie zijn echt altijd samen, hè,' zei hij. 'Dat is iets van meiden, jullie gaan rond in roedels. Net wolven. *Uche uche.*'

Wolven, tuurlijk jongen. Ik knikte maar wat.

'Denk je dat ze dit weekeinde weer beter is?' viste hij. 'Of kom je ook rustig in je eentje naar Sisters?'

Sisters? Wilde hij dat ik naar de disco kwam? Alleen? Of wilde hij juist dat Tibby kwam?

'Als jij Tibby zo leuk vindt, kerel, dan ga je toch lekker even bij haar langs vanmiddag?'

'Neuh, het was zomaar een vraagje,' zei hij. 'Gewoon, bij wijze van.'

'Bij wijze van,' vroeg ik. Hij wilde weglopen, maar zo makkelijk kwam hij er niet van af. Ik riep hem en hij kwam terug. 'Tarik! Waarom begin je de hele tijd over Tibby?'

'Ik moet haar spreken,' zei Tarik. 'Het is belangrijk.'

'Waarom bel je haar niet? Heb je haar nummer?'

'Zij, eh, ze neemt niet op,' zei Tarik luchtig.

Ik haalde opgelucht adem. Hij had Tibby gebeld! Dat was goed nieuws.

Maar waarom nam ze niet op? Dat was razend slecht nieuws. Ze herkende Tariks nummer, dat wist ik zeker!

'Heb je haar helemaal niet gesproken?'

Tarik hoestte en aarzelde.

'Wat heb je tegen haar gezegd?' vroeg ik. 'Ze vindt jou echt heel leuk, ze is smoor op je, dus als je belt en ze neemt niet op... dat is foute boel!'

'Wat?' Tarik reageerde alsof ik hem met een stopnaald had geprikt. 'Vindt ze mij leuk? Nee toch. O jee, shit.'

'Is dat zo erg?'

'Nee, maar eh, ja dus! O, shit. Ik vroeg haar of eh, dat eh...'

'Zeg het nou, alsjeblieft!'

'Ik vroeg alleen of ze dacht dat het lang ging duren met jou en die, dj dinges, en of ze dacht dat je zaterdag naar Sisters zou komen. Ik zweer je, dat was alles, en toen smeet ze de hoorn erop!'

'Wat? Heb je dat aan háár gevraagd? Ze is hartstikke gek op je, man. Ben je stekeblind of wat?'

Ik kreeg een afschuwelijk voorgevoel. Ik wilde erheen, nu meteen! Maar ik kon niet weg, ik had nog drie uur les. Eerst een toets van wiskunde, en Annechien had me al gezien.

De toetstijd besteedde ik voornamelijk aan nagelbijten. We moesten driehoeken tekenen en doorsnijden en weer aan elkaar plakken en hoeken uitrekenen. Dingen waar ik anders geen enkele moeite mee had, lukten me totaal niet. Ik kreeg maar twee sommen af en die waren allebei fout. Maar al mijn nagels waren op.


Na de les liep ik naar de wc om mezelf bij elkaar te rapen. Ik moest echt iets doen, maar ik kon bijna niet nadenken van de zenuwen.

Ik probeerde Tibby te bellen. En nog een keer. Geen gehoor, natuurlijk.

Wat nu? Naar haar huis, weer op die dichte deur bonzen?

Naar JP? Maar wat moest ik zeggen? Tarik heeft tegen Tibby gezegd dat hij mij leuk vindt, terwijl zij hem leuk vindt? Dat klonk zooooo stom!

Mijn buik kronkelde, vol van onlogische afschuwelijke gedachten die ik niet wilde denken, en mijn hoofd klotste vol van irrationele belachelijke enge voorgevoelens die ik niet durfde te voelen. Stel je voor dat Tibby... Dat ze zichzelf misschien... En dat het mijn schuld...

Ik durfde niet verder te denken.

Gelukkig hoefde dat ook niet. Mijn mobiel ging. Een sms, van Tibby!

Eindelijk! Met trillende vingers keek ik wat ze schreef.

**Ey Anne tnx voor je belletjes maar sorry xie t niet meer zitte je snap wel warom. niet jouw schuld xxxxxxxxxxxx lvya forever doei tips**

Niet mijn schuld. Het leek wel alsof ze mijn gepieker had gehoord! Even haalde ik opgelucht adem, maar toen drong tot me door wat er stond en toen schrok ik pas echt! Hoezo niet mijn schuld, wat was niet mijn schuld? Wat bedoelde ze, ik zie het niet meer zitten?

Ik belde haar onmiddellijk terug. Ik danste van mijn ene been op mijn andere. Neem op, neem op, neem nou op!

Verdomme, de voicemail. Dit was om gek van te worden! Ik belde wel drie keer achter elkaar. Drie keer die stomme voicemail.

Ik sms'te:

**Tips neem nou op doe geen rare dingen ik hou van je!!!!!! bel me NU! Ik kom eraan!**

Ik rende de gang door.

Dit werd gedonder, ik wist dat dit gedonder werd. Prikkebeen had een soort zesde zintuig voor ontsnappingen. Niks aan te doen. Dan maar weer straf. Ik moest naar Tibby. Nu!

Ik rende verder langs onze klas. Duivendrek was al begonnen met aardrijkskunde. Niet nadenken nu. Opschieten. Zo hard ik kon rende ik de trap op, naar mijn kluisje. Maar bij de kluisjes zag ik Easy. Hij hield me tegen. 'Hé, ben je ook al uit?' Toen zag hij mijn gezicht. 'Wat is er aan de hand?'

'Easy! Luister, ik moet... eh,' hakkelde ik. Het was zo fijn om hem even te zien. Alle enge gedachten verdwenen. Zijn ogen lieten me niet los; mijn buik begon te dansen en te swingen.

'Sorry, ik moet echt weg. Er is iets niet goed met Tibby!' Vlug draaide ik me om om zijn lieve ogen niet meer te zien. Ik moest weg, naar Tibby, nú.

'Anne, wat is er?'

'Ja, sorry,' zei ik terwijl ik haastig mijn spullen in mijn tas propte. 'Er is iets heel engs, hier, moet je lezen!' Ik duwde mijn mobiel in zijn handen. 'Ik heb een afschuwelijk voorgevoel. Sorry, maar ik moet er echt nú heen.'

Maar hij gaf mijn mobiel terug en pakte mijn hand. 'Leg alles maar uit op de fiets. Ik ga met je mee.'

Wat een verademing! Geen nieuwsgierige vragen, maar iemand die met me meeging, iemand die me hielp met iets wat moeilijk was. Ik schoot vol terwijl we hand in hand de brede trap af renden naar de hal. Easy wilde de voordeur uit, vlak langs het kantoortje van Prikkebeen. Ik sleurde hem nog net op tijd mee naar de achteruitgang.

We glipten vlug de achterdeur uit en renden met een grote omtrekkende beweging naar het fietsenhok. Ik morrelde aan mijn slot. Waarom ging dat ding nu niet open?

'Rustig, Annemarth,' zei ik tegen mezelf. Ik duwde en wiebelde met mijn sleuteltje, maar het was verbogen en het slot bleef dicht.

'Open, open, ga open,' siste ik bezwerend.

*Klik.* Het slot klikte open.

We reden als gekken door de stad, en acht minuten later stonden we voor Tibby's huis, dat er eenzaam en vervallen uitzag in de druilerige regen. Ik smeet mijn fiets neer en bonkte op de voordeur. Hij zat muurvast. 'Tibby!' *Bonke-bonkebonk.* 'Tips, doe nou open! Ik ben het.' *Bonkerdebonk.* Toen drong tot me door wat ik stond te doen. Ik stopte met-een, voordat ik weer iets aan splinters mepte. Boven de deur was het dakkapelletje van Tibby. Tot mijn grote op-luchting zag ik iets bewegen.

'Tibby!' schreeuwde ik.

Het raam ging open. Ze leefde nog! Ik barstte spontaan in huilen uit van pure opluchting.

'Je hoeft niet zo te schreeuwen,' zei Tibby. Ze snotterde alsof ze een zware kou te pakken had. Haar stem klonk schor en de rest van haar woorden ging verloren in een hoestbui. Toen verdween ze weer.

Tranen liepen over mijn gezicht. Tibby leefde nog, er was niets aan de hand, ik was gewoon neurotisch gestoord met mijn voorgevoel. Alles kwam vanzelf goed. Ik veegde mijn neus af aan mijn mouw. Easy sloeg zijn arm om me heen. We wachtten ongeduldig tot ze de voordeur opendeed. Dan kon ik haar omhelzen en vastpakken en voelen hoe levend en warm ze was.

Waarom duurde dat zo lang?

Ik probeerde de voordeur, maar die zat op slot. Ook al zo raar. De deur zat hier nooit op slot. Er valt hier niets te halen, zei Sharima altijd, en wie het oude vloerkleed wil hebben, gaat zijn gang maar.

Waar bleef ze toch?

'Ze doet er wel lang over,' zei Easy. 'Het is toch maar één trap af?'

'Tibby!' riep ik. 'Tiiiibby!'

Nog niks. 'Tibby!'

Eindelijk ging het raam weer open.

'Tibby, doe nou open!' riep ik. Maar als enige antwoord

kwam er een papieren vliegtuigje naar beneden gezeild. Het maakte een wilde buiteling en bleef steken in de druipende brandnetels.

Wat was dit nu weer? Ik geneerde me voor de rare ontvangst. Ik geneerde me dat Tibby ons in de regen liet staan. En ik geneerde me vooral omdat er niets aan de hand leek te zijn, omdat ik belachelijk in paniek was geraakt. Easy zou me wel hysterisch vinden. Hij viste het vliegtuigje uit de brandnetels en vouwde het open. 'Hier, voor jou.'

Het was een briefje.

*Eejj Anne tof da je ff langskomt. Sorry griep, durf de trap niet af en keelpijn sorry laat me maar liggen in me bed. xx Tibs hvj doei sorry moet egt slapen, doei.*

Easy keek me vragend aan. 'En?'

Ik gaf hem het briefje.

'Tja,' zei Easy. 'Als ze liever wil slapen? Dan zal dat wel het beste zijn.'

'Hallo, wat een onzin! Alsof ze wil slapen! Ze stuurt me toch net dat wanhoops-sms'je! "Ik zie het niet meer zitten, niet jouw schuld." Ze kan ons hier toch nict zomaar laten staan?' riep ik.

Ik bonsde nog een keer op de deur en riep 'Tibby!' maar er gebeurde niets.

'Wat nu?' vroeg Easy.

Ik wist het niet. Ik wist het gewoon niet meer. Ik was dolblij dat Easy bij me was en dat ik hier niet alleen stond, want dan had ik misschien de deur ingetrapt of het raam kapotgemept.

'Kom, laten we maar gaan,' zei hij. 'Volgens mij heeft het nu even geen zin.'

'Ik ga naar Sharima,' zei ik opeens.

We stapten op de fiets en reden naar het dorp, onthutst en inmiddels doornat.

Hoe overstuur ik was merkte ik pas in de winkel. Ik gooide de deur open en duwde Sharima mijn mobiel in haar handen. 'Kijk, dit kreeg ik van Tibby. Je moet echt naar haar luisteren, hoor, straks doet ze iets wanhopigs!' Was dat mijn stem? Die hoge gierende, verwijtende snerp?

Easy legde zijn hand op mijn arm. 'Rustig, Anne, kalm aan, oké? Relax.'

'Die toon gebruik je beter niet tegen mij,' zei Sharima afgemeten. 'Wat is er allemaal aan de hand?' Toen las ze de sms. 'O, ik begrijp het al. Ben je hiervan zo overstuur?'

Ik knikte en haalde diep adem om weer rustig te worden. Maar het lukte niet. Ik schreeuwde: 'Ja, natuurlijk! Weet jij eigenlijk wel dat ze al tijden niet op school komt en dat ze op geen enkel telefoontje reageert? En dan krijg ik dit!'

Easy pakte mijn arm stevig vast. 'Anne, kalm aan,' fluisterde hij dringend.

Sharima aaide over mijn hoofd. 'Jij bent een goeie, trouwe vriendin, Annemarth, maar weet je, je moet je niet zo gauw zorgen maken. Tibby is een temperamentvol meisje. Zij baalt er ontzettend van dat ze ziek is, dat is logisch hè, maar ze mankeert niks ergs, alleen een koutje. Het is ook zulk rotweer.'

Ik knikte.

'Weet je wat, ik zal haar vanavond een heerlijk voetenbadje geven. Ik heb nog verrukkelijke badoliemonstertjes van Magic Muds. Ja, ik zal haar eens even lekker verwennen. Maak je geen zorgen. Maar nu heb ik werk te doen. Bye bye.'

Ik wilde nog iets zeggen, maar Sharima had zich omgedraaid en Easy trok me mee naar de deur. 'Waarom ging je zo tekeer?' zei hij. 'Je had jezelf moeten horen! Die toon!'

Ik had mezelf heus wel gehoord. 'Nou, het spijt me, maar het was op dit moment even de enige toon die ik had.'

We reden samen op, maar bij de afslag naar zijn huis stopte hij. 'Tot morgen, lieverd, en sterkte,' zei hij.

Ik stapte ook af. 'Tot morgen. Hé, bedankt dat je meeging, sorry voor alles. Ik, eh... laat me maar even. Ik moet geloof ik even tot mezelf komen.'

'Oké. Morgen haal ik je op, niet vergeten!'

'Ja, *sure*,' zei ik. Ik wist even niet waar hij het over had, maar gelukkig was hij niet echt boos of zo.

Thuis keek ik elk halfuur op mijn mobiel, alsof ik serieus verwachtte dat Easy of Tibby me nog even zou sms'en. Verwachten werd hopen en hopen werd beseffen dat ik een naïeve optimist was.

's Avonds aan tafel zeurden ze alle drie aan mijn hoofd. Waarom kijk je zo chagrijnig, Annemarth? Gaat het niet goed op school? Of heb je problemen met de liefde? Wat heb je toch?

Wat ik had, was een bonk ijs in mijn keel. Ik kreeg er geen woord uit. Wat moest ik ook zeggen?

Ik kroop in bed met mijn hoofd onder de dekens. Ik wilde niks, helemaal niks. Nooit meer. Zelfs dat stomme Kunstfeest voor dat stomme lelijke kunstwerk kon me niets meer schelen. Ik bleef net zo lief thuis. En terwijl ik daar ellendig lag te wezen, dacht ik aan Tibby. Zou zij zich nou ook zo voelen?

Ik kluif op mijn pen. Het Fluisterboek ligt gesloten voor me. Ik doe het open want ik zit vol vragen. Als ik toen voet bij stuk had gehouden, tegen Sharima, tegen Easy, zou alles dan niet zo rampzalig zijn afgelopen? Ik wist toch dat het foute boel was, waarom liet ik dat voorgevoel zo makkelijk wegsussen?

Ik had naar mijn gevoel moeten luisteren.

Maar als ik heel eerlijk ben, dan zei mijn gevoel niet alleen dat het foute boel was. Mijn gevoel zei ook: bekijk het maar; zoek het uit met je gelieg en je zieligdoenerij. Ik was er klaar mee, ik vond het best om het verder aan Sharima over te laten. Ik kon er toch niks aan doen?

Ik speel afwezig met het Fluisterboek en laat de lege bladzijden langs mijn vingers ritselen. Had ik beter moeten luisteren, of maakte het niets uit? Opeens weet ik een mooie ja-nee-test. Ik pak een klein bundeltje blaadjes in mijn duim en wijsvinger en tel ze één voor één af, net als de bloemblaadjes van een madelief.

*Ik had moeten luisteren.*

*Ik kon er niks aan doen.*

Dat 'moeten' bevalt me niet. Ik begin opnieuw.

*Ik had het kunnen weten.*

*Ik kon niks doen.*

*Eén voor één tel ik de blaadjes af.*

*Ik had het kunnen weten.*

*Ik kon niks doen.*

Het laatste blaadje scheurt van al dat gefrunnik. Is er geen ja of nee, geen goed of fout, klopt het allebei?

Ik had het kunnen weten, ergens wist ik het wel, en toch kon ik er niks aan doen.

# Stofjes in het heelal

Vrijdagochtend werd ik wakker van een irritant geluid.

Het was mijn mobiel. Een sms!

Ik keek slaperig hoe laat het was. Halfzes, wat een tijd. De sms was van Easy.

## Tik tik tik (ik ben een steentje tegen de ruit)

Met een schok was ik wakker. Ik had me verslapen! Easy stond beneden om me op te halen. We zouden samen iets idioots doen voor het Kunstfeest van vanmiddag!

Ik schoot mijn trui en spijkerbroek aan en griste de blauwe stropdas van mijn bureau. Zo zacht als ik kon, klom ik uit het raam. Ik liet me voorzichtig met één voet op het keukendak zakken terwijl ik me vasthield aan de regenpijp.

Waarom ging ik niet gewoon door de voordeur? Had best gekund. Onze trap kraakte niet. Stilletjes naar beneden sluipen zou een stuk gemakkelijker zijn dan dit moeizame gedoe over het keukendak. Maar toen ik me voorzichtig van het dak af liet glijden, eerst op de bagagedrager van de fiets van Easy, en daarna stevig in zijn armen, werd het me glashelder. Iedere route had zo zijn voordelen.

Easy hield me stevig tegen zich aan en kuste me. 'Slaapkop!'

Ik giechelde.

'Zijn we gestoord?' fluisterde hij.

'Knettergestoord,' fluisterde ik. 'Ben je nog boos?'

'Nee, gekkie. Heb je de stropdas?'

Ik knikte.

Het fietsenschuurtje zat op slot en ik wilde de voordeur

opendoen om de sleutel van de haak te pakken, maar Easy zei dat ik achterop moest komen zitten. 'Hou me maar stevig vast,' fluisterde hij in mijn oor.

Slingerend en lachend fietsten we door de stille donkere straten, mijn arm om zijn middel, mijn wang tegen zijn rug. De stilte voor de storm, dacht ik tevreden. Vanmiddag zou iedereen eens wat zien! Een uitdagende stropdas aan het kostbare Kunstwerk! Iedereen zou zien dat het eigenlijk een galg voorstelde! Ik genoot al bij voorbaat en kreeg nog een idee.

'Heb jij toevallig een viltstift bij je?' vroeg ik.

'Heb je die zelf niet?' vroeg Easy. 'Valt me van je tegen. Een slimme meid is voorbereid, toch?'

'Sure, ik heb jou toch bij me.'

'Dames en heren, dat was dan weer de emancipatie,' zei Easy. 'En ik heb geen viltstift. Wel een Opinel.'

'Een stift?'

'Nee, een zakmes. Heb je daar wat aan?'

'Nee.' Ik trok hem aan zijn haar. De fiets maakte een slinger. Lachend en baldadig reden we verder naar school, dicht tegen elkaar aan in het kille lantaarnlicht. Het was gelukkig droog, maar het was wel ijskoud. Ik rilde. Vlak bij school waren een paar lampen kapot en ook het plein was onaards donker. Scheef tegen het hek stond een oude, roestige fiets. Het spatbord bungelde er zielig bij en hij stond niet eens op slot. Er was iets tegenaan gewaaid. Een vuilniszak, nee, een lap. Een modderige blauwe lap.

Easy stopte op de stoep. 'Uw koets is gearriveerd, madame! Dat was dan één zone. Uw tarief: één zoen.'

Ik sprong giechelend van de bagagedrager af en kuste hem. Het was één zoen, maar wel een hartstochtelijk lange zoen. Het plein was donker en het duurde even voordat me opviel dat het Kunstwerk er wel heel vreemd uitzag. Toen smeet Easy abrupt zijn fiets tegen mijn schenen en rende hij weg. Ik schrok. Het deed pijn! Waarom deed hij dat? Ik zette de fiets weg, wreef over mijn been en keek wat Easy deed. Hij rende naar het Kunstwerk en toen pas drong tot me door wat ik zag, wat Easy allang had gezien. Ik stond als verlamd.

Aan het Kunstwerk bungelde iets. Iets slaps. Iets groots. Het was een lichaam.

Ik hoorde iemand gillen, ik hoorde iemand gillen, iemand gillen. Langzaam, in slow motion drong het tot me door dat Easy langzaam, in slow motion naar het Kunstwerk rende en dat hij langzaam, in slow motion iets uit zijn zak tevoorschijn haalde. Verdoofd keek ik toe – ik kon het niet geloven, ik zag niet goed wat hij deed, het ging zo snel, het ging zo snel, het ging zo snel, ik zag niet goed wat hij deed totdat Easy met één haal van zijn Opinel het lichaam los ratste. Als een slappe ledenpop gleed het in zijn armen, slap, een pop, een ledenpop, terwijl ergens iemand gilde en gilde en gilde. Hij legde het lichaam voorzichtig op de grond. Toen zag ik het. Het plein begon rond te tollen, alles begon rond te tollen, mijn hele leven begon rond te tollen. Ik gilde, nog harder dan eerst, een langgerekte dierlijke jammerkreet. Want het was Tibby.

'Anne!'

Door het gillen heen hoorde ik uit de verte een schorre, rauwe kreet. 'Anne!' Schor en rauw. Schor. Erg schor. En erg rauw. Een schorre, rauwe kreet. En almaar dat gillen.

'Anne, verdomme! Anne! Hou je kop en bel 112!'

Anne? Dat was ik! Het gillen stopte en toen pas drong tot me door dat ik het was, dat ik zelf had staan gillen. Met een schok kwam ik terug in de werkelijkheid.

De verscheurde werkelijkheid.

Mechanisch graaide ik mijn mobiel uit mijn zak en toetste 112.

'Alarmcentrale 112, wie wilt u spreken?'

Ik schreeuwde het uit in de hoorn. 'Ambulance, schoolplein Pallas Athene Lyceum. Snel, schiet op, NU!' Mijn geschreeuw klonk belachelijk zacht en hees.

'In welke plaats?'

Ik herhaalde het adres. Mijn keel deed pijn. 'Schiet nou op, mens. Teuter niet zo!' Ik zei het. Ik zei het echt!

De vrouw bleef heel vriendelijk. 'Ik verbind u door met de ambulancedienst. Blijft u aan de telefoon.'

Alles tolde om me heen. Ik werd doorverbonden. Een rustige stem zei: 'Ambulance. Wat is er aan de hand?'

Ik riep iets, ik weet niet meer wat, over Tibby en dat ze snel moesten komen, snel, nú, meteen. Ik zei mijn naam, herhaalde het adres.

'De ambulance komt eraan.'

Ik hing op en liep naar Easy toe. 'Ze komen eraan.' Toen boog ik dubbel bij het hek. Ik moest overgeven.

Easy zat geknield bij Tibby en begon haar te zoenen.

'Gatver, wat doe je?' riep ik. Ik kwam overeind. 'Ben je gek geworden? Getver, schei uit!' Ik was met twéé sprongen naast hem en duwde hem weg.

Easy duwde me zachtjes opzij, boog zich over Tibby heen en zoende haar opnieuw.

'Ze leeft nog,' zei hij en toen pas begreep ik het. Het tollen hield op. Ze leefde nog! Hij beademde haar!

Een wild soort vastberadenheid welde in me op, ik weet niet waarvandaan, uit de bijnieren? Ik veegde de kotsslierten uit mijn mondhoeken en knielde naast hem neer. Toen hij moe werd, wisselden we elkaar af. Ik ademde warm leven in Tibby's koude mond, ik ademde hoop, vurige hoop en wild verlangen. Leef! Leef! Was dat haar hart, dat zwakke klopje? Mijn mond was kurkdroog. Easy nam het weer van me over. De tranen stroomden hem over de wangen. Hij veegde ze niet eens weg. Op de grond naast ons kronkelde een doorgesneden elektrisch snoer. Het kersenrode snoer van de gitaar van Jeff. Ik begon weer te kokhalzen.

Opeens was het plein vol met blauwe zwaailichten en rennende mensen in witte jassen, die ons allerlei ingewikkelde vragen stelden, zoals hoe zij heette en hoe ik heette. Dingen die ik niet begreep en waar ik geen antwoord op wist. Het volgende ogenblik lag Tibby aan een kluwen slangen op een brancard achter in de ambulance onder een felle witte lamp. Op haar hand werd een blauwe vlinder geplakt met een slangetje eraan. In haar trui zat een rafelige snee, bovenaan bij de hals, waar ook een slang uit stak. Het was de oranje trui waar ze zo de pest aan had.

Ze zou blij zijn dat die trui kapot was.

'Tibby! Wakker blijven!' fluisterde ik. 'Bij ons blijven, Tibby. Ik heb je nodig!'

'Zij moet mee,' zei Easy tegen iemand in een witte jas. 'Ze moet tegen haar praten.'

'Ze kan niet achterin, maar ze mag wel mee,' zei de jas. Hij had een mislukte tattoo op zijn hand van een ijsje met drie bolletjes. Rood, wit, bruin.

Ik stapte in de ambulance. 'Hou je taai. Ik kom er zo aan,' zei Easy. 'Praat tegen haar.'

Het hele plein was vol blauwe zwaailichten en ik zwaaide naar Easy, ik zag de politie, ik zag allerlei mensen, zelfs JP en zelfs Prikkebeen. Waar kwamen al die mensen zo gauw vandaan?

In het ziekenhuis werd Tibby met een vaart uit de ambulance gehesen en naar binnen gereden in een zaaltje met rondrennende witte jassen die haar aan allerlei apparaten koppelden. Zuurstof, hartslag, bloeddruk. Ik probeerde er niet op te letten, ik probeerde nergens op te letten, behalve op Tibby. Ik bleef bij haar hoofd staan, ik liet ze allemaal maar rennen. Ik praatte tegen haar. Ik zei zomaar wat in het wilde weg, over Whisky en Wodka, over het autootje waarmee ze mij op mijn kop had gemept, over de spetters van Fred, over Tarik die naar haar had gevraagd, over Jeske en Lianne, over de geur van verse appelbollen. Ik wist niet waar ik het allemaal vandaan haalde, ik zei gewoon wat er in me opkwam en ik hoopte vurig dat er iets tussen zat wat haar nog iets kon schelen.

Bij de appelbollen knipperde ze heel even met haar ogen. Misschien verbeeldde ik het me, maar ik was zo blij dat ze bewoog dat ik huilde en zei dat ze belangrijk was en dat ze echt niet bij me weg mocht gaan.

Ondertussen raasden de witte jassen om me heen met hun slangen en getallen en naalden en zuurstofmaskers en infusen en wat ze verder ook maar allemaal deden; kunt u even aan de kant gaan?

Een taaie verpleegster met een schrijfblok nam me apart en vroeg naar Tibby's gegevens. Haar naam en adres en haar nummer en waren haar ouders bereikbaar en had ik haar pasje? Ze had vooral een nummer nodig.

Tibby's adres schoot me nog net te binnen en haar nummer stond natuurlijk in mijn mobiel. Ik frunnikte zenuwachtig met de knopjes voordat ik het nummer had. Maar ze zei zuinigjes dat ze het verzekeringsnummer bedoelde. 'Sorry, geen idee.' Ik begon weer te huilen.

'Ik zal toch...' zei ze.

Toen zei een rustige mannenstem: 'Mevrouw, het spijt me, maar de ziektekosten zullen even moeten wachten.'

Het was Easy!

Hij sloeg zijn armen om me heen. De zuster met het schrijfblok verdween. Even later kwam ze terug en drukte me koffie in handen, zwart met veel suiker. Een soort vloeibare sorry.

En toen zat ik met Easy op de gang.

We hielden elkaars hand vast en we wachtten. Zijn hand was ijskoud. We wachtten.

Het was net alsof alles een droom was, een droom over een sprookjeshuis vol appelbollen en kaneel en geurende kamperfoelie, een droom over poezen en muziek en wild geluk en verrukkelijke vrijheid, waar alles kon en niets hoefde. Ik lag aan de oever van de Kromme Rijn met een meisje dat met haar glimlach de zon liet opgaan en de bloemen liet opengaan en de vogels liet zingen, een meisje met stralende bruine ogen en flodderige kleren die met haar glimlach mijn keurige bevroren wereld ontdooide en me bevrijdde uit mijn brave bestaan vol staal en steen, waarin de hoogtepunten bestonden uit een negen voor Frans.

Easy sloeg zijn arm om me heen terwijl ik huilde en huilde. Na een tijdje stopten mijn tranen vanzelf. Hij veegde ze van mijn wang. We zaten in een grauwe gang en wachtten. Easy pakte mijn hand weer en hield me stevig vast. Ik veegde een paar tranen van zijn gezicht.

Zijn hand was klam van het zweet. We wachtten.

Toen stonden Jeff en Sharima naast ons. Jeff was spierwit met rode ogen die hij steeds afveegde en Sharima stond stijf en statig en volkomen bevroren, als een eeuwenoud beeld van zwart basalt. Van haar hartelijke spontaniteit was niets meer over. Ik werd bang van haar. Toen moesten ze met Tibby mee, die naar de afdeling werd gereden in een bed op wieltjes.

We wachtten.

Een verpleegkundige kwam zeggen dat het goed met Tibby ging, dat we het fantastisch hadden gedaan en dat Ma ons kwam ophalen. We kregen koffie. Het was nog donker toen Ma naast ons stond en ons allebei omhelsde.

'Wil je met ons mee, Easy, of wil je liever naar huis?' vroeg Ma.

'Red jij het, Anne?' Ik knikte.

'Dan ga ik liever even naar huis. Ik ben kapot,' zei hij. 'Goed, Anne?'

Ja, natuurlijk. Hij omhelsde me. 'Ik zie je straks,' zei hij. Hij groette Ma en wilde gaan.

'Geen sprake van,' zei Ma, 'wij brengen jou even naar huis. Die fiets kan wel achter op de auto.' Ze lachte haar overtuigende glimlach terwijl buiten de zon opging.

Ik bleef de rest van de dag thuis. Ma bleef ook thuis, speciaal voor mij, ook al hing ik alleen maar op de bank. Ik huilde niet, ik lachte niet, ik praatte niet, ik zat gewoon maar suf te zitten en te zappen als een zombie.

Ma maakte koffie verkeerd voor me, die ik koud liet worden.

Tussen de oude video's en dvd's zaten nog een paar afleveringen van *Het Huis Anubis*, die ik allemaal bekeek. Ik vond ook een heel oude videoband in een verfomfaaid doosje: 'Annemarth bij Sinterklaas.' Tibby stond er ook op. We waren superschattig en bijna vier en we geloofden heilig dat Piet de pepernoten persoonlijk uit de hemel liet regenen en dat Sint voor ieder kind evenveel cadeautjes bracht.

Toen pas moest ik huilen.

Ma liet haar werk liggen en kwam bij me zitten, streelde over mijn haar.

'Ze is heus in goede handen,' zei Ma. 'Jullie waren nog net op tijd, alsof het zo moest zijn. Jullie waren werkelijk heel doortastend. Ik weet zeker dat jullie haar leven hebben gered.'

Ik wist niks te zeggen.

Ma had nog nooit speciaal voor mij vrij genomen. Ik vond het heerlijk dat ze er was, maar mijn hoofd was leeg. Ik zweeg.

'Hoe voel je je?' vroeg Ma.

Niks, ik voelde niks en ik dacht ook niks. Alles waar ik bang voor was, was echt gebeurd. Ik wilde nooit meer iets denken en nooit meer iets voelen. Alles vergeten. Voorgoed. Net als Tibby. Ik wilde slapen.

Toen ik in bed lag, kwam Ma nog even boven met warme chocolademelk. Volgens mij had ze er rum door gedaan, die ouwe gifmengster.

'Ma,' zei ik.

'Ja, engeltje?'

'Ik ben zo blij dat jij er bent, Ma.'

Toen dook ik diep onder mijn dekbed en liet ik me wegspoelen door de slaap, de zwarte stilte in.

Zondag mocht Tibby bezoek ontvangen. Ze lag op een zaaltje naast een leeg bed. Ma wachtte buiten op de gang en ik ging schoorvoetend naar binnen.

Ik trok een stoel naast het bed. 'Tips, hoe is het met je?'

Tibby glimlachte krampachtig, als een pop. 'Kan niet beter,' zei ze. 'Het is hier een eersteklas hotel. Drie keer per dag komt iemand me vragen wat ik wil eten en ze brengen de hele tijd koffie en thee.'

Ik kon er niet om lachen.

We zwegen. De striem op haar nek stak donker af tegen haar vale gezicht.

Ik zuchtte en toen raapte ik al mijn moed bij elkaar. 'Hey, Tips, wat gebeurde er nou?' vroeg ik.

'Ach,' zei ze. De enge, krampachtige poppenglimlach verdween. Ik wachtte, maar verder kwam er niets. Was dat haar antwoord? Ach?

Ik wreef met mijn vinger over de ruitjes in het wafeldekentje op haar bed. Ik wist niet wat ik moest zeggen.

Ik wachtte.

Na een poosje ging Tibby rechtop in bed zitten. 'Waarom zeg je niks?' zei ze.

'Ik weet niks,' zei ik. 'Ik vind het zo erg.' Ik schoot vol en veegde mijn tranen weg.

'Het is niet jouw schuld, dat zei ik toch. Jij kunt er niks aan doen.'

'Maar ik wil je zo graag helpen,' zei ik en ineens moest ik aan Sam denken, die midden in de nacht achter me aan fietste om mij te helpen en me de stuipen op het lijf joeg, totdat ik doodsbang en wanhopig een deur intrapte. 'Mijn hulp helpt niet, hè? Misschien maak ik het alleen maar moeilijker voor je.'

Tibby zweeg even. 'Nee, dat is niet zo,' zei ze toen. 'Het wordt ook niet moeilijker. Jij kunt er niks aan doen.'

Jij kunt er niets aan doen. Ik was machteloos, volkomen machteloos. Ik stond erbuiten.

Ik probeerde iets te zeggen, maar het lukte niet. Alle woorden bleven steken in mijn keel.

Tibby sloot haar ogen. Ze zag bijna bleek. Bijna was ze er niet meer geweest, dacht ik. Bijna had ze dood aan dat enge kunstwerk gebungeld. Dood aan het rode snoer.

Maar gelukkig was alles goed afgelopen. Ze leefde!

'Hé, ik moet gaan. Sterkte,' fluisterde ik. Maar ze zei niets terug. Ik geloof dat ze al sliep.

Samen met Ma liep ik naar de lift. Die arme kunstenaar, dacht ik. Zo'n baggerlelijk kunstwerk, en nu ook nog zo'n smet op zijn naam. Het Kunstfeest was afgelast en het kunstwerk was ijlings van het plein verwijderd. Het kon raar lopen in de kunst.

Stel je voor, misschien pakte die actie van Tibby juist goed uit voor zijn carrière. Misschien was hij straks beroemd door Tibby. Misschien belde er morgen een museum dat belangstelling had voor de kronkelgalg-met-verhaal. Misschien had die kerel straks eindelijk fatsoenlijk te eten en geld voor shampoo.

Al die dingen schoten door mijn hoofd terwijl ik met Ma in de lift stond. Doffe grijze vloeren en kale beige deuren gleden voorbij.

Zo koortsachtig druk als het in mijn hoofd was, zo dof en leeg was mijn gevoel. Tibby leefde, maar ze was onbereikbaar. Ik hoopte maar dat er in het ziekenhuis iemand was die haar wel kon bereiken. Iemand met verstand van die dingen, iemand die iets voor haar kon doen.

Tibby mocht nog niet naar huis. Op woensdag na school zocht ik haar weer op, samen met Easy deze keer, want ik durfde niet alleen.

'Je moet de groeten hebben van iedereen,' zei ik. We hadden een kaart bij ons van de hele klas.

Tibby knikte. Ze keek nauwelijks naar de kaart en legde hem weg.

'O ja, jij ook bedankt,' zei ze op een onverschillige toon. Dat was voor Easy, omdat hij haar leven had gered.

'Hoe is het nu met je?' vroeg ik.

'Ik krijg smerige pillen om blij te worden.'

'Helpen ze een beetje?' vroeg ik. 'Voel je je al wat beter?'

'Nee, ik krijg er koppijn van,' zei Tibby. 'Ik ben het zat.'

'Mag ik iets heel raars vragen?' zei Easy.

Tibby knikte.

'Waarom deed je het eigenlijk op school en niet thuis?'

'Thuis waren de zolderbalken vermolmd,' zei ze droog. 'Ik viel.'

'Hè? Hoe bedoel je?' vroeg ik.

'Hallo, dat krot zit met plakband aan elkaar geplakt, dat weet je toch.' Alsof het de meest vanzelfsprekende zaak van de wereld was.

Betekende dat, dat ze eerst thuis...? 'Bedoel je die keer dat Easy en ik...?' Alles begon om me heen te draaien.

Tibby frommelde aan het gele wafeldekentje. 'Ja, ik donderde omlaag en jij stond beneden bij de voordeur te schreeuwen.'

Dat rare afscheids-sms'je. Dat rare vliegtuigbriefje vol smoesjes. Dat afschuwelijke voorgevoel.

Ik haalde diep adem. Tibby liet haar hoofd op haar arm steunen, alsof het te zwaar was om rechtop te dragen, zwaar van sombere gedachten. Wat ging er in haar om? Kende ik haar dan zo slecht? Ik was blij dat ze hier was, in goede handen.

'Waarom toch? Ik wilde je toch helpen!'

Easy legde zijn hand op haar arm. 'Wat afschuwelijk. Wat moet je je ellendig gevoeld hebben.' Hij zei het tegen Tibby, maar het voelde alsof hij het ook tegen mij had.

'Het is niet belangrijk,' zei Tibby. 'Jij bent de beste vriendin die iemand kan hebben. Het is niet jouw schuld.'

Ik keek uit het raam. Wollige winterwolken werden aan flarden geblazen in een loodgrijze lucht. Ik wilde iets zeggen, iets waardoor het allemaal weer een beetje goed kwam, iets waardoor ze weer wat hoop kreeg. Ik moest een heleboel keer slikken voordat ik iets kon zeggen. 'Maar nu komt alles weer goed,' zei ik. 'Iedereen wil je helpen!'

Tibby trok haar wenkbrauwen op alsof ze doodmoe werd van al die goedbedoelde hulp. Ze sloot haar ogen. Ze leek wel doorschijnend.

'Hé, Tips, zullen we maar gaan?' zei ik ongemakkelijk. 'Wil je liever slapen? Sterkte en tot morgen, oké?'

Ze knikte vaag en draaide zich om naar het raam.

Op de fiets veranderde mijn ongemak in ongerustheid.

'Ze zal het toch niet nog een keer proberen?'

'Nee, joh,' zei Easy. 'Ze is hier echt in goede handen.'

'Ja, hè,' zei ik. 'Ze is in goede handen.' Ik herhaalde het nog een paar keer en nam een verkeerde afslag, waardoor ik bijna op een auto botste. Hij toeterde hard, ik schrok me te pletter.

'Hey, Anne, kom op,' zei Easy. Hij stopte, stapte af en pakte me stevig bij mijn schouders. 'Relax, meisje, wakker worden. Dit kan niet zo,' zei hij. 'Je moet opletten.'

Het deed pijn en ik trok me los. 'Ze is in goede handen, hè?' zei ik.

'Ja, absoluut. En nu móét je aan iets anders denken.' Hij streelde over mijn haren.

Maar ik kon nergens anders aan denken. Hoe zou ze zich gevoeld hebben, toen ze speciaal naar school fietste met dat rode elektriciteitssnoer? Zat het in haar fietstas? Zat het in haar zak? Had ze het al om haar nek geknoopt? Waar laat je het rode elektriciteitssnoer waarmee je jezelf gaat opknopen aan een baggerlelijk kunstwerk op het plein?

# 2

Op school kon ik mijn hoofd haast niet bij de lessen houden. De hele dag moest ik aan Tibby denken, aan die doorschijnende blik, die striem in haar hals en die paarsige kringen onder haar ogen. En vooral aan haar moedeloosheid. Ik was zo blij dat ze eindelijk echt hulp kreeg.

Op vrijdagmiddag hadden we wiskunde. Dat was heel vervelend, want vrijdagmiddag wil niemand wiskunde, zelfs niet van Annechien, die ingewikkelde dingen zo goed uitlegde, dat ze opeens heel simpel werden.

Tijdens de les zat iedereen te klieren en bijna niemand hoorde dat er zacht op de deur werd geklopt. We schrokken ons rot toen JP opeens binnenkwam.

Ai.

Maar ondanks de chaos knikte hij tegen Annechien en vroeg hij alleen: 'Mag ik Annemarth even van je lenen?'

Ik schrok.

'Wat heb je nu weer uitgevreten?' fluisterde Jeske, die naast me zat.

Niks dus. Ik was er al tijden niet uit gestuurd. Niet meer sinds ik uit het Egypteboek mocht werken.

'Kom je even mee?' vroeg JP. Maar verder zei hij niets. Ik werd erg nieuwsgierig.

'Wat is er, meneer?' vroeg ik. Toen hij geen antwoord gaf, werd ik ongerust. De gang leek twee keer zo lang als anders. Wie had die vloer ontworpen met dat deprimerende zwartwitte ruitjespatroon? Scholen moesten vrolijk zijn vanbinnen, met rood en roze en groen, niet zwart-wit. Zeker geen zwart-wit.

Gangen moesten niet zo lang zijn.

*Dr. J.P. van Dijk, rector.* Er stonden vieze vingers op het koperen bordje. Ik werd steeds zenuwachtiger. Waarom zei JP niets?

'Ik hoop niet dat ik iets ergs heb gedaan?' vroeg ik.

'Nee, nee,' zei JP. 'Kom even binnen.' Hij schraapte zijn keel. 'Ga zitten. Je vader kan hier elk moment zijn.'

Mijn vader? Ik ging zenuwachtig zitten, op dezelfde stoel waar al mijn leraren op hadden zitten zenuwtrekken. Koortsachtig dacht ik na. Wat kwam Pa hier doen?

'Wat is er?' vroeg ik. 'Is er iets met Ma? Nee toch? Of met Sam?' Ik schoot overeind. 'Nee! Niet met Sam!'

JP schudde zijn hoofd en ik ging weer zitten. Hij verschoof wat papieren op zijn bureau, zette zijn bril een keer op en af. 'Het ehm, is je vriendin, Tiberia Rabi. Zij is, eh...'

Tibby? 'Sorry, meneer, maar Tibby is in het ziekenhuis. Ik heb haar woensdag nog gezien! Ze is eindelijk in goede handen!'

JP hoestte. Toen stond hij plotseling op, liep naar een morsig koffiezetapparaatje in de hoek van de kamer. Hij begon onhandig aan de knopjes te prutsen en zette er nog net op tijd twee bekers onder.

'Zij eh,' herhaalde hij. 'Zij is... ehm, ze is gevonden in de Kromme Rijn.'

Hij duwde me een hete beker in mijn hand. Ik liet hem bijna vallen.

'In de winter?' riep ik verbaasd. En toen drong pas tot me door wat hij probeerde te zeggen. 'Wat is er met haar? Is ze...?'

JP knikte. 'Ze was niet meer te redden. Ze...' Hij schraapte zijn keel een paar keer en keek me bedroefd aan.

'Dat kan helemaal niet!' riep ik. 'Tibby is in het ziekenhuis. Dat moet een vergissing zijn! Een misverstand! Tibby kan hartstikke goed zwemmen!'

Maar niet in de winter, schoot er door me heen. Ik voelde me net een lekke fietsband waar alle lucht uit wegstroomde.

JP zuchtte en poetste zijn bril. 'Het spijt me, Annemarth. Het spijt me werkelijk verschrikkelijk.'

'Ja,' zei ik. Bittere zwarte koffie zonder suiker. Mijn handen beefden en ik brandde mijn mond. Ik merkte het nauwelijks. JP nam ook een slok koffie. Hij slurpte en toen werd ik boos.

'Tibby was toch in goede handen!' riep ik. 'Hoe zit dat dan? Ze had hulp en pillen, er klopt helemaal niks van. Ik heb haar eergisteren nog gezien! Ik begrijp het niet. Het is niet waar, hè?'

'Nee, zoiets begrijp je gewoon niet. Ik weet niet of iemand dit kan begrijpen,' zei JP.

'Nee.' Ik fluisterde, ik wiegde naar voren en naar achteren, met mijn hoofd in mijn handen. Naar voren en naar achteren. 'Nee,' fluisterde ik. 'Nee, nee, dat kan niet.'

'Annemarth,' zei JP. Zijn stem kwam van heel ver weg. 'Annemarth.' Heel dringend nu.

Ik keek op. JP ondersteunde zijn gezicht met zijn handen. Een grijs gezicht met grijze haren en grijze kringen onder zijn ogen. 'Annemarth, het is niet jouw schuld. Dat weet je toch wel, hè? Hier kon jij niets aan doen. Soms kiest iemand iets wat niemand kan begrijpen. Dat betekent niet dat het jouw schuld is.'

'Maar...' begon ik en toen zat ik ineens vol tranen. Nijdig poetste ik ze weg, maar ze waren met heel veel, die tranen.

JP gaf me een doos tissues. 'Jij hebt je best gedaan, meisje. Meer kon je niet doen.'

Er werd geklopt en Pa kwam binnen. Ik poetste nog meer tranen weg. JP gaf Pa een hand. 'Gecondoleerd,' zeiden ze tegelijkertijd. Het klonk als een misplaatste grap.

JP gaf mij ook een hand. 'Gecondoleerd, Annemarth. Het spijt me echt ontzettend. Sterkte.'

'Bedankt,' zei ik maar. 'En u ook sterkte, meneer.' Tenminste, dat was de bedoeling, maar er kwam alleen maar *piepsnuf*.

Toen sloeg Pa stevig zijn arm om me heen en nam hij me mee, samen de deur uit, samen over de zwart-witte tegeltjes naar de uitgang, naar de fietsen, naar huis.

Als ik één ding heb geleerd, is het dit: het komt als je er niet op bedacht bent.

Ik ben zo blij met dit geniale inzicht dat ik het Fluisterboek pak om het erin te schrijven. In grote letters. Alleen maar dit, meer niet: het komt als je er niet op bedacht bent.

Maar voordat ik ook maar een letter op papier heb, lachen de bladzijden me vierkant uit.

'Als het komt als je er niet op bedacht bent,' zeggen ze grinnikend, 'dan heeft het toch geen zin om dat op te schrijven! Laat het los.'

Laat het los.

Laat los.

Laat los.

Zit wat in.

Opeens schiet ik in de lach. Het Fluisterboek heeft me keer op keer tuk.

Die lege bladzijden staan barstensvol verrassingen, daar kan geen volgeschreven bladzijde tegenop, al stond hij vol hiërogliefen, heilig schrift. Laat los? Ik weet ineens hoe.

Leeg laten en luisteren.

Meer is er niet.

Alles was leeg na Tibby's dood. Het waren de leegste dagen van mijn leven.

Logisch dat ik niets kon zeggen, niets kon schrijven. Wat was er nog over om over te schrijven?

Tibby was weg. Ik leefde.

Ik leefde verder, al die lege, lege dagen.

En nu? Ik beleef ze opnieuw. Ik schrijf niks op. Mijn hoofd is blanco, maar ik voel weer iets. Ik voel hoe leeg het toen was. Ik voel het in mijn buik, in mijn botten.

# 3

Het weekeinde ging als een vage droom aan me voorbij. Easy belde me op en vroeg of ik meeging, samen een stuk uitwaaien langs het water. 'Niks maakt je hoofd zo leeg als wind en water,' zei hij. Hij wilde samen naar Den Haag, naar het strand. Of als ik dat niet wilde, desnoods wat leegwaaien langs de Kromme Rijn. Toen hij dát voorstelde, raakte ik helemaal overstuur.

Hij kwam toch naar me toe, dat was lief. Hij was stil en ik wist eigenlijk ook niet zoveel te zeggen. We hingen maar wat voor de tv en speelden met z'n allen een spelletje Katan. Zelfs Pa en Ma deden mee.

Elien belde me op, en Jeske en Lianne. Zelfs Tarik belde me op. Hij huilde aan de telefoon. Dat had ik nooit van hem verwacht. Ik had verwacht dat ik zelf moest huilen, maar ik liet geen traan. Het leek wel alsof alles wat iemand tegen me zei eerst door een dikke deken moest voordat ik het kon horen, zo dof voelde ik me. Mijn antwoorden sloegen vast nergens op.

Maandag mocht ik thuisblijven, maar ik wilde liever naar school. Ik wilde bij mijn vriendinnen zijn en bij Easy. Ik wilde iedereen zien.

We hadden geen les, maar we praatten met de klas over wat er was gebeurd. We mochten een gedicht schrijven of iets tekenen. Het was heel raar zonder Tibby. Ze was er zo vaak niet geweest, maar nu drong het tot me door dat ze niet meer terug zou komen. Ik voelde me in de steek gelaten, maar toch was ik niet alleen. Mijn vriendinnen waren er en de hele klas leefde met elkaar mee, of we elkaar nu goed kenden of niet. Iedereen sloeg armen om elkaar heen en we zeiden allemaal hoe erg we het vonden. Elien kwam meteen naast me zitten. 'Vreselijk, hè,' zei ze. 'Iedereen is zó overstuur.'

'Fijn dat jij er bent,' zei ik en ook al voelde ik me nog steeds dof, dat kwam uit de diepte van mijn hart.

JP had een van de spreekkamers laten inrichten als herdenkingsruimte en we gingen er samen naartoe in de pauze. Er hing een grote foto van Tibby en er brandde een dikke, blauwe kaars. Er lag een album met foto's en een album waar we onze gedichten in mochten plakken of iets in mochten schrijven. Je kon ook een briefje of kaartje op het prikbord prikken. Er hingen mooie kaarten en een paar mensen hadden hun tekeningen opgehangen, wat foto's en een paar Loesjeteksten.

Er hing ook een dromenvanger met een kaartje eraan:

*Tod ist ein langer Schlaf*
*Schlaf ist ein kurzer Tod.*
*F. Logau.*
*Droom zacht F. de Wit.*

Op de achterkant stond de vertaling: 'Dood is een lange slaap, slaap is een korte dood.'

Ik wilde ook zoiets moois in het album schrijven, voor Tibby. Maar ik kwam niet verder dan *Hey, Tipsy*. Elien gaf me een tissue aan uit een doos. Ze hadden echt overal aan gedacht. Tibby zou versteld staan, wat ze allemaal voor haar hadden gedaan.

'Ik blijf hier nog even, goed?' zei ik.

'Ja, tuurlijk, joh,' zeiden ze.

Maar toen ze weg waren, waren mijn tranen ook opeens weg. Ik snapte niks meer van mezelf.

's Middags hielden we met de hele school een herdenkingsbijeenkomst. Wat er precies gebeurde ging aan me voorbij, maar de sfeer die er toen was zal ik nooit vergeten. We waren samen, verdrietig en geschokt, maar samen. Ik zat naast Easy en we hielden elkaars hand stevig vast. Ik hoefde niets te zeggen.

Had ook niet gekund. Mijn keel was een brok ijs.

# 4

Dinsdagnacht deed ik geen oog dicht, want woensdag was de crematie.

Het was de tweede crematie van mijn leven. De vorige keer was ik vier en ik weet nog hoe boos ik was. Ik wilde geen stijve kleren aan, ik wilde juist bij opa spelen! Ik begreep maar niet waarom dat niet kon.

Maar nu begreep ik het maar al te goed. Ik stond te aarzelen voor mijn kast en Ma stond te aarzelen voor haar kast, aan de overkant van de gang.

'Mam, kan ik deze spijkerbroek aan? Of moet ik een rok aan?'

'Die rok is keurig hoor,' zei Ma.

Keurig? Ik wilde niet keurig. Tibby was niet keurig. Ik koos de spijkerbroek.

'Is deze jurk goed?' vroeg Ma.

De jurk was prima. Zou Ma ook zenuwachtig zijn? Ik had zelf in elk geval nog nooit zo'n rare knoop in mijn maag gevoeld. Ik keek in de spiegel. Ik had wallen onder mijn ogen en rode vlekken en een waterige blik, en ik vroeg me af hoeveel liter je per etmaal kon huilen. Zou dat ooit onderzocht zijn? Hoe zou je zoiets onderzoeken? Met veel uien? Met pesten en treiteren? Met traangas? Die wetenschappelijke onderzoeken waren zo sadistisch als je erover nadacht. Kunstenaar was een beter beroep dan wetenschapper.

Ik deed mascara op en dacht aan de kerstdisco. Toen zat ik opeens vol tranen en vlekken en kon ik weer opnieuw beginnen.

Het was niet mijn schuld, Tibby had het zelf gezegd. Iedereen zei het. Sharima had gewoon een keer een blauw sjaaltje voor Tibby mee moeten brengen. Eén blauw sjaaltje had haar leven kunnen redden. En een blauwe hanger voor aan haar mobiel. Was dat nou zoveel moeite? Voor mij nam ze toch ook leuke dingetjes mee?

Maar was het dan Sharima's schuld?

'Ma?' zei ik.

'Wat?' vroeg Ma.

'Het is niet mijn schuld, hè?'

'Maar engeltje, hoe kom je dáár nu bij?' zei Ma. Ze legde haar haarborstel weg en trok me naast zich op het bed.

'Gewoon, dat denk ik. Ik wilde haar zo graag helpen, maar het is helemaal misgegaan!'

Ik huilde en snikte en mijn hoofd kolkte van narigheid. Ma streelde geduldig over mijn haren, totdat ik helemaal uitgesnikt was.

'Luister eens, lieverd,' zei ze toen. 'Jij hebt je best gedaan. Je bent een schat van een vriendin geweest. Je hebt zelfs een keer haar leven gered! Tibby had ernstige problemen, dat kon jij niet oplossen, daar had ze professionele hulp voor nodig. En zelfs dan gaat het niet altijd goed. Dat is niet jouw schuld, begrijp je dat?'

Ik begreep het wel, met mijn hoofd, maar mijn buik geloofde het niet. Ik had zo'n buikpijn. 'Ik wil er niet heen. En ik zie er raar uit.'

'Engeltje, wij zijn toch bij je,' zei Ma. 'Papa en ik en Sam. En Easy.'

Ik knikte en ik snoot mijn neus.

'Ga maar gewoon mee,' zei Ma. 'Ik sla je er wel doorheen.' Ze gaf me een denkbeeldige klap en een zoen. Toen moesten we zomaar lachen.

Het was druk bij het crematorium. Easy stond al op ons te wachten, samen met zijn moeder. Onze hele klas was er, de meesten met een of twee ouders. Tarik had donkere kringen onder zijn ogen en een vlekkerig gezicht. Zou hij ook denken dat het zijn schuld was?

Iemand wees ons waar we moesten zijn. De kist van Tibby stond op een verhoging en de vloer eromheen was bezaaid met bloemstukken. Er liep een lange rij mensen langs om Tibby nog één keer te zien. Sommige kinderen legden een briefje bij de kist, of een bloem.

Ik liep zenuwachtig tussen Sam en Easy in.

'Moet je nu zien,' zei ik. 'Die kist is nog steviger dan hun huis. Geen plakband, niks. Nou ja, ze moet er ook heel lang mee doen, natuurlijk. Maar als ik doodga, wil ik niet in zo'n saaie kist, jongens, dat je het even weet.'

'Sst,' zei Sam rustig.

Ik probeerde stil te zijn en plechtig te kijken, maar het lukte niet. Het ene floepsel na het andere floepte eruit. 'Schilder mijn kist maar in een vrolijke kleur. Of mijn gezicht, net als bij Toetanchamon, weet je wel, goud met blauw. En ik wil ook niet zo'n eng synthetisch glibberstofje binnenin. Plak er maar een leuke poster in. Of zo'n fris Hollands ruitje, rood of blauw. Ik voel het toch niet als ik een beetje hard lig.'

Easy legde een arm om me heen. 'Sst, kom maar mee,' zei hij. 'Het is goed.'

Toen waren we er.

Tibby had een oranje sjaal om haar hals, een sjaal met roze kraaltjes.

'Kijk nou! Tibby haatte oranje!'

Zelfs met die kleine lieve krulletjes op haar wang zag ze er heel raar uit, niet echt als Tibby, maar als een grote pop. Een etalagepop. En opeens wist ik zeker dat ze zich toch vergist hadden, dat het een ander meisje was, een Tibby-achtig meisje dat wel van oranje hield. Ik greep Easy's hand. Hij hield me stevig vast. Toen liepen we door.

Naast de kist stonden Jeff en Sharima. Jeff droeg een blauw shirt. Hij had zijn hoed half over zijn gezicht getrokken en veegde zo nu en dan over zijn ogen. Sharima was in het zwart. Ze droeg een fluwelen jurk met kant en suède laarzen. Alleen de sjaal om haar haren was paars. Toen ik hen zag werd mijn mond kurkdroog. Ik kon niets uitbrengen, alleen: 'Gecondoleerd.'

Mijn hand bibberde.

Sharima knikte als een oude, vermoeide keizerin en Jeff streek even met zijn hand over mijn haar.

Sam trok me mee. 'Kom, zusjelief, heb je gezien dat MaiZZ er ook is?' fluisterde hij. 'Cool, toch! Ze hebben hun tournee speciaal voor Jeff onderbroken!'

'Ik had ze liever niet gezien,' zei ik. IJzig. Niet aardig.

Om me heen probeerden mensen zich op allerlei manieren een houding te geven, met tranen en zakdoeken, met zenuwachtig gepraat, met stilte en zelfs met foute grappen.

Tobias uit onze klas fluisterde tegen Tarik: 'Zitten twee dooien in het crematorium. Zegt de ene tegen de andere: Waarom bloos je zo? Zegt de andere: Daar heb je mijn vlam.'

Ik deed net alsof ik hen niet hoorde.

# 5

De plechtigheid begon. Twee zwarte mannen in zwarte pakken sloten de kist. Jeff sprak een paar welkomstwoorden, tot hij in snikken uitbarstte en de halve zaal met hem mee snufte. Ik ook.

Toen kwam JP met een mooie, beheerste speech. Ik haalde diep adem en frommelde zenuwachtig met mijn papiertje, want daarna was het mijn beurt om op het podium te klimmen.

'Ik wil graag iets zeggen,' begon ik. Een zaal vol ogen was op mij gericht, gespannen, verdrietig, verslagen. Ik haalde nog eens diep adem. 'Tibby was mijn vriendin, mijn...' Ik aarzelde. Ik slikte. Ik zag Elien, ze lachte me bemoedigend toe. Elien was mijn beste vriendin. En niet Tibby. Mijn keel kneep samen, met moeite kreeg ik de woorden eruit. 'Tibby was mijn vriendin. Ik kon haar niet helpen. Dat vind ik heel erg.' Ik moest mijn tranen wegslikken en wegsnuiven en toen ging het niet meer.

Zakdoeken. Sam stak me een hand toe en redde me van dat vreselijke podium af, terwijl Fenz van MaiZZ onmiddellijk het podium op bonkte met zijn gitaar, in een spijkerbroek vol gaten en een rood overhemd en laarzen. Hij had er vast geen moment over gepiekerd wat hij hoorde te dragen op een crematie en wat hij met zijn haar zou doen. Maar hij zong een prachtig nummer, terwijl Tibby's kist heel langzaam in het podium verdween.

Jeff zat erbij te janken en zelfs Pa en Ma moesten huilen. Alleen Sharima zat er onbewogen bij, groot en zwart en mythisch als een godin, met een gezicht dat versteend was van verdriet.

Atomen bestaan voor 99,9 procent uit niets en voor 0,1 procent uit iets. Dat heb ik laatst geleerd bij natuurkunde. Als je mij zou samenballen tot die 0,1 procent die wel iets voorstelt, dan blijft er niet meer dan een zandkorreltje over, één klein stofje, al is het dan een stofje van 55 kilo.

Tarik wilde het niet geloven. Ik vond het geniaal. Na tien jaar op school leren ze ons eindelijk iets nuttigs. Dit zouden alle politici moeten weten en alle topmensen in bedrijven ook. Meneer, mevrouw, u bestaat voor 99,9 procent uit niets, onthou dat goed. U bent niets, een stofje in het heelal.

Daar denk ik aan terwijl ik door de witte bladzijden van het Fluisterboek blader.

'Ik deed mijn best, meer kon ik niet,' fluister ik tegen ze. 'Ik besta voor 99,9 procent uit niets. Ik hoef niet alles te kunnen.'

De bladzijden ritselen tevreden terwijl ik het boek weer dichtsla. Ik laat ze leeg, want welke woorden moet ik schrijven nu ik zelf kan fluisteren...?

Anubis glimlacht naar me met zijn zachte, gouden ogen.

'Ze is weg en ze komt nooit meer terug,' fluister ik. 'Ik heb jou niet eens aan haar kunnen geven.'

'Koester wat zij jou gegeven heeft,' zegt hij.

Hij zegt het niet hardop, natuurlijk, maar toch hoor ik hem duidelijk in mijn hoofd. Hij spreekt de zachte woorden als een massage van wat, mijn ziel?

*Koester wat ze jou gegeven heeft.*

Ik pak mijn viool van de muur en speel erop totdat al mijn tranen weer op zijn.

En dan voel ik dat ik eindelijk afscheid van Tibby kan nemen, ook al weet ik nog niet hoe.

# Mijn dood is niet jouw dood

Die avond, als ik rustig in bed lig, kan ik niet slapen. Ik moet steeds aan Sharima denken, hoe zij daar zat als een bevroren godin. Ik haal diep adem. Dan pak ik mijn mobiel en ik bel.

Als ik de volgende middag de winkel in kom, hangt Sharima een bordje GESLOTEN op de deur.

We gaan naar De Reünie en Sharima bestelt twee cola.

'Hoe is het met jou? Ik had jou al veel eerder verwacht,' zegt ze. 'Ik wilde al bellen.'

'Ik eh.' Ik eh, ik durfde niet te komen.

'Weet je, Annemarth, ik kan het allemaal nog niet geloven. Op een dag komt ze met een bootje weer aangevaren over de Kromme Rijn, dat droom ik, weet je dat? Dat houdt me op de been.'

'Ja,' zeg ik. 'Dat heb ik ook. Ik denk steeds dat ze achter me fietst. Ik kijk of ze nog iets op mijn Hyves heeft gekrabbeld.'

Sharima knikt. 'Soms wou ik gewoon dat zij me weer eens flink zou uitkafferen. En dan zou ik haar stevig te grazen nemen en daarna zouden we weer een hele tijd goeie maatjes zijn. Ik had het moeten zien aankomen. Ik was stekeblind met mijn winkeltje. Nooit ergens anders tijd voor. En nu is het te laat.'

De serveerster brengt twee grote cola's. 'Dank u,' zegt Sharima. Haar stem trilt, maar verder blijft ze zo koel als de cola.

'Toch is het een te gek winkeltje,' zeg ik. 'Logisch, toch, dat je daar veel aandacht voor nodig hebt? Dat begreep Tibby heus wel, hoor. Het is al erg genoeg, je moet jezelf geen verwijten maken.'

'Nou, ik heb de winkel te koop gezet. Ik kan er niet meer prettig werken. Bij elk sjaaltje moet ik aan Tibby denken. Dat was mijn mooiste, duurste sjaaltje, weet je, een echte Dolce & Gabbana, weet je, die ik om haar hals heb gedaan, op het laatst. Als ik die rotwinkel niet had gehad, had ik hier nu verdorie met jullie samen gezeten.'

Ik zeg maar niet dat Tibby de pest had aan oranje. 'Wat ga je dan doen?' vraag ik.

'Dat zal ik je vertellen. Jeff en ik moeten hier weg, wij gaan er een poosje tussenuit. Van het geld van de winkel kopen we een camper en dan rijden we naar Duitsland voor de tournee met MaiZZ. Fenz heeft mij gevraagd voor de styling. Kleding uitzoeken, gezicht bepalen, weet je wel? Geloof me, dat is een klus hoor, met die gasten.'

'Tjonge, gaaf,' zeg ik.

Sharima knikt. 'Jeff en ik komen voorlopig niet terug. Fenz' oudste dochter woont in Noord-Italië aan de kust. Ze heeft een camping. Mijn zus woont in Milaan en mijn nicht zit in Verona. We blijven misschien wel een halfjaar weg. Of nog langer.'

Ik knik. Het voelt alsof er definitief een hoofdstuk uit mijn leven wordt geknipt.

'Ik zal jullie missen. Echt.'

Sharima rommelt in haar tas. 'Kijk, dit vond ik op Tibby's tafel.' Ze geeft me een ansichtkaart van een sierlijk smeedijzeren hek met daarachter een zonovergoten tuin. Het hek staat op een kier.

Ik krijg een brok in mijn keel. Ik draai de kaart om.

*Mijn dood is niet jouw dood,* staat erop in Tibby's hanenpoten.

*Live on. Jij maakte het nog een beetje draaglijk voor me. Love u 4ever Tibby.*

Ik begin te snuffen.

'Eigenlijk was hij voor jou, schat, dat stond op de envelop. Ik hoop niet dat je het erg vindt dat ik hem een poosje heb ingepikt,' zegt Sharima.

'Dank je,' kan ik uitbrengen. 'Je moet die kaart zelf houden.'

Sharima zucht en streelt over mijn haren. 'O, o, jij lieve lieve meid. Tibby heeft echt veel aan jou gehad, hoor. Geloof je dat nu eindelijk?'

Mijn hoofd weet het al en langzaam begint ook mijn buik het te geloven. Ik heb geen buikpijn meer.

'Deze kaart heeft meer voor mij gedaan dan jij kunt weten,' zegt Sharima. 'Dag en nacht heb ik hem bij me gedragen. Je moet verder leven, zei ik tegen mezelf. Hup, verder leven. De hele tijd zei ik dat. Maar nu ben ik er klaar mee. En hij was voor jou.'

'Dank je,' zeg ik. 'Hoe kan dat nou dat jij niet moet huilen en zo? Dat mag toch wel?'

'Geloof me, kind, als ik straks naast Jeff op de autobaan zit, in onze nieuwe camper, dan zal ik huilen tot de ruiten ervan barsten. Ik zal schreeuwen tegen alle auto's die we tegenkomen. Elke dag zal ik huilen. In Verona zal ik janken en jammeren tegen de maan. Misschien vind jij mij hard en gevoelloos. Maar ik moet nu overleven, schat. Ik moet de zaak verkopen en Jeff op de been houden zodat hij niet in de drank verzuipt. Of nog erger. Geloof me, die man is tot alles in staat. Straks kan ik huilen, maar nu moet ik sterk zijn. Kom.' Ze buigt zich naar me toe en veegt mijn tranen af. 'Tijd om te gaan. Jij bent een goeie meid en een beste, beste vriendin. Goed onthouden, oké? En verder leven! Het is niet jouw schuld. Tibby is haar eigen ding gaan doen, ergens waar wij niks van weten. Maar wij moeten hier een manier vinden om verder te leven.'

Ik sta op. 'Heel veel sterkte,' zeg ik.

'Als je toevallig vandaag die kant op gaat, zou jij deze boodschappen even voor Jeff mee willen nemen? Ik weet zeker dat hij het fantastisch zou vinden om je even te zien.' Sharima geeft me een plastic tasje met boodschappen. Ik schiet in de lach. Sharima heeft het weer voor elkaar. Toch ben ik blij met een reden om langs Jeff te gaan, anders stel ik dat toch steeds weer uit.

Het huisje ligt er onthutst bij in de vroege voorjaarszon, alsof de hele tuin treurt om Tibby. De verf bladdert. De kozijnen hangen scheef. Alleen de kamperfoelie doet dapper een poging om opnieuw uit te lopen.

Tibby's huis zonder Tibby. Ik loop door de tuin en opeens sta ik oog in oog met Jeff.

Hij heeft zich minstens een week niet geschoren. Zijn ogen staan wazig en rood. Van de tranen? Van de wiet?

'Hi, Annemarth! Ik keek even naar de tuin. *Come on in*,' zegt hij vriendelijk als altijd. We lopen naar de keuken. Er hangt een stevige wietdamp. '*Wanna coke?* Ik bedoel een glas cola?'

Nog meer cola, waarom niet. 'Ik heb wat boodschappen voor je meegebracht.'

'O, dat had je niet hoeven doen!'

'Van Sharima.'

'Nou, reuze bedankt hoor. Sharima hamert er elke dag op dat we goed moeten eten.'

'Ja,' zeg ik maar.

'Wij gaan een poosje weg, heeft Sharima dat al verteld? Weg, even nergens aan denken, aan alles wat hier gebeurd is.'

Ik knik en ga op de smoezelige oranje bank zitten. Ik wacht tot Jeff iets zegt. De vrolijke, hartelijke sfeer van de keuken is weg. Op de bank en op de wasmachine slingert ongevouwen wasgoed. In de hoek liggen omgevallen lege flessen. Wijn, whisky, jenever en wat lege bierflesjes in een krat.

Jeff begint te praten en dan praat hij aan één stuk door, met veel herhalingen.

Over zijn groentetuin, nou ja, daar begint hij dit jaar niet meer aan want ze gaan weg, ergens wel jammer of zo.

Hij praat maar door in een vreemd, slepend ritme dat klinkt alsof hij iets voort moet zeulen wat te groot en te zwaar voor hem is.

Ik laat hem praten en begin de was maar op te vouwen. Jeffs stem kabbelt verder. Dat JP op bezoek is geweest en Fred ook en dat het van die goeie gozers zijn, weet je wel. En weer over de groentetuin, dat hij het zo mist maar dat het ook wel goed is om even niet te werken, zonder zijn kleine Sweet Pea. 'En Sharima zegt ook dat we hier weg moeten, op reis. Zij wil een camper kopen of zo, ik weet het niet precies. We moeten weg, weg van hier zegt zij. Ik vind het ergens niet zo'n goed idee, weet je niet? Je moet je zorgen niet de rug toekeren. Maar we moeten verder, weet je.'

Hij veegt een paar tranen uit zijn ogen en neemt een flinke slok van zijn cola. Dan doet hij er een flinke scheut jenever in, hij biedt mij ook een slok aan, o nee, sorry, en begint te huilen. *'What a mess, my little Sweet Pea,* zomaar weg. Alles weg. Wat moeten we nou?'

Hij moet hier inderdaad weg, denk ik, en snel een beetje, voordat er niets meer van hem over is.

En ik wil ook weg. Ik sta op, maar dan zie ik het aanrecht. Er wiebelt een soort toren van pizzadozen naast een hoge stapel vaat in de geblokte gootsteenbak. 'Kunnen die dozen weg?' vraag ik. 'En heb je ergens afwasmiddel? Dan wassen we even af.'

'Nee, doe ik zo meteen wel,' zegt Jeff.

Dan niet. Ik ben allang blij dat ik weg kan. 'Bedankt voor de cola, Jeff. Sterkte hè. Zie je.'

'Ja, tof dat je geweest bent. *Thanks for your help. You're a good kid,* Annemarth. Ach, jij mist haar natuurlijk ook heel erg. Wacht.'

Hij veegt zijn ogen weer af, loopt mee naar buiten en haalt een paar zakjes zaad uit de schuur en wat gereedschap, een schep en een schoffeltje. Dan vult hij een pot met aarde en graaft heel voorzichtig een stukje kamperfoelie uit, dat hij zorgvuldig oppot, met een bijna teder gebaar. 'Tibby zei dat jij dit lekker vond ruiken. En dit is ook voor jou, een aandenken.'

Het is zaad van sla en lathyrus en de kleine schoffel van Tibby.

Ik bedank hem al snotterend en hij jankt ook en snottert iets terug en dan schieten we tegelijkertijd in de lach. Hij zwaait me na en heel even lijkt het alsof Tibby daar staat, met die afhangende schouders.

Dat was het dan, denk ik.


Op de fiets naar huis waait de wind nog een paar tranen in mijn ogen. Ik veeg ze af. Ik ben er klaar voor. Ik weet dat ik afscheid kan nemen zonder al het mooie te verliezen, en ik weet ineens ook hoe.

Terug op mijn kamer vertel ik het aan Anubis. Hij glimlacht zijn zachte, gouden glimlach.

*Koester wat ze jou gegeven heeft.*

Ik graaf een gat bij de gevel en plant de kamperfoelie erin.

*Koester wat ze jou gegeven heeft.*

Ik maak een Keurige plantenbak leeg en zaai wat van het sla-zaad.

*Koester wat ze jou gegeven heeft.*

En al gravend in de tuin weet ik ook de laatste stap.

# Reis naar de lichte wereld

Als al mijn voorbereidingen klaar zijn, bel ik Easy. 'Ga je morgenmiddag mee?'

'Zeker! Gaan we de stad in? Krijg je weer zin in leuke dingen?'

'Nee, ik wil iets doen. Iets voor Tibby, om echt afscheid te nemen.'

's Middags laat ik hem zien wat ik heb gemaakt.

'Kijk,' zeg ik. Ik haal de rode schoenendoos uit de plastic tas. Ik heb er gouden hiërogliefen op geschilderd. 'Zal ik het vertalen?'

'Goede reis,' leest Easy. 'Het licht wacht op je, niet bang zijn. Anpu, Anubis, Opener van Wegen.'

'Je kunt het lezen!' zeg ik verrast. Easy knikt. 'Mijn briljante vriendin was de laatste tijd nogal in beslag genomen. Dus ik had alle tijd om haar briljante geheimschrift te leren. Hier staat zeker Tibby?' raadt hij.

Ik schiet in de lach.

'Hè, heerlijk om jou weer eens te zien lachen,' zegt Easy.

Ik zeg dat hij de schoenendoos moet openmaken.

In de doos ligt een lange, smalle boot met een zwarte hond op de voorplecht. Zijn oren zijn groot en goud. En in die boot ligt een kleine sarcofaag die ik heb beplakt met foto's van Tibby en mij. Ik heb de boot gemaakt van papier-maché, best veel werk, met dank aan de NRC, de ruimtelijm van Pa en een oude verfbevlieging van Ma.

'Anubis!' zegt Easy. 'Je hebt een afscheidsboot voor haar gemaakt.'

Ik knik. 'Hij brengt de doden veilig naar het dodenrijk,' zeg ik. 'De Lichte Wereld. Dat vond ik eigenlijk wel mooi.'

'Wat heb je er veel werk van gemaakt. Het is echt prachtig.'

'Ik heb er ook een gedicht in gedaan. Dat is echt mijn afscheid van haar.'

*Ik weet niet of onze vriendschap was gebleven*
*als jij gewoon normaal was blijven leven*
*maar nu geef ik je graag je zin*
*jij blijft voor altijd mijn vriendin*
*al ben ik jou voor altijd kwijt.*

Easy streelt met zijn hand door mijn haar. Hij vouwt het gedicht op en doet het terug in de kleine sarcofaag. 'Die boot ga je zeker goed bewaren?'

'Nee,' zeg ik. 'Die boot ga ik loslaten op de Kromme Rijn. Dan kijk ik hoe ze wegvaart naar het westen, naar de Lichte Wereld. Ze wilde graag een enkele reis met Anubis.'

Hij knikt. 'Wanneer?'

'Vanavond. Ga je mee? Dat zou ik heel fijn vinden.'

'Ja, natuurlijk ga ik mee!'

We gaan tegen zonsondergang. De hemel is roze en goud boven de rode rivier. De druppels aan de zwarte takken glinsteren als tranen.

We laten de boot voorzichtig te water. Langzaam vaart ze naar het westen. Terwijl ze statig wegglijdt, strijken er twee zwanen neer die naast haar blijven zwemmen totdat ze uit het zicht verdwenen is.

Mijn dood is niet jouw dood.

Mijn leven is mijn leven.

Voor het eerst sinds lange tijd ben ik blij om thuis te komen in ons kale stalen huis met de schone vloeren, de gladde witte muren, de opgeruimde keuken, de nette kasten vol schone borden en schone kleren en mijn Keurige ouders op wie ik zo lekker kan leunen als het moet.

# Sla

Het is een paar weken later.

We eten sla en weer heeft Sam de slak.

'Bio,' zegt Ma en ze lacht haar zonnige Ma-lach. Naar mij!

'Goed zo,' knikt Pa.

'Gatver,' zegt Sam, maar hij knipoogt.

Het is de eerste sla uit mijn bloembaktuintje.

En ik? Ik lach, heel zacht.

Een fluisterlach.

# Ere wie ere toekomt

Mensen zijn als bomen, vrij en zelfstandig in de wind, maar met hun wortels verstrengeld in de aarde.

Om dit boek te kunnen schrijven, moest ik een innerlijke reis maken die diep door de onderwereld voerde. Het is zo n reis die je alleen moet maken, maar gelukkig kreeg ik van alle kanten steun en medewerking.

Als eerste wil ik Michiel, Cathelijne en Sterre bedanken, omdat zij Annemarth twee jaar als onzichtbare huisgenoot in huis accepteerden en met haar meeleefden door dik en dun. Bedankt voor het aanmoedigen en meelezen, voor nieuwe frisse tieneruitdrukkingen, voor subtiele correcties en heldere kritiek, voor honderden lekkere maaltijden die ik niet zelf hoefde te koken, voor versgebakken brood, voor thermosbekers met heetblijvende thee. En niet te vergeten voor de financiële ondersteuning nu het kinderboek magere tijden beleeft.

Ik wil mijn uitgever, Thille Dop, van Moon, graag bedanken voor haar enthousiasme, haar rotsvaste vertrouwen en voor de bijzondere combinatie van geduld en optimistische deadlines. Mirjam Bolt wil ik bedanken voor fijnzinnig redactiewerk. Willemijn Tillmans wil ik bedanken voor haar grote vakmanschap en stevige steun.

Hartstikke bedankt, Christine, Pierette, Juliette, Bas, Sjoerd, Maurits, Charlotte, Marleen, Marlise, Lianne, Sterre voor jullie deskundige feedback. Bedankt, Mischa, voor je heldere, technische dj-uitleg. Harald en Gemma en ook alle mensen uit Het Poezenhuis, bedankt voor jullie fantastische verhalen (en af en toe lekkere taart). Dank aan Uitvaart Barbara, voor de vriendelijke uitleg over uitvaartprocedures.

Bedankt, Joan en Helene, voor jullie humor en voor jullie talent om de juiste naalden op de juiste plaatsen te prikken, fysiek of mentaal, waardoor alles weer ging stromen. Liesbeth en Cathérine wil ik hier liefdevol herdenken, omdat ik hen niet bedanken kan. Zij laten me beseffen hoe kostbaar het is om te leven! Ten slotte mijn dank aan Anubis, Opener van de Wegen, die mysterieuze, zachtmoedige gids op deze lange reis door de onderwereld.